CW00828153

ENCRUZILHADAS DO MEDITERRÂNEO

AS CRÔNICAS DA SICÍLIA, PARTE II

DICK ROSANO

Ilustrações por

KARI GILLMAN

Tradução por

AUGUSTO DALA COSTA

Publicado em 2021 por Next Chapter

Capa de Cover Mint

Imagem da capa posterior por David M. Schrader, usada sob licença da Shutterstock.com

Edição impressa grande

Este livro é uma obra de ficção. Nomes, personagens, lugares e incidentes são produto da imaginação da autora ou são usados de maneira fictícia. Qualquer semelhança com acontecimentos reais, lugares ou pessoas, vivas ou mortas, é mera coincidência.

Para Linda, por sua paciência e encorajamento.

Para Maria, Vincenzo, Petronilla, Pietro, Angela, Antonina e todos os outros sicilianos dos quais eu descendo...

... para meu pai, Vito, de quem eu herdei o sangue siciliano...

... e para minha filha, Kristen, para quem passo à frente o sangue deste povo antigo.

COMO LER ESTE LIVRO

NOTAS E AUXÍLIO:

Este livro é uma obra de ficção histórica. Os eventos aqui descritos derivam de evidências arqueológicas e registros históricos, mas alguns dos nomes, personagens, lugares e incidentes específicos são produto da imaginação do autor e são usados em conjunto com pessoas e lugares reais na Sicília para ilustrar a história da ilha e trazê-la à vida. Qualquer semelhança destas personagens a eventos, locais ou pessoas reais, vivos ou mortos, é puramente coincidência.

O escopo temporal para *Encruzilhadas do Mediterrâneo: As Crônicas da Sicília, Parte II* começa na era referida como A.E.C. ou "Antes da Era Comum", que é a referência científica geralmente aceita para o tempo de antes do nascimento de Cristo (anteriormente escrito como A.C.). Em partes mais avançadas do livro, o leitor irá notar o uso do termo E.C., ou "Era Comum", para se referir ao tempo desde o nascimento de Cristo (anteriormente escrito como D.C., "Depois de Cristo".). A utilização de A.E.C. e E.C. é um aceno não-religioso ao mundo científico dos dias de hoje; no entanto, Vito Trovato, o homem idoso que mentora Luca no livro, ainda não aceitou a modernização do termo, e, portanto, o leitor irá notar o uso de A.C. e D.C. nas passagens que trazem suas falas.

A lista de Nomes Antigos dos Lugares anexada no final da história descreve os nomes das ilhas, vilas, cidades e municípios à medida que evoluíam através dos milênios O Vocabulário é um auxílio na decodificação das palavras usadas na antiguidade, juntamente com os significados modernos. A Lista de Personagens inclui os indivíduos, tanto históricos quanto ficcionais, que estão presentes em cada era e a porção da história em que aparecem.

Este volume, *Encruzilhadas do Mediterrâneo: As Crônicas da Sicília, Parte II*, é precedido por *Ilhas de Fogo: As Crônicas da Sicília, Parte I*.

LISTA DE ILUSTRAÇÕES

Ter visto a Itália sem ter visto a Sicília é de fato não ter visto a Itália, pois a Sicília é a chave para tudo.

Johann Wolfgang von Goethe

AGOSTO DE 2018

CAFETERIA AMADEO

Deixando meus alunos de sociologia para trás, eu comprei uma passagem para a ilha dos meus antepassados. Eles comemoraram comigo, alguns sentiram inveja, e devo admitir que eu senti uma alegria e antecipação pré-viagem até chegar o dia do voo.

O plano era alugar um carro e circum-navegar a ilha, me atendo às cidades costeiras sobre as quais eu havia lido nos guias. Um lado da família de meu pai era do oeste siciliano, então decidi começar meu sabático lá.

E foi de fato "sabático". A viagem foi planejada para o verão, para que eu não perdesse nenhuma aula, mas para explicar minha ausência estendida para a administração da universidade, eu dissertei sobre minhas raízes e sobre como eu planejava combinar minha pesquisa em genealogia com um estudo cultural sobre o povo daquela terra. Eu imaginei que iria até o final do século XIX, quando o movimento dos *Fasci Siciliani* cresceu para enfrentar a influência do governo. O fato de que nossa árvore familiar ia apenas até esse período era uma razão adicional para começar ali.

Chegando em Palermo em julho, eu fiz bem o que meus planos diziam. Aluguei um carro e dirigi ao longo da costa até Trapani, uma cidade que compartilhava as minhas raízes familiares com um local nas praias orientais, Siracusa, escrita *Siracuse* em muitos mapas estadunidenses. Eu presumi que, já que nosso sobrenome era Siragusa, - uma transliteração rústica do nome da cidade - poderia ser um local importante para ir e me debruçar sobre registros paroquiais e arquivos oficiais para desencavar mais detalhes sobre as gerações da minha família antes de sua emigração para os Estados Unidos.

Já que eu planejava retornar a Trapani, eu não fiquei muito tempo por lá e continuei a dirigir ao longo da costa, chegando em Mazara del Vallo, na costa sul, bem a tempo de parar para passar a noite. Eu me acomodei no Hotel Grecu, que era pequeno e bem perto da praça principal, e apreciei uma ceia leve em uma cafeteria indistinta na piazza antes de me retirar para dormir.

Pela manhã, fui dar uma caminhada e descobri que gostava da pequena cidade costeira. Era grande o suficiente para ter negócios, lojas, escolas e muitas cafeterias e restaurantes. Eu até mesmo passei por uma biblioteca pública que era grande o suficiente para exceder minhas expectativas. Mas então, pensei, quais expectativas eu tinha?

Eu decidi ficar em Mazara del Vallo por mais uma noite, aproveitar o que a cidade oferecia e usá-la como um ponto de partida para minha estadia na Sicília. Eu também imaginei que a biblioteca seria uma vantagem, onde eu passaria algum tempo ao longo da tarde e "molhar meus pés eruditos", como dizem.

A caminhada me fez bem, então, ao retornar para o hotel, eu peguei meu caderno de anotações e comecei a rabiscar alguns pensamentos. Eu tinha um notebook e sabia que seria melhor para coletar dados, mas eu também sabia que podia carregar meu caderno na mochila e estar sempre a postos para capturar algum item do meu interesse.

De manhã, eu estava ansioso para começar. Andando pelas ruas da cidade para absorver o que ela oferecia, fiz pequenas anotações sobre os prédios governamentais, santuários aos santos católicos e igrejas para as quais eu planejava voltar. O meio-dia se aproximou e o café e as frutas do café da manhã ainda me deixaram com fome, então eu me aventurei e encontrei um assento na mesma cafeteria onde eu havia ceiado na noite anterior. A comida estava excelente, bem melhor do que a aparência informal do estabelecimento. Eu pedi *frutta di mare,* frutos do mar, já que Mazara - na verdade, toda a Sicília - era conhecida pelos seus frutos do mar. O sortimento de peixinhos fritos chegou em um prato com as palavras "Cafeteria Tramonte" impressas na borda. Junto com uma taça de vinho, pão fresco e óleo de oliva para mergulhar a refeição, ela era o remédio perfeito para a minha fome.

Eu passei aquela primeira tarde na biblioteca que havia descoberto na caminhada matinal. Era uma bela construção antiga que abrigava dezenas de milhares de livros, a maioria deles em italiano. Mais especificamente, devo dizer que eram em italiano florentino, a língua oficial do país. Eu sabia, pelas minhas histórias de família, que o siciliano era um pouco diferente do italiano continental. Mais do que um dialeto, mas não exatamente uma língua diferente. Eu havia aprendido a língua italiana oficial, mas também havia pegado várias palavras e frases em siciliano em reuniões de família. Eu me senti agradecido pelo conteúdo dessa biblioteca não estar escrito na língua local, embora houvessem alguns volumes que claramente eram, incluindo uma versão local do internacionalmente famoso *Il Leopardo*, de Giuseppe Tomasi di Lampedusa.

O tempo passado na biblioteca foi muito produtivo. Eu sabia que não desencavaria nada sobre minha família ali - a menos que, por um enorme acaso, alguém de minha genealogia tivesse algo a ver com eventos históricos - mas eu também sabia que os livros nessas prateleiras sem dúvida ofereceriam um conhecimento amplo e profundo da história e cultura sicilianas. Eu confiei no conselho do bibliotecário quanto aos livros certos para começar, um cavalheiro alto e gentil cuja compleição pálida sugeria que ele havia passado a maior parte dos dias ensolarados nos interiores, em sua "alta corte" do aprendizado. Ele apontou para duas prateleiras com livros que estavam escritos em inglês, mas eu rapidamente descobri que elas incluíam, em sua maioria, romances, e eu estava em busca de história.

Quando expliquei isso para ele com mais cuidado, temperando meu pedido com quaisquer jargões sicilianos que eu pudesse possuir, foi como se uma luz se acendesse nele. Exultante e levantando seu indicador direito como se apontasse para uma luz que subitamente havia se iluminado, ele me pegou pela mão e me guiou até outra fileira de prateleiras. Apontando muito deliberadamente, ele disse que esses livros eram justamente o que eu estava procurando.

Ele estava certo. As prateleiras às quais ele me levou eram sobre a história siciliana e eram escritos em italiano florentino. Bem o que eu esperava encontrar. Eu passei muitas horas construindo uma cronologia da ilha, trabalhando do tempo presente para trás, até os anos 1800. Ao completar meu trabalho da tarde, eu empilhei os cinco livros que havia retirado da prateleira. Mas quando me levantei para os devolver aos seus lugares, o bibliotecário apareceu ao meu cotovelo, sorrindo, e pegou os livros das minhas mãos.

- Eu faço - disse ele, em um inglês com sotaque.

Eu sorri de volta, o agradeci e deixei a biblioteca. Havia sido um dia produtivo, com visitas intermitentes de meu novo patrono, que me guiava até os livros que se encaixavam na pesquisa que eu estava fazendo. Eu só havia mencionado a ele que estava pesquisando a história siciliana - não minha própria família - e que meu objetivo era apresentar minhas descobertas aos meus alunos nos Estados Unidos quando o semestre outonal começasse. Ele sorriu e pareceu entender a maior parte do que eu estava dizendo, e concluí que seu inglês era melhor do que o meu siciliano.

No final daquela tarde, eu encontrei outro lugar para comer, aninhado na borda da piazza principal, e eu apreciei outra maravilhosa refeição. Eu não estava de fato na cidade de Marsala, mas me aventurei com o pedido de um *Vitello alla Marsala,* presumindo que este prato - um dos meus favoritos na minha terra natal - seria incomparavelmente delicioso aqui na Sicília. Eu estava certo. Era um prato intensamente saboroso, mas não o que eu esperaria exatamente de uma receita feita por ítalo-americanos nos Estados Unidos. A vitela era bem macia e o molho era mais rico, um pouco mais doce do que a versão estadunidense. O vinho acompanhava a refeição e, embora eu não houvesse reconhecido o estilo imediatamente, o dono da pequena trattoria me apresentou a garrafa orgulhosamente e proclamou que o Nero d'Avola era a própria joia rara da Sicília.

Depois de jantar e caminhar pela praça, que parecia atrair dezenas de locais para a *passegiata* do fim da tarde - que é uma caminhada com amigos e família -, eu me recolhi ao hotel e peguei no sono rapidamente.

Pela manhã, eu estava renovado e pronto para sair novamente, ainda considerando o cronograma e itinerário, e quanto tempo eu deveria ficar em Mazara del Vallo. Eu empacotei meu caderno, canetas e garrafa d´água e saí.

Eu não havia comido o café da manhã antes de sair do hotel, que tinha uma boa área de alimentação com café, rocamboles e frutas. Eu estava me arrependendo de ter deixado o café da manhã passar, por mais escasso que fosse, então espiei uma cafeteria com paredes de vidro na esquina, Cafeteria Amadeo, e me esgueirei para dentro para suprir a nutrição que negligenciei no hotel.

Aqui, encontrei Vito Trovato, um homem de idade indecifrável, embora estivesse claramente na casa dos oitenta ou noventa. Ele andava com ombros levemente curvados, mas sem a ajuda de uma bengala. Ele tinha todo o cabelo grisalho, bochechas profundamente enrugadas e mãos curvadas e cheias de veias, aparentemente por conta da artrite. Mas seus olhos brilhavam com uma vivacidade que estava fora de sincronia com a idade de seu corpo.

Vito soube imediatamente quem eu era, embora eu tivesse certeza de que nunca havíamos nos encontrado. Ele se esgueirou para uma mesa no canto como se fosse o dono dela, sinalizou para o barista trazer café, e então torceu o dedo em minha direção, me convidando para me juntar a ele na mesa.

- Você é Luca Siragusa - disse ele enquanto eu me aproximava, embora eu não entendesse como ele sabia isso. Ele prosseguiu e me questionou sobre meus planos de pesquisa e meu conhecimento presente de seu "país", a Sicília. E então ele se lançou numa longa discussão da história da ilha, indo para muito além de meu ponto de partida, para os milhares de anos que se passaram e as mudanças que ocorreram na ilha.

Ele disse que o bibliotecário era seu amigo e que os dois haviam jantado juntos na noite anterior, o bibliotecário tendo contado a Vito sobre o estrangeiro estadunidense que estava aqui, em Mazara del Vallo, para estudar o povo siciliano.

Descrever Vito Trovato com justiça irá tomar todas as páginas de um livro inteiro. A profundidade do conhecimento e a intensidade do sentimento pela ilha da Sicília me causaram uma impressão indelével. Ao longo das nossas várias reuniões, eu me convenci de que ele é o maior historiador e culturólogo da Sicília, e fiquei por muitas semanas em sua companhia, aprendendo sobre a ilha, o povo, a cultura e como dúzias de países a invadiram, a utilizaram para seus próprios propósitos e subjugaram o povo e suas indústrias para interesses estrangeiros. Os tempos mais antigos - de dezenas de milhares de anos atrás - Vito descrevia quase como se houvesse vivido eles. Eu capturei seus comentários, anedotas e explanações em meu diário, mas então tive de comprar cópias extras de livros em branco para continuar a absorver tudo que ele estava me dizendo. Das eras geológicas antigas que definiram a bacia do Mediterrâneo com deslocamentos tectônicos, secas, enchentes e migração aos levantes políticos que refinaram e definiram a cultura siciliana, Vito me manteve arrebatado com suas histórias.

As primeiras conversas com ele trataram dos milhares de anos antes da era comum, da Enchente Zancleana na Era do Plioceno e os milênios de erupções vulcânicas que construíram e então esculpiram a coleção de ilhas em torno da Sicília às invasões de culturas em desenvolvimento que reivindicaram a ilha como ponto de parada e campo de batalha para a exploração da região. Essas anotações preencheram três volumes dos meus escritos e eu planejava explorar essas eras em um volume separado acerca da Sicília, tratando os eventos e a passagem do tempo como o nascimento da ilha.

Mas eu não pude me separar de Vito e permaneci em Mazara del Vallo pelas semanas que eu havia planejado passar fazendo um tour pela ilha. Ao invés de ver Siracusa, Agrigento, Enna e Cefalù entre as cidades do meu itinerário, eu permaneci em Mazara del Vallo nessa Cafeteria Amadeo, bebericando espresso com Vito todas as manhãs e, às vezes, apreciando um vinho com ele na Trattoria Bettina, anotando tudo que ele me contava sobre sua ilha.

Quando o tempo alocado para minha viagem estava para expirar, eu pleiteei que deveria retornar para os Estados Unidos, mas, àquela altura, meu mentor havia chegado apenas até a época da invasão romana da Sicília, no primeiro século antes de Cristo. Eu sabia que meus estudos estavam apenas começando, e eu sabia que eu teria de permanecer em Mazara del Vallo por ainda mais tempo. Eu calculei o início do semestre de outono e decidi que podia esticar mais duas ou três semanas aqui.

E, assim, com a aceitação paciente - e, devo dizer, solícita - de Vito, eu fiquei em Mazara del Valllo estudando com ele para aprender sobre o povo siciliano desde a época dos romanos até o tempo presente.

71 A.E.C. - 350 E.C.

ROMANOS

71 A.E.C.

SIRACUSA

- Eles não podem comer, - veio o grito. Veio dos cantos de uma multidão furiosa reunida na piazza, mas as palavras logo se tornaram um cântico.

Os siracusanos estavam falando dos romanos, e o que foi deixado de fora do cântico era o final: - ...sem nossos grãos. A cidade, bem como a maior parte da ilha, havia sido conquistada e explorada pelas legiões romanas, mas os cidadãos não deixaram de resistir. Eles sabiam que Roma possuía poucas terras agrícolas e cobiçava as planícies verdejantes da ilha, que produziam milhares de navios cheios de grão todo ano.

Roma vinha expandindo seu território por muitos anos, em sua maioria para suprir recursos naturais através da taxação. O povo de Trinacrium, como Roma chamava a ilha, sabia disso e lutava entre si para decidir se aceitaria a situação ou se rebelaria.

- Se nós não mandarmos grãos, eles não podem comer - dizia um lado.

- Mas se nós não mandarmos grãos, eles irão nos crucificar como fizeram com os escravos que se rebelaram.

- E, - outro adicionava, para enfatizar, - não é tão ruim. Eles querem nosso grão e fazem seu pão com ele. Mas é só um pouco do que produzimos. Certamente podemos compartilhar.

Para aqueles que resistiam, Roma tinha uma resposta. Suas terras agrícolas eram declaradas como *ager publicus,* terra pública, e eram confiscadas. Seriam, então, redistribuídas entre os fazendeiros cooperativos - por um preço - e o trabalho na terra seria retomado.

- Eu disse que "não" - resmungou Livaius, um fazendeiro cujas terras haviam sido tomadas.

- Ele é de Lilibeu, - disse outro, se referindo à vila de Livaius no oeste de Trinacrium. - Eles perderam tudo. O orador não havia mencionado que todos em Lilibeu haviam perdido tudo. Roma não gostou da resistência da cidade ao longo dos anos de guerra na ilha, e então os conquistadores reservaram a punição mais severa para ela.

- Precisamos comer também - gritou Fenestra. Ela trabalhava ao lado do marido nos campos, trazendo os filhos para ajudar com frequência, e ela odiava os impostos cobrados por Roma.

- Venda! - veio o grito.

A multidão havia se tornado tão grande e descontrolada que um bramido poderia vir de qualquer canto sem saber sua origem. Mas a retrucada a essa sugestão foi rápida.

- Não temos mais nada para vender!

Roma tomava os primeiros dez por cento da colheita em impostos e então convidava os fazendeiros para vender outros dez por cento de seus grãos para lucrar. Mas a segunda porção era vendida a preços definidos por Roma. A quantia da colheita anual variava com o clima e o tempo, então os impostos e a margem de lucro também variavam. Administradores romanos vinham todos os verões para avaliar a colheita e determinar as quantidades a serem submetidas às taxas, deixando espaço para avaliações desonestas de quantidade e qualidade. Se o fazendeiro não pudesse atender às demandas de Roma, ou tivesse de dar a melhor colheita como imposto, seria geralmente forçado a entrar em débito com os publicanos - os coletores de impostos romanos - para cobrir a diferença.

E Roma somente creditava os grãos que eram recebidos por ela após o transporte. Os custos de envio eram cobrados dos fazendeiros, custos que eram distribuídos - às vezes liberalmente - aos capitães de navio que Roma enviava para coletar os grãos. A cobrança dos dez por cento mais o custo de envio era tirada do bolso dos fazendeiros antes do dinheiro sequer chegar em Trinacrium.

Então havia os piratas que rondavam as águas do mar entre Trinacrium e Roma. Os fazendeiros eram pagos somente pelo produto que sobrevivia à viagem até Óstia, o porto de Roma, então os fazendeiros eram forçados a pagar por navios armados para acompanhar os carregamentos de grãos.

Era óbvio a esses fazendeiros que a avaliação da colheita e dos valores de envio podia ser manipulado. O sistema era terreno fértil para a corrupção, e o temperamento irado dessa multidão era prova disso.

Roma havia declarado que Trinacrium era uma província e a tratou asperamente desde que tomou controle da ilha após as guerras com os púnicos e as rebeliões de escravos, que irromperam duas vezes. Em retribuição, Roma permitiu que terras em Trinacrium fossem divididas entre romanos ricos, alienando ainda mais as pessoas que viviam na ilha há séculos. As famílias ricas que tomaram terras requereram aos arrendatários que suprissem o grão para cobrir os impostos do usurpador, e então tomavam sua própria parcela do restante do pagamento por sua posse dos campos.

Muitos dos trinácrios foram reduzidos a um status que não era muito melhor do que o dos escravos; na verdade, as conquistas provincianas romanas e as vitórias sobre as revoltas de escravos causaram o aumento das massas escravizadas. Entre fazendeiros quebrados por dívidas e impostos e escravos inquietos lamentando suas revoltas falidas, Trinacrium se tornava um ambiente tenso, jogando o poder e o dinheiro romanos contra os cidadãos da ilha.

Um pelotão de soldados romanos entrou na praça, formando duas fileiras em ambos os lados do governador Caio Verres, que havia andado entre a multidão como se fosse dono dela. O que, de certa forma, ele era.

- Matem-no.

Mal foi audível, um apelo que estava na mente de todos, mas que ninguém ousava expressar. Até que Timeus falou.

Mas, nessa ocasião, os guardas que escoltavam o governador estavam passando por Timeus quando ele falou. O soldado no meio da guarda, com um capacete de plumas vermelhas e placas de armadura cobrindo suas pernas e peito, virou sua cabeça em direção ao manifestante.

- Capitão! - ele gritou ao líder do pelotão, Antipias Quadras. - Aqui há um homem que mataria nosso governador.

Timeus tentou se esgueirar de volta para a multidão, para longe dos soldados romanos, mas ele não teve sucesso. Eles o agarraram e o jogaram, vacilante, aos pés do governador. Verres olhou para baixo, para o homem assustado, mas mostrou pouca misericórdia.

- Amarrem-no ao poste e deem-no cem chicotadas. Se isto não o matar, o pendurem pelos tornozelos pelo mesmo poste até que o sangue drene de seu corpo.

Então, se voltando para observar a multidão ao seu redor, Verres disse, calmamente: - Este homem é um tolo. Ninguém pode matar o governador.

Ao sinal de Quadras, os soldados arrastaram Timeus até o poste no centro da praça, amarrando suas mãos a ele e retirando sua túnica enquanto o governador e sua escolta deixavam a piazza.

Verres era bem conhecido entre o povo de Siracusa e por todo o povo da ilha. Ele havia se tornado governador há dois anos e deveria ter partido após os primeiros doze meses. Seu substituto, no entanto, ficou ocupado com outra insurreição na península, então Verres permaneceu como governador por outro termo de um ano, e então por mais um. Como filho de um senador romano, o governador parecia imune a supervisões ou punições, e como seu tempo em Trinacrium continuava sendo estendido, ele presumiu que poderia fazer o que quisesse.

O que incluía aumentar impostos na ilha, mesmo para cidades que favoreceram Roma em guerras mais antigas e que deveriam estar isentas disso. Verres também confiscava ouro e joias e era conhecido por até mesmo apreender antiguidades raras de seus amigos. Sua cobiça não conhecia limites, e o povo de Trinacrium era sua vítima imediata.

Não é surpresa que os locais fantasiassem em matá-lo. Mas eles sabiam que esses pensamentos eram meras fantasias.

Ao som do estalar do chicote, a multidão começou a se dispersar, como Verres sabia que faria. Ele havia escravizado filhos de famílias abastadas com acusações indevidas, forçado outros a pagar pela liberdade de seus filhos com seu dinheiro - e às vezes com suas filhas - e cometeu uma variedade crescente de crimes egoístas contra toda a população de Trinacrium. Sua reputação era bem conhecida e ele era desprezado, mas suas conexões em Roma eram o bastante para proteger o governador de reprimendas.

- Podemos achar alguma maneira, não podemos? Havia uma pequena reunião na casa de Fenestra, e ela apelava a eles por uma solução. - Verres está tomando tudo o que temos, e fica pior a cada safra. Seremos escravos em breve.

- Nós já somos escravos - respondeu Lilia taciturnamente. Ela era a esposa de Livaius e já tinha familiaridade com o sofrimento dos fazendeiros em Siracusa e no resto da ilha.

- Verres faz o que ele quer, - entrou Livaius na conversa. - Não há poder maior do que o dele.

- Não em nosso país, - disse Fenestra, - mas Roma se importa?

Livaius soltou um muxoxo àquilo.

- É claro que não. Eles o puseram aqui. E os romanos estão recebendo seu grão. Porque se importariam com a forma que ele o coleta?

Um homem vinha ouvindo de um canto mais escuro do cômodo. Ao comentário de Livaius, ele andou à frente e se juntou à conversa.

- Roma pode se importar, - começou Pilio, - se ficar sabendo.

- O que quer dizer? - veio a resposta. - Você acha que há almas honradas em Roma que podem se afligir com o tratamento que Verres nos dá? Ou há alguém no Senado que confrontaria o próprio pai de Verres, seu colega, com críticas?

Pilio deu de ombros a isso.

- Acredito que Roma quer continuar a receber seu grão, mas também lutou contra os escravos e os púnicos e agora está lutando contra outras tribos ao redor do mundo. Eu não acho que os poderosos em Roma querem arriscar outra rebelião aqui em Trinacrium. Eles podem ser avisados de que Verres traz essa possibilidade, e que eles devem dar um passo à frente e corrigir os problemas que ele tem causado.

- E, se eles o fizerem, - adicionou Fenestra, - você acha que Roma transformaria Verres em uma pessoa virtuosa?

Uma risada breve correu a sala.

- É claro que não, - concluiu Pilio, - mas eles podem removê-lo.

Apesar da amostra pública de confiança de Verres, ele se preocupava com o fato de que o círculo de pessoas nas quais ele podia confiar vinha diminuindo. Seu hábito de não poupar ninguém de sua pilhagem estava alienando aqueles com os quais ele poderia ter de contar para continuar suas práticas, sem falar para sobreviver.

Ele havia tido uma carreira poderosa em sua juventude, em Roma, ficando ao lado de Caio Mário, um general romano popular e bem-sucedido, mesmo quando os aspirantes à posição de cônsul de Mário fizeram repetidos esforços para depô-lo. O general não recompensou Verres muito bem, pública ou privadamente, tomando a reverência do jovem bajulador pelo que ela era de fato - autopromoção.

Mas, ao manipular sua posição e seu nome, Verres conseguiu subir nas fileiras, primeiro como *praetor* de Roma, então - com a ajuda de seu pai - como governador dessa nova província de Trinacrium. No início, sua jornada ao poder não mostrou qualquer sinal externo de fraqueza, mas Verres ainda decidiu maximizar seus lucros em qualquer posição que assumisse.

Agora, no entanto, era diferente. Verres só andava pelas ruas de Siracusa com escolta, menos pela pompa e cerimônia e mais pela proteção. E quando ele descansava sua cabeça para dormir à noite, ele insistia em ter dois soldados armados do lado de fora de sua porta. Quando, no início, ele só tinha um, acabou ficando paranoico, achando que aquele único soldado poderia traí-lo e o matar durante o sono. Ele presumiu - ou talvez apenas esperou - que nenhum grupo de dois soldados ou mais ousaria agir de forma traiçoeira simultaneamente.

A tensão pública por Siracusa ficou pior a cada mês que passava. Verres havia sido governador por três anos e acreditava que ele poderia transformar seu poder em outra posição de liderança - longe desta ilha. Quando ele pensou honestamente sobre sua situação tênue, ele havia feito tantos inimigos em Trinacrium que escapar seria aconselhável.

- Arranjaremos uma jornada até Bruttium, - ele disse a Quadras numa manhã. O capitão conhecia essa área, uma terra na ponta da península, para além do estreito de Messana.

- Quero me encontrar com o novo governador lá - continuou Verres.

Quadras sabia que Roma havia designado um governador para Bruttium recentemente, mas Verres nunca havia demonstrado qualquer interesse na posição de outro homem. E o governador certamente não estava interessado em uma proposta que envolvesse um compartilhamento de poder.

O plano de Verres era mais complicado. Ele envolvia se remover de Trinacrium sob propósitos supostamente pacíficos, então se mover mais para o norte da península e retornar a Roma. Quadras estava a emprego do governador por todo o período de três anos de governo e estava frequentemente ao seu lado. Não era difícil para o capitão avaliar as intenções de Verres. Mas o soldado dentro dele o compelia a obedecer. Além do mais, Quadras concluiu que tirar Verres da ilha poderia ter benefícios adicionais para ele. Se Quadras permanecesse em Trinacrium enquanto Verres estivesse viajando até Roma - e antes que um novo governador pudesse ser apontado - ele se tornaria o governante *de facto,* mesmo que apenas temporariamente. E quando um novo governador tomasse seu posto, Quadras estaria lá para apresentá-lo ao povo e às práticas da terra. Uma oportunidade invejável para um militar sem acesso óbvio ao poder político.

Verres sugeriu que a viagem fosse "simples", uma palavra que ele usava quando queria dizer que algo não seria divulgado. Quadras entendeu os sinais de Verres, e este em particular o convenceu ainda mais de que o governador não tinha intenção alguma de retornar a Trinacrium.

Silenciosamente, ao longo das semanas seguintes, Quadras fez preparativos para que três navios levassem ele e Verres até Bruttium. As tripulações não foram informadas acerca de quem seria levado e nem sobre o destino da viagem, mas foram instruídas a se preparar para uma jornada de alguns dias. O governador fez questão de ter enviado seus bens roubados da ilha ao longo de sua administração, então o pequeno comboio não precisaria levar uma carga grande. Apenas as estátuas de ouro, pinturas douradas, vasos elaborados e pratarias que Verres requeria para sua apreciação diária. Quadras sabia que seria melhor deixar a mobília comum no lugar para esconder as intenções da partida do governador um pouco mais, mas ele também sabia que Verres não consideraria partir deixando qualquer fração de seu tesouro para trás.

Na manhã combinada, o governador se levantou cedo enquanto as brumas ainda se prendiam ao porto de Siracusa. Ele fez seus homens carregarem cinco vagões antigos de fazenda com o restante de seus bens pessoais e riquezas pilhadas, então cobriu os vagões com uma costura de serrapilheira e uma camada de feno comum. Deixando seus aposentos sob guarda, como se estivesse saindo para caminhar, Verres subiu no maior dos três navios e imediatamente deu ordens para zarpar.

Ele estava no mar e longe do porto na mesma hora em que os fazendeiros se arrastavam até seus campos para o trabalho do dia.

A partida dos três navios não levantou questionamentos, mas a chegada de Marco Túlio Cícero no dia seguinte sim. Ele ainda não era conhecido pelo povo de Trinacrium, mas sua aparição súbita foi causa de muita discussão. Àquela altura, a ausência de Verres havia sido notada e, embora ele houvesse tentado manter sua investigação casual, as perguntas de Cícero indicavam que ele estava procurando alegações contra o governador que havia partido.

Alguns cidadãos de Siracusa ousaram se aproximar de Quadras.

- A Vossa Excelência, o Governador Verres, está em uma jornada para procurar fundos para Trinacrium? Ele não esperava uma resposta honesta, mas queria iniciar um diálogo e então julgar o modo como o capitão responderia.

Quadras sequer respondeu o homem, mas o semblante duro e a investigação contínua de Cícero levaram o povo a concluir que uma mudança estava prestes a acontecer.

- E você, senhor, - começou Cícero quando questionava um fazendeiro na tarde seguinte, - como foi sua colheita? Ano passado, quero dizer.

O inquisidor romano estava sentado de um lado da larga mesa nos aposentos do governador. O homem magro e de cabelos negros sentado à sua frente havia sido trazido como parte da investigação de Cícero acerca das atividades do governador que, àquela altura, já estava ausente em Siracusa por mais de uma semana.

- Não pretendo lhe causar nenhum mal, - disse Cícero ao homem. - Estamos meramente fazendo algumas perguntas que foram levantadas em Roma.

- Sobre quanto pagamos em imposto, e se é o suficiente? Ele não sabia ainda se Cícero estava do lado do governador Verres, mas ousou responder com uma pergunta que poderia incriminar a ele e a outros fazendeiros.

- Justamente o oposto, - respondeu Cícero. - Estamos perguntando se não acabaram pagando demais.

O fazendeiro se recostou contra a cadeira, querendo acreditar nas palavras que havia ouvido, mas suspeitando das intenções de qualquer pessoa vinda de Roma, o poderoso conquistador que já havia tirado tanto de Trinacrium.

- Eu paguei os dez por cento, - foi sua primeira resposta, mas o homem continuou. - E eu vendi outros dez por cento para Roma. Mas isso era permitido, como você sabe. A defensiva do fazendeiro se revelava por trás de sua fina camada de desafio.

- Sim, é claro. Mas o que mais?

O fazendeiro fez uma pausa, tentando decifrar o que Cícero estava perguntando. O povo de Trinacrium havia cedido muitas coisas a Verres, incluindo suas colheitas e posses pessoais, geralmente a preços muito menores do que o seu real valor. E o povo foi forçado a ceder suas filhas muitas vezes, particularmente quando Verres fazia tours pelo país em busca de adornos nos templos para confiscar. As jovens mulheres eram apresentadas a ele por seus soldados como companhia para as noites que o governador passava nas cidades rurais ao longo da ilha.

O homem suspirou e olhou diretamente nos olhos de Cícero. Ele acreditava que o interrogador de Roma estava buscando a verdade, mas será que ele arriscaria sua vida nessa crença? A imagem efêmera de sua esposa e de seu jovem filho piscou à sua frente enquanto ele abria a boca para falar.

- O governador compra todos os grãos que colhemos, mas nós esperávamos que ele pagasse mais por eles.

- O que quer dizer?

- Se ele não deixa grãos para nossas próprias famílias, precisamos do dinheiro da venda para comprar comida. Mas ele – e os seus soldados – compram por um preço tão baixo que não temos dinheiro para comer.

- Você pode dizer não?

O fazendeiro apenas olhou para Cícero, sem responder.

- Então você pode insistir por um preço maior?

- Não. O governador diz que esse é o preço real. Ele diz que a colheita foi pequena, de qualquer forma, e que é de baixa qualidade. Então, ele não pagará mais.

- E a colheita foi pequena? O grão, de baixa qualidade?

- Todo ano, vossa excelência? - respondeu o homem.

Cícero olhou para o fazendeiro por um momento antes de dispensá-lo e sinalizar para que seus assistentes trouxessem outro siracusano para interrogar. Depois de outras duas semanas investigando as alegações contra Verres, Cícero voltou para Roma para reportar suas descobertas.

A jornada de Cícero foi silenciosa, dada a sua atribuição para investigar má conduta, no mínimo, e fraude, no máximo. Os crimes de Verres eram contra o povo de Trinacrium, mas também eram contra Roma.

- Verres enganava os fazendeiros, - disse Cícero no julgamento de Verres. - E suas políticas, ou mais precisamente, sua ladroagem, está fomentando rebelião.

Cícero pausou seu discurso teatralmente, se virou levemente para a direita e se dirigiu a um novo quadrante do Senado romano antes de continuar.

Nossa república já travou guerras contra os púnicos para tomar Trinacrium, e mais duas guerras para sufocar os escravos e manter a ilha. Agora temos uma nova guerra contra o criminoso Espártaco.

Se virando para encarar outra porção da assembleia, ele adicionou o seguinte.

- Roma não pode permitir que o salteador Verres inicie outro conflito evitável apenas para encher sua própria algibeira. Como o Senado sabe, eu viajei para Trinacrium e conversei com o povo. Eles fizeram acusações específicas contra o governador.

Cícero pausou novamente, levantando seu queixo e olhando para cima como se estivesse considerando suas próximas palavras com cuidado.

- Há uma lei antiga chamada *Lex Calpurnia*.

Alguns dos senadores assentiram, como se soubessem ao que ele estava se referindo. Mais provavelmente apenas fingindo reconhecimento para impressionar os homens que se sentavam próximos e atrás deles.

- Se refere a Lúcio Calpúrnio Piso, um tribuno dos dias de meu pai. A *Lex Calpurnia* reconhece que nem todos os homens escolhidos por Roma para governar suas províncias podem ser confiáveis. A lei foi imposta para controlar os impulsos de governadores malignos.

Houve uma agitação em meio à assembleia enquanto os senadores recebiam as palavras inflamadas do orador - ladroagem, salteador, maligno - e eles reconheciam que o Senado seria forçado a tomar medidas contra Verres.

O próprio governador não estava presente naquele dia. Ele havia chegado a tempo do procedimento e participou das preliminares, mas à medida que Cícero reportava suas entrevistas com os fazendeiros e listava as queixas que eles fizeram, Verres se tornava inquieto. Ao terceiro dia, enquanto Cícero fazia um aquecimento até chegar no assunto e preenchia o discurso com observações cáusticas e insultos vis, o governador se retirou.

A acusação do antigo governador da Sicília foi tão bem-sucedida que não poderia ser contra-argumentada. Após falhar duas vezes na subversão do processo, o advogado de Verres, Quinto Hortêncio, encarou um Cícero determinado, cujas observações iniciais foram registradas como tendo sido o suficiente em si para condenar Verres.

Vendo que as chances de absolvição de Verres escassearam frente à magnífica apresentação de Cícero, o advogado disse a Verres que sua melhor opção era fugir do país, o que ele fez, indo para Massalia na costa norte do Mediterrâneo, em exílio.

36 A.E.C.

MAR TIRRENO

Mantius se abaixou bastante sobre o seu remo e espiou para o lado de fora da pequena abertura no casco do navio as águas escuras e agitadas além dela. Estava quieto no convés inferior a essa hora, no meio da noite. Ao seu lado, dormia seu companheiro de banco, Sansão. Mantius era grego, mas o homem que roncava, debruçado sobre seu remo ao lado, era da África. Sua pele brilhante de suor era escura como a noite sem lua que Mantius observava pelo buraco do remo.

Mantius acotovelou Sansão para o afastar, então voltou sua atenção para o céu da noite do lado de fora da pequena janela. Algumas estrelas estavam visíveis; a noite estava desprovida de nuvens, assim como de lua. Mas o balanço gentil do navio fazia com que a concentração de Mantius nos aglomerados de estrelas fosse difícil, da forma ele sempre havia feito em seu lar em Thera, na Grécia. Agora, tendo lutado e perdido a batalha entre Otaviano e Sexto Pompeu nessas mesmas ondas, Mantius estava destinado a passar todos os seus dias restantes acorrentado ao banco do navio de Otaviano.

Antes de sua captura, ele era um marinheiro de nível médio na marinha grega que protegia as cidades na parte oriental da ilha de Trinacrium. Ele estava alto o bastante no comando para ter informações privilegiadas sobre algumas das notícias que ditavam os eventos de sua vida e das vidas de todos os outros que lutavam essas guerras. Durante seus dez anos de serviço naval Mantius ficou sabendo do assassinato de Júlio César, há alguns anos, e da ascensão do herdeiro de César, Otaviano, para uma posição de poder. Aquela família inteira tinha sonhos de império e de controle individual de Roma e suas províncias, exatamente o motivo de Júlio César ter se autoproclamado ditador vitalício. Era um avanço em benefício próprio que o levou diretamente a ser atacado por uma multidão munida de facas composta de outros estadistas romanos e à sua morte.

Mantius era um orgulhoso cidadão grego e ele apreciava o reinado democrático de seu país. Ele havia vindo à Sicânia - o que os romanos chamavam de Trinacrium -, assim como seus conterrâneos haviam feito, para se assentar na nova terra e estender a cultura grega ao longo do Mar Médio. Então, ele se opunha à ascensão de Júlio César e seus seguidores, particularmente Otaviano, que a maioria das pessoas concordava que reinaria com menos tolerância do que seu predecessor caso lhe fosse dada a oportunidade de seguir a subida de César ao poder singular.

Mantius também sabia acerca de Sexto Pompeu, um comandante romano que havia tido sucesso em batalha, o suficiente para que sonhasse com um avanço político nas províncias. Pompeu queria um sistema mais republicano, com poder dividido e líderes eleitos. Mantius pensou que isso seguia o exemplo de seu país e que valia a pena lutar para que acontecesse.

Uma pancada súbita no casco do navio trouxe Mantius de volta de seus pensamentos, mas, após um momento de calma, ele retornou ao devaneio. Ele espiou para fora novamente e inclinou-se o suficiente para olhar para as estrelas. Ele sabia que havia um certo aglomerado no leste, na direção da Grécia, e ele esperava poder dar uma olhada nele para saber que estava defronte à sua antiga terra. Mas o balanço leve do barco borrava as constelações e não permitia que ele encontrasse o aglomerado que procurava.

A frota de Pompeu havia navegado pelo Mar Tirreno por semanas, ocasionalmente encontrando os navios de guerra de Otaviano. Batalhas foram travadas, algumas perdidas e algumas ganhas, e a competição continuou. As cidades do lado oriental da Sicânia favoreciam Pompeu, então o barco onde Mantius estava atracava de vez em quando e coletava rações para mais batalhas navais, em lugares como Mylae e Tyndaris, mas os escravos acorrentados aos seus remos não podiam sair do convés do navio. No mar aberto, onde havia pouco receio de que os escravos pulassem do navio, Mantius e Sansão e os outros podiam vir para cima e respirar o as fresco do mar. Por uma vez, era permitido que eles cagassem e mijassem pela borda do barco ao invés de no seu próprio lugar, nos bancos abaixo do convés. Mas aquele era o limite de sua liberdade.

Na escuridão solene dos porões naquela noite, Mantius sonhava com as tardes ensolaradas no ar limpo do mar. Ele sonhou com seu lar, e com a forma com que chegou a esse lugar horrível na vida.

Foi uma terrível ironia que um grego como Mantius, que fez do leste siciliano a sua casa e apoiou a visão política de seu captor, Sexto Pompeu, se tornou um escravo sentenciado a uma vida inteira de trabalho forçado. Ele teria lutado contra Otaviano no convés de bom grado, e tinha experiência de combate de sua antiga vida. Mas Mantius fora capturado em batalha nas costas da Sicânia três anos antes, e foi classificado como um instigador contra o governo romano.

Ele espiou mais uma vez para fora da pequena escotilha do seu remo. O mar estava um pouco mais calmo agora, e o barco balançava menos. Borrando apenas um pouquinho, as constelações começavam a ficar à vista. Mantius pressionou a face contra a escotilha e virou a cabeça para que um olho ficasse posicionado diretamente na abertura. Apesar de lançar mão da profundidade da visão, ele ainda podia identificar alguns dos aglomerados de estrelas que estava procurando. E lá, sim - lá estava. Um grupo de estrelas pequeno e bem apertado que ele sabia ficar bem acima de seu lar original na Grécia.

Mantius encarou esse pequeno e distante favor de sua terra natal por tanto tempo quanto podia, mas o balançar do barco e as ondas que puxavam a âncora tiraram o aglomerado de estrelas de vista após alguns minutos.

- Pare, - disse Mantius enquanto acotovelava Sansão novamente. - Saia daí!

Era de manhã, e embora a área abaixo do convés permanecesse na penumbra, a luz do sol espiava pelas portinholas e deixava as condições horríveis dos escravos mais aparentes. O fedor de dejetos humanos e suor, as tábuas cortadas grosseiramente usadas como cama e assento e os suspiros solitários dos doloridos homens acorrentados aos seus assentos faziam a tortura da escravidão tão tormentosa mentalmente quando o trabalho de remador.

- Sente-se. Estou cansado de você me usar como seu travesseiro - disse Mantius novamente, cutucando o peito de Sansão com seu cotovelo. Seu tratamento rude escondia um companheirismo que todos os escravos sentiam para com seus semelhantes. A sobrevivência era uma virtude primária, mas quando os navios eram capturados ou ameaçavam adernar, os escravos geralmente trabalhavam em conjunto para soltar um ao outro de suas correntes, ou afundavam até a morte tentando.

O ar fresco no lado de fora do casco não podia ser apreciado completamente dentro dos aposentos dos escravos, mas Sansão empurrou a boca contra o buraco próximo aos ombros de Mantius e puxou longas inspirações de qualquer ar que pudesse capturar.

- É cedo - disse Sansão, como se sua avaliação do horário importasse para qualquer um a bordo, esses homens cujas vidas eram mantidas ou finalizadas ao capricho dos deuses.

- Sim, é - respondeu Mantius suavemente. Ele ainda era um humano, um homem cativo, sim, mas ainda um humano. E ele podia apreciar o ar, o céu, e seu desejo por liberdade mesmo enquanto tudo ao seu redor parecia desprovido de esperança.

- Então, o que você gostaria para o café da manhã hoje, meu bom senhor? - perguntou Sansão. O humor de seu colega de banco sempre fazia Mantius sorrir, apesar dos seus arredores.

- Um pedaço de pão recém-assado, e um pouco de damasco para comer junto. Um cântaro de água fresca para matar minha sede, e então outro de vinho para me fazer sorrir.

- Ah, bem, - disse Sansão, revirando os olhos. - É um pedido grande, certamente!

- Tudo a bombordo! O grito veio da escada de mão que levavam do seu convés para o de cima. A voz era alta e insistente, e as pernas do homem que gritava apareceram nos degraus da escada enquanto os remadores agarravam os cabos dos remos.

- Tudo a bombordo! O comando veio novamente à medida que o soldado barbado em armadura pulava dos últimos degraus da escada para o convés dos remadores. - É hora de bater neles de vez, ou é hora de afundar no mar onde os demônios irão os molestar e comer sua carne.

Mantius sabia que "bater neles" se referia à marinha comandada por Otaviano. Sua atenção se voltou para o remo e ele ignorou a outra ameaça de carne sendo comida.

Bombordo era o lado esquerdo da embarcação, e os remos eram mergulhados daquele lado para empurrar o barco para a direita. Mantius não havia puxado um remo sequer em sua posição anterior na marinha grega, mas passou a conhecer o ofício melhor em seus anos de escravidão. O design romano não possuía leme, então o direcionamento era feito enfatizando a força nos remos de um lado ou do outro da embarcação. No tempo das batalhas navais de Pompeu e Otaviano, no entanto, o "leme de esparrela", que era um remo de direcionamento, já havia sido desenvolvido e aplicado no lado direito do barco. Ao puxar a esparrela, ou ao segurá-la e deixá-la na água, a deixando ir para trás, os navios podiam fazer curvas mais fechadas ao invés de simplesmente depender de uma maior força bruta em um lado ou outro.

Mantius e Sansão se sentavam no lado da esparrela deste navio, então eles seguraram os remos para fora da água até segunda ordem. Isso permitiu que Mantius tivesse um momento para olhar pela escotilha. Se eles estivessem pondo todos os remos de bombordo "para dentro", o navio viraria de forma que

Mantius, no lado do estibordo, pudesse ver o conjunto de navios inimigos que enfrentavam.

O que ele viu o chocou. Mantius inspirou profundamente e Sansão virou a cabeça para ver o que seu companheiro de remo havia perscrutado.

Eles estavam virando a proa do barco para a direita e, no mar daquele lado, Sansão e Mantius viram uma flotilha de dúzias de navios sob a bandeira de Otaviano. Seu navio estava indo em direção à batalha.

Bem quando a manobra estava sendo completada, e logo antes da proa fazer uma volta completa, outro grito surgiu.

- Todos para dentro!

Aquilo queria dizer que todos os remos de bombordo e estibordo deveriam ir para a água ao mesmo tempo. O arco suave do barco à medida que ele transferia o peso e a direção foi corrigido para uma linha reta enquanto ele se movia.

- Puxem! - veio outro comando, lembrando os remadores de sua tarefa de pôr toda a força na tarefa. O soldado carregava um porrete de madeira rústico que ele usava para bater ritmadamente nas traves de madeira do teto do convés. A cada dois passos, enquanto ele cobria a distância de uma trave a outra, ele batia nas pesadas colunas com o porrete, e o baque servia de metrônomo para que os remadores completassem outro ciclo.

- Puxem! - ele disse novamente. A água estava começando a correr nos lados do barco à medida que a embarcação acelerava à frente.

- Puxem! - enquanto batia o porrete na trave seguinte.

- Puxem! Seus comandos - assim como seus passos - vinham numa frequência maior agora. Mantius podia ouvir as ondas se quebrando no casco, no exterior do navio. Ele não podia tirar um tempo para olhar, mas ele sabia que algumas das ondas eram feitas pelos navios inimigos, que faziam uma corrente enquanto passavam. A luz do sol vinha e voltava à medida que as formas dos navios de guerra passavam a uma distância de um homem de seu barco.

- Puxem! - novamente. O barco começou a balançar, e ficou mais difícil para esse convés de remadores manter sua remada na água. O trirreme onde eles estavam tinha três conveses de remadores, e Mantius e Samson estavam no mais alto deles. Isso significava que seus remos eram mais longos e requeriam mais esforço para que o impulso de seus cabos atingisse as águas abaixo.

Logo, o barco começou a sacudir para um lado e para o outro à medida que as ondas da batalha cresciam. Gritos e o barulho estrondoso dos abalroamentos podiam ser ouvidos, e o cheiro acre de madeira queimando entrava pelas escotilhas e chegava até os escravos acorrentados aos bancos. Os gritos espalhados de homens moribundos agora ficavam mais frequentes, e Mantius sabia que as abordagens estavam acontecendo em muitos navios - porque elas significavam a matança de guerreiros com lanças e espadas, e os gritos atestavam isso.

Um som estralado a bombordo balançou o navio, mas também fez o casco subitamente virar de lado. A colisão não aparentava ter feito danos, e sua força jogou o barco para longe da embarcação que arremetia. Outro solavanco e uma reação similar de seu navio aconteceu quase imediatamente.

- Todos para fora! - gritou o soldado romano. Os remadores puxaram seus remos para fora das águas e Mantius sabia que isso significava que eles ficariam parados na água. Os remos são usados apenas para ir de encontro ao combate ou fugir dele, às vezes para enfrentar a carga de uma embarcação inimiga. Puxar os remos todos "para fora" significava que o capitão pretendia ficar e lutar.

Com um choque estrondoso, a proa pontiaguda de um navio abalroou o bombordo do navio deles, bem na altura dos olhos, do lado contrário ao de Mantius. As pranchas do casco se estilhaçaram com um estampido alto e Mantius pôde ver muitos escravos empalados nas tábuas e colunas do invasor. Outra arremetida do navio que abalroava enterrou sua proa mais fundo no convés dos remadores, deslocando as tábuas de seu alojamento e partindo as traves que seguravam o convés acima deles.

À medida que a proa do navio inimigo retrocedia e se retirava do buraco no navio de Mantius, ela enroscava nos elos das correntes que seguravam alguns dos escravos. Aqueles que foram poupados dos danos acabaram arrastados para fora de seu barco e atirados ao mar; aqueles cujas correntes foram apenas parcialmente quebradas pelo impacto, mas pegas pelo navio recuante, foram despedaçados, já que alguns elos seguravam seus tornozelos nos bancos enquanto outros eram puxados pela proa pintada do navio inimigo.

A batalha prosseguiu pela maior parte do dia, mas os sons da batalha foram lentamente se afastando deles, ainda lutada intensamente, mas não sobre o convés de seu navio. Ou o inimigo acreditava que ele fora danificado e já não podia servir a Otaviano, ou fora deixado para afundar. De qualquer forma, parecia uma situação desesperançosa.

Um silêncio caiu sobre o navio enquanto ele flutuava para além do tumulto ardente do centro da batalha e enquanto Mantius sonhava com seu lar a família que ele havia deixado para trás. Ele não havia planejado ser um guerreiro, e certamente não havia planejado se tornar um escravo. Mas sua mãe provavelmente nunca o veria novamente, não importa qual fosse o seu destino nesse dia ou no próximo.

- E o que você gostaria de comer no jantar, meu senhor?

Era a primeira vez que Mantius pensava em Sansão durante o conflito daquela tarde. O terror da batalha e a proximidade da morte haviam ocupado todos os seus pensamentos. Agora ele se virava para o companheiro de remo, que estava um pouco arqueado. Sansão não estava sonolento, isso era óbvio; algo mais cruel o havia dobrado.

Havia um estilhaço banhado em sangue, da grossura do braço de um homem, despontando do estômago do homem. Era ou a trave do teto de sua clausura ou uma borda quebrada do próprio casco que se desprendeu no impacto. O sorriso no rosto do escravo negro escondia a horrível dor que ele devia estar sentindo. Mantius não tinha certeza do que fazer, mas ele estava certo de que o ferimento de Sansão seria o seu último. Decidir se iria puxar o pedaço de madeira para fora de seu amigo ou afundá-lo completamente para acabar com a vida do homem pareciam ser suas únicas opções. E nenhuma delas era bem vinda.

Enquanto o barco se inclinava para estibordo, o cheiro de fogo e fumaça começava a preencher esse terceiro convés. Era a primeira vez em que Mantius pensava sobre o silêncio do qual ele tirava algum conforto. Não haveria silêncio se houvessem soldados romanos na embarcação. Ao invés disso, estava tudo quieto, o que ele agora percebia que era porque os romanos haviam abandonado o navio. E o virar do navio na água significava que eles estavam todos condenados.

Mantius focou novamente em seu camarada. Ele resolveu empurrar a estaca de madeira para dentro do corpo do homem e o salvar da dor do afogamento enquanto o navio afundava.

- Eu também queria que uma trave de madeira estivesse saindo da minha barriga - ele murmurou, antes da última estocada.

Mantius se ateve aos sons do navio moribundo, o estalar da madeira estilhaçada, o baque ocasional de uma viga ou trave que caía no convés acima de sua cabeça, o assobio esquisito do vento que sobrava pelos buracos no navio em que ele estava acorrentado. O balanço que ia de um lado ao outro dava alguma coragem de que a embarcação pudesse permanecer na superfície, embora solavancos ocasionais enquanto o casco inclinava desfizessem quaisquer breves esperanças de sobrevivência.

O convés e os bancos nos quais eles estavam acorrentados começaram a virar para o lado, e a água respingava nas tábuas. Com guinchos sobrenaturais de metal e madeira, as pranchas do casco em si começaram a ceder, arrastando superfície contra superfície, os pregos de ferro que mantinham a integridade da estrutura da embarcação rasgando a madeira ao invés disso. Houve outra sacudidela enquanto a onda de um navio que passava inundava o convés onde Mantius e Sansão estavam sentados, presos nos bancos pelos grilhões.

Mais uma vez, silenciosamente, o navio balançou, os sons da batalha ficando mais distantes.

- Os outros lá embaixo, - Mantius murmurou para seu companheiro de remo, - já estão bebendo água do mar. Ele queria dizer que os escravos acorrentados aos dois conveses abaixo deles no trirreme já estavam claramente submersos pelas ondas. Ele se perguntou como seria arfar por ar, saborear um recuo em uma onda que retrocedia para engolir mais uma vez o ar celestial. E ele se perguntou por quanto tempo ele poderia prender a respiração quando sabia que o navio estava indo em direção às profundezas dos deuses do mar.

À medida que a água que agora rodopiava sobre seus pés e pernas ficava mais funda, Mantius se sentou, aninhando Sansão em seus braços. Se apoiando no amigo, ele pôs sua mão direita na parte traseira da madeira que empalava Sansão e a empurrou de forma limpa pelo peito do homem. Um suspiro de Sansão e um sorriso de satisfação, e Mantius soube que ele havia salvado o homem acorrentado ao seu lado do horror de se afogar.

Mantius não pôde aproveitar o mesmo adiantamento.

AGOSTO DE 2018

CAFETERIA AMADEO

- Otaviano reinava sobre Roma, no entanto, - comecei. A demora de meu comentário escondia minha tentativa de encontrar a página certa no livro que eu havia pego emprestado da biblioteca.

- Sim, aqui está, - disse eu, o pequeno triunfo preso em minha garganta. - Otaviano, o primeiro Imperador de Roma.

- Sim, certamente, - disse Vito, entre goles de seu espresso. - Mas você não pode ser um imperador sem um império.

O ponto parecia óbvio, então eu esperei por mais. Além disso, eu queria saber porque isso importava para a Sicília.

- Otaviano queria reinar sobre Roma como ditador, - começou ele, - de forma semelhante ao seu mentor, Júlio César. Vinha sendo uma república até aquela época, mas Júlio estava tentando tomar o controle absoluto para que ele pudesse ser o único mestre de Roma e de suas províncias. Era seu desejo se tornar o *dictator perpetuus,* um plano que ameaçava a estrutura de poder e o levou à sua queda.

- Pompeu queria que continuasse sendo uma república, certo? Perguntei.

- Precisamente. E Otaviano, o sucessor escolhido de César, queria um Império.

- Então presumo que Otaviano tenha vencido a disputa, ou então Roma não teria se tornado um império, e ele não teria se tornado seu primeiro imperador.

O sorriso de Vito era uma congratulação suficiente para mim.

- Mas isso ainda não explica o que a vitória de Otaviano sobre Sexto Pompeu significou para a Sicília.

O barista trouxe outra rodada de espressos e um prato de fatias de laranja, para o qual Vito imediatamente voltou sua atenção. Depois de alguns momentos assistindo - e ouvindo - ele chupar os anéis de laranja, eu dirigi minha atenção de volta ao assunto.

- César pretendia transformar o povo da Sicília em cidadãos romanos, - começou ele, após limpar os lábios com o fino guardanapo de papel próximo ao seu prato. - Isso iria requerer que suas cidades fossem reconhecidas além do simples status de agregados urbanos de uma província que Roma considerava o seu celeiro. Na verdade, essas cidades - Panormus, Siracusa, Katane, Thermae, e Tyndaris - eram classificadas como colônias de Roma, um status maior do que antes e, consequentemente, um número de direitos foram outorgados aos seus cidadãos.

- Tipo?

- Eles podiam votar, trabalhar para o governo romano e ter cargos na administração romana. Mas havia um porém.

- Qual era?

- Roma, e Otaviano, que agora reinava sobre o império, não confiava nos gregos e cartagineses que populavam a ilha. Depois que as guerras acabaram...

- Espere. As guerras nunca terminaram de verdade, não é? Perguntei.

Vito sorriu e inclinou sua xícara em minha direção.

- Tenho certeza de que seria seguro concluir que as guerras, particularmente as que foram travadas na Sicília, nunca terminaram. Mas, de volta ao meu ponto. Roma decidiu substituir os cidadãos dessas honoráveis colônias pelo seu próprio povo.

- Substituir? O que Roma fez com os moradores originais siracusanos, panormitanos e por aí vai?

- Eles foram deportados ou postos de lado em papéis menores na região. O ponto é, no entanto, que Roma estava trazendo novas pessoas em números tão grandes que eles podiam efetivamente substituir a população presente e assumir posições de cidadania com o controle dos cargos, leis e cortes dessas novas colônias.

- Então, de certa forma, Roma declarar essas cidades como novas colônias foi uma prestidigitação.

- Eu não conheço essa palavra - implorou Vito.

- Significa substituir algo no lugar de uma coisa que o observador acha que é real.

- *Perfettu,* - respondeu Vito, levantando a xícara em reconhecimento. - Isso foi bem preciso. Terei de lembrar dessa palavra. De qualquer forma, Otaviano ordenou que a Sicília fosse controlada de outra forma. As melhores e mais importantes cidades foram transformadas em colônias romanas, cidades como Gela e Selinunte, que se agarravam à sua cultura grega, foram eliminadas, e a Sicília-como-celeiro retomou sua produção de suprimentos essenciais de produção agrícola com um plano de que a maior parte ou toda ela iria para Roma.

À medida que o poder de Roma expandia e seus territórios cresciam, os grãos, frutas, óleos e outros produtos podiam ter sua origem em outros lugares. Ao longo dos anos, a Sicília perdeu seu lugar de provedor único dessas coisas importantes. Os romanos demonstraram um interesse renovado na porção oriental do Mar Mediterrâneo e no norte da África, então a dependência dos grãos sicilianos foi relaxada. Podia ser que essa redução na dependência da agricultura dessa ilha contribuiu para uma diminuição do interesse na Sicília nessa época, e o lento declínio da cultura da ilha durante a época final do Império Romano coincidiu com o início da Idade Média.

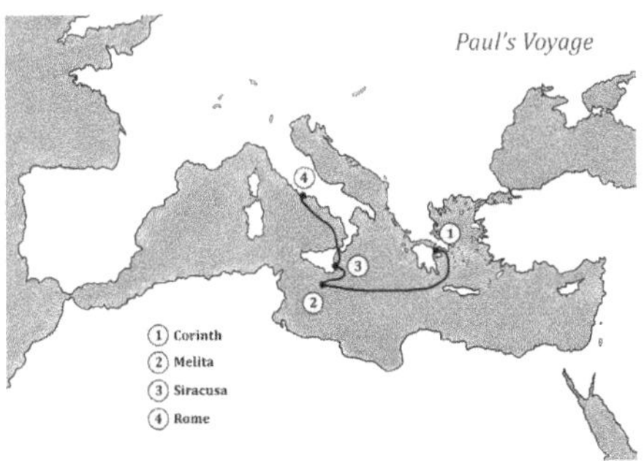

59 E.C.

SIRACUSA

O MAR ESTAVA ALTO ENQUANTO O BARCO SE aproximava do porto de Siracusa. Ele não era ideal para uma viagem longa, pequeno demais para muitas noites na água, mas Balfornus, o capitão, garantiu aos seus passageiros que a viagem aportaria em Roma, como planejado.

Eles zarparam de Corinto, nas ilhas da Grécia, poucas semanas antes, e prosseguiram em sua rota sinuosa até a ilha de Melita, logo ao sul de Trinacrium. Lá, eles aportaram e planejaram trazer a bordo alguns suprimentos antes de seguir até Siracusa. Saulo estava em pé ao lado do capitão, no convés, olhando para a ponta de terra à frente.

- É uma boa noite - disse Balfornus a Saulo, que não entendia a confiança de seu capitão.

- Sim, é - respondeu Saulo, para ser agradável. Balfornus assentiu em sua direção e sorriu, então retornou aos seus deveres de capitão do navio. Saulo voltou à sua posição na balaustrada. O tempo ocioso o permitia pensar, e a ondulação gentil das ondas o relaxava.

Saulo havia nascido de uma família judia em Tarso, mas passou muitos dos seus anos em Shalem, uma cidade sagrada israelita no reino de Judá. Seu pai era um cidadão romano, o que permitia a Saulo gozar dos direitos de qualquer outro romano. E, assim como muitos judeus daquela época com conexões romanas, ele tinha dois nomes: Saulo e Paulo.

Sua linhagem romana o deixava cético quanto a um novo culto que seguia os ensinamentos de um místico falecido chamado Jesus. Com sua criação, o status de seu pai e uma forte associação com o Império, Saulo logo se encontrou indo em busca desse povo que se denominava cristão e os trazendo até os poderes legais da região.

Foi numa jornada para Damasco para prender alguns dos novos cultistas que Saulo foi derrubado de seu cavalo, ficando atordoado e grogue. Seus homens o ajudaram a se recuperar, e ele lhes contou sobre as visões que teve.

- Você desmaiou com a queda, - disse um dos servos. - Eu estaria vendo estrelas também!

- Não, vocês não entendem. Eu vi... - mas sua voz foi sumindo. Ele sabia que havia experienciado visões e estava certo de que elas eram do próprio místico. Mas Saulo sabia que o homem havia sido crucificado - ele estava morto - e ele não poderia ser encontrado nessa estrada para Damasco. À medida que seus sentidos retornavam, ele pensou primeiro que essa história faria os outros acreditarem que ele havia ficado louco. Então, ele guardou esses pensamentos para si por um tempo.

Na manhã seguinte, no entanto, quando suas dores haviam cedido, Saulo ainda tinha uma clara visão de um encontro com Jesus. O espírito do falecido havia vindo a Saulo e o desafiado a parar sua perseguição de seus seguidores. Saulo escolheu acreditar que essa era uma revelação de verdade e decidiu que ele a compartilharia com os homens que o acompanhavam nessa missão.

- Paulo, - disse um soldado romano quando ouviu a história, - isso só podem ser os pensamentos dementes de um louco. Não os compartilhe. Precisamos ir para longe e temos muito o que fazer. Se você criar confusão na mente dos homens, essa missão irá se dissolver. E você provavelmente vai ser atirado em uma cela.

- Saulo, - adicionou um judeu velho e sábio que se sentava ao lado de sua cama. - Ele está certo. Você caiu do cavalo, bateu a cabeça e então teve visões. Todos acham que essas "visões" foram o resultado da sua dor de cabeça. Além do mais, - adicionou ele, com um dedo torcido apontando para o céu, - ele está morto. Esse tal Jesus foi crucificado.

A missão continuou, mas àquela altura, Saulo estava convencido de que ele não prenderia nenhum dos seguidores de Jesus. Na verdade, dia após dia, Saulo começava a pensar sobre si mesmo como um seguidor do homem santo, e ele começou a fazer perguntas às pessoas ao seu redor. O velho judeu lhe contou o que sabia da história de Jesus, tendo vindo da mesma cidade de Jerusalém, mas ele continuou a lembrar Saulo de que o homem estava morto.

Saulo adotou os ensinamentos de Jesus e pregou sua missão ao longo da região. Foi em Corinto, após ser perseguido pelas autoridades por alguns anos, que o próprio Saulo foi preso e ameaçado com um julgamento. Usando sua cidadania romana como escudo, ele requereu que fosse julgado em Roma, o que o levou a estar no navio de Balfornus em seu caminho de Corinto até Roma, via Siracusa.

Ondas gentis balançavam o navio enquanto ele se aproximava do porto e Saulo continuava com suas meditações. Era quase como se o movimento ondulatório do barco fosse um sinal de paz e calma à frente para ele. Saulo acreditava em Jesus e em seus ensinamentos e havia proclamado sua divindade em seus ensinamentos pelo mundo. Quando o barco foi amarrado às docas em Siracusa, Saulo se aproximou de Balfornus.

- Eu gostaria de ir para terra - ele disse ao capitão.

- Isso seria bem incomum, Paulo - veio a resposta, embora o capitão sorrisse, como se quisesse dizer que não pretendia negar o pedido.

- Eu gostaria de ver por mim mesmo o que todos dizem de Siracusa, - continuou Saulo, - e julgar por mim mesmo se é tão bonita como cidade da forma que os gregos e romanos dizem.

Isso era quase um desafio a Balfornus, orgulhoso como era das províncias que sua Roma havia capturado. Ele tratava Saulo com pouca dureza, pouco convencido de que um homem que pregava o amor e o sacrifício pudesse ser uma ameaça ao Império. Então ele estava pronto para deixar o profeta barbudo desembarcar e perambular pelas ruas de Siracusa. Sob guarda, é claro.

Saulo desembarcou e andou pelas pranchas de madeira das docas, seguido de perto por um único soldado romano armado com um *pugio,* uma pequena adaga que servia mais para afastar quaisquer ameaças do que para entrar em uma luta de fato. O par andou junto em direção ao centro da cidade, pelo mercado e até a piazza onde um orador tinha a atenção da multidão. Ele falava em grego, que era a língua comum nesta parte de Trinacrium, embora a ilha fosse uma província romana há um longo tempo. Saulo entendia tanto latim quanto grego, então ele ficou ouvindo o sermão acalorado do homem sobre as ameaças para além de sua cidade por alguns momentos. Saulo não estava certo da identidade do povo ao qual o orador estava se referindo, já que Trinacrium já havia feito uma longa lista de inimigos e invasores, mas ele apreciava a performance emocionada do homem.

O soldado romano armado ao seu lado sabia muito pouco de grego.

- Porque eu deveria aprender a língua dos pagãos? - ele perguntou a Saulo.

Saulo sorriu para o soldado, vinte anos mais jovem do que ele, jovem demais para respeitar a história da cultura grega e o impacto dos aventureiros gregos que haviam se assentado nesta terra.

Os dois homens voltaram ao seu navio antes do cair da noite, de acordo com as ordens de Balfornus, e Saulo o contou sobre a bela arquitetura siracusana, as ruas largas e a imponente fortaleza em seu pico.

- É claro - respondeu Balfornus, com um sorriso condescendente. Ele era alguns anos mais jovem do que Saulo, mas havia viajado mais do que o pregador, e ele já havia visto Siracusa de perto várias vezes.

- Eu gostaria de ir para a terra novamente. Amanhã, se puder.

Balfornus havia permitido que Saulo andasse por Siracusa naquele dia, sem temer a possibilidade de problemas, mas o pedido do pregador por uma visita adicional deixou o capitão inquieto. A curiosidade de Saulo sobre a cidade já devia ter sido satisfeita, "qual seria o seu propósito para retornar?" se perguntou o capitão.

Apesar de seus receios, Balfornus decidiu deixar o homem ir para a terra novamente. Ele gostava de Saulo e havia tido muitos bons debates com ele nas ondas do *Mare Nostrum,* o nome romano para "nosso mar", uma indicação clara para todos de que o Império havia reivindicado toda a região. Então, com apenas algumas reservas, Balfornus concordou em deixar Saulo voltar à Siracusa na manhã seguinte.

- Mas Taritius estará lá novamente, - disse o capitão, falando do soldado que acompanhava Saulo.

- Eu quero ter certeza de que você não causará nenhuma confusão para adicionar às suas acusações - adicionou Balfornus. E, mesmo assim, ele sorriu para o cativo, revelando sua bondade e respeito pelo homem.

Na manhã seguinte, Saulo e Taritius foram para a terra e andaram diretamente para o centro da cidade. Saulo tinha um destino específico em mente, então ao invés de perambular pelas ruas e praças como fez no dia anterior, ele foi diretamente até a piazza onde o orador estava na tarde anterior. Taritius o seguiu de perto, mas não suspeitou de nada imediatamente. O capitão tratou esse homem como um amigo, o soldado lembrou a si mesmo. "O que ele poderia fazer?" ele pensou.

Quando eles chegaram na piazza, Saulo foi direto para a plataforma elevada de pedra no centro e montou nela com facilidade, apesar de sua idade avançada. Taritius soube rapidamente que algo não estava certo nisso, mas o discurso de Saulo foi feito em grego, então o soldado não pôde entender o que estava sendo dito. Seus olhos foram da esquerda para a direita, tentando extrair das reações da multidão o que Saulo estava dizendo, mas ele não conseguiu muita coisa com essa estratégia.

Depois de deixá-lo falar por vários minutos, Taritius se aproximou da parte traseira da plataforma e balançou a túnica de Saulo.

- Precisamos ir, - ele implorou. - Não é para isso que viemos aqui.

Saulo olhou para o homem abaixo com bondade e simpatia, então se voltou para a multidão e completou seu sermão rapidamente. Descendo da plataforma, ele encarou Taritius.

- O que você estava dizendo? - perguntou o soldado.

- Eu estava dizendo a eles que Jesus de Nazaré era seu salvador, e que seus seguidores, como eu, estão trazendo a palavra do Senhor até eles.

Taritius estava começando a entrar em pânico com o relato de Saulo.

- Eu os disse que eles encontrariam paz e vida eterna se seguissem seus ensinamentos. E eu disse que eu voltaria de minha jornada até Roma e contaria mais sobre Jesus e sua missão.

Taritius pôs sua mão levemente no cotovelo de Saulo, e o virou em direção à borda da multidão. O discurso havia sido bem recebido, embora a maior parte das pessoas na multidão estivesse questionando seus próximos sobre as palavras que ele disse ao invés de se aproximar de Saulo. Então, foi fácil para o soldado retirar o homem da piazza e levá-lo de volta ao navio.

Durante seu retorno, enquanto eles caminhavam pelas docas, Taritius pediu a Saulo que não contasse nada disso ao capitão.

- Ele ficará descontente, - disse o jovem homem. - Eu duvido que ele vá descontar esse aborrecimento em você... Mas então há a mim.

Saulo assegurou sua escolta de que ele não diria nada a Balfornus, caso não fosse questionado. Mas, caso questionado, ele não mentiria.

Para a sorte de Taritius, a única pergunta que o capitão tinha para Saulo foi sobre as riquezas da cidade. Balfornus também suspeitou que algum problema pudesse resultar da ida de Saulo até a cidade, e ele não queria saber de nada caso algo assim houvesse ocorrido.

Na manhã seguinte, quando o vento estava em posição, eles zarparam para Rhegium, na ponta do continente, e nada mais foi dito entre Balfornus e Saulo sobre sua breve estadia em Siracusa.

350 E.C.

VILLA ROMANA DEL CASALE

Nomitius estava em pé no muro baixo que foi feito para cercar a villa que tomava forma no anexo. Seus olhos traçaram o contorno do muro de pedra que corria por cem cúbitos antes de fazer uma curva fechada e desaparecer por trás das altas paredes de pedra da villa em si. Ele havia supervisionado a construção de várias dessas grandes villas, mas elas geralmente eram construídas no topo de montanhas e eram difíceis de se acessar. Enormes blocos de construção e todos os instrumentos para construir tinham de ser levados por subidas inclinadas, aclives pedregosos e colinas escolhidas pelo dono rico como uma segurança contra ataques.

Essa villa era localizada em uma colina baixa, em um vale cercado por colinas mais altas. A escolha de um lugar tão baixo indicava que o dono, Próculo Populônio, governador de Trinacrium, não temia ataques. Nomitius riu àquele pensamento. A ilha havia aproveitado muitos anos de relativa paz, mas o construtor sabia que o povo dessa terra não podia fazer mais do que ter esperança de evitar uma nova guerra por um curto período, não mais do que o tempo de vida de um homem, talvez menos. Seu mestre, o governador, estava calmo sobre sua escolha, mas Nomitius se perguntou quanto tempo demoraria até que uma força invasora tomasse a vila de assalto e a dessacrasse.

- Com sorte, não antes de eu completar o trabalho - ele murmurou para si mesmo.

A base da estrutura havia sido desenhada por Nomitius três dias antes, quando a construção se iniciara. Ele entendeu logo de cara porque esse lote de terra havia sido escolhido. Era plano como um tampo de mesa, e permitia que ele desenhasse uma grande estrutura de tamanho massivo sem ter de adequar a fundação aos aclives, desníveis e fendas de um local montanhoso.

A maior parte dos materiais de construção viria dos campos ao redor de Enna, a apenas meio dia de distância a cavalo, e a maior parte do trabalho seria suprida pelos escravos tomados em conquistas romanas anteriores. Nomitius tinha o trabalho gratuito como garantido; na verdade, ele nunca havia sequer considerado uma situação onde o trabalho deveria ser buscado e pago. A escravidão era uma instituição por toda a história do mundo conhecido, e os escravos eram tão onipresentes quanto os animais selvagens, valendo só um pouco a mais do que estes.

As preocupações do construtor eram focadas em design, disposições e suprimentos - não em trabalho.

Um ponto escuro se moveu lentamente pelo vale à distância, traçando mais ou menos a linha da estrada de terra que havia sido gasta pelos três anos de atividade construtiva. Nomitius não conseguia ver muito daquilo à distância, mas percebeu a pequena nuvem de poeira seguindo o ponto que crescia ao se aproximar. Depois de mais ou menos uma hora, ele conseguiu distinguir a forma de três vagões a cavalo se movendo lentamente em sua direção, e, quando eles estavam ainda mais perto, ele pôde ouvir os cavalos bufando enquanto faziam força para puxar o peso dos vagões cheios de pedra e mármore.

Ao meio dia, os vagoneiros haviam puxado sua carga até a oficina de trabalho às bordas do projeto de Nomitius. Eles desengataram os cavalos e os levaram até água e sombra, então um homem baixo entre o trio de condutores se aproximou do construtor.

- Olá, - disse ele, com a mão levantada à altura da cabeça. - Como está o trabalho?

- Está saindo muito bem, Cantone - respondeu Nomitius.

O homem podia ser baixo, mas seus músculos largos e braços fortes alertavam até os homens mais altos que problemas com ele deveriam ser evitados. Cantone também era um construtor, mas ele preferia trabalhar fornecendo os materiais do que ficar preso na construção por todo o ano. Especialmente nesse projeto. Ele queria voltar até Enna para uma boa noite de sono, uma prostituta e uma jarra de vinho. Ele sabia que Nomitius mantinha uma escrava ali na Villa Casale, "mas porque ter apenas uma para escolher", pensou Cantone.

Os dois homens consultaram suas folhas de inventário para comparar os registros escritos dos suprimentos e da pedra esculpida. Os vagões podiam levar apenas as pedras menores por aquela estrada; Nomitius e Cantone estavam trabalhando com as pessoas da pedreira no vale próximo para cortar e transportar as pedras maiores para a villa, então menos viagens eram necessárias.

Os vagões de Cantone também traziam mais azulejos de mosaico para decorar a villa. Toda a estrutura havia feito muito progresso nos últimos meses sob a direção de Nomitius, então era hora de começar a estocar os pequenos fragmentos de vidro e mármore para os artesãos usarem ao fazer o chão da villa.

O governador tinha grandes planos para essa casa. Ele escolheu o platô mais largo para permitir a fabricação dos mosaicos mais longos e largos quanto possível. Ele se importava pouco com os quartos da villa. Estava sendo construída primariamente como prova de sua riqueza e de seu poder, e ele ordenou a Nomitius que supervisionasse a feitura do massivo mosaico, que deveria mostrar cenas de caça e pesca. Próculo Populônio iria provar a todos que visitassem sua Villa Casale nas planícies do centro de Trinacrium que ele era o mais rico e mais realizado governador que a ilha já havia visto.

Uma escrava de pele escura se aproximou dos dois homens enquanto eles estavam na sombra de uma das árvores ao redor da villa. Ela era uma bela jovem, com bochechas altas, uma testa alta e lábios carnudos. Seu físico magro sugeria que ela não fazia trabalho pesado, a menos que alguém considerasse dormir com Nomitius ser um trabalho pesado.

- Obrigado, Daphne - disse Nomitius, enquanto a escrava os entregava uma jarra de água. A condensação suave na superfície exterior deixava claro que Daphne havia pego a água de um poço profundo, um refresco perfeito para afastar a poeira da terra da garganta ressecada de Cantone.

- Então, é isso - disse Cantone após dar um profundo gole da água fria. Ele estava olhando para as paredes altas da villa e o muro que a cercava. Seu sorriso enquanto assentia sugeria sua aprovação do progresso.

- Fizemos muito desde a última vez em que esteve aqui, meu amigo, - comentou Nomitius. - Olhe lá - disse ele, inclinando a cabeça em direção à fachada oeste da propriedade. Ele levantou seu braço e apontou para onde um massivo arco de pedra era montado pelos trabalhadores. Cantone tinha familiaridade com essa estratégia de construção em que um arco de madeira é construído como uma armação, então pedras chanfradas são dispostas em série pelo arco, indo para cima pelos lados esquerdo e direito simultaneamente. Os dois construtores estavam lá no exato momento que lhes permitiu testemunhar a pedra angular cônica sendo martelada na abertura estreita entre as duas curvas de pedra ascendentes. Quando aquela pedra foi posta no topo, ela pôs pressão nas laterais do arco e forçou as pedras montadas a manter sua posição, e depois disso os trabalhadores puderam chutar a armação de madeira e abrir a passagem arqueada.

- Isso leva até a entrada principal? - ele perguntou.

- Não, aos banhos - respondeu Nomitius, tirando um suspiro esfomeado de seu visitante. A água havia matado sua sede, mas Cantone queria poder lavar a poeira de seu corpo ali na planície. Percebendo seu desejo, Nomitius chamou Europa para se juntar a eles. Ela também era uma escrava, mas fora tomada em uma conquista grega. Sua pele era mais clara do que a de Daphne, seu cabelo castanho brilhante amarrado em um clipe e uma toga pendurada até embaixo cobrindo seu peito e cintura.

Cantone não se lembrava dela de sua visita anterior, mas olhou para ela com aprovação.

- Ela me levará até os banhos? - disse ele, com um pouco de expectativa na voz.

Nomitius riu.

- Não, claro que não. Ainda não temos banhos aqui. Mas há um córrego no vinhedo colina abaixo. Ela o levará para esse lugar e o ajudará a ficar confortável depois de sua longa jornada.

- Foi bem longa - Nomitiu pôde ouvir Cantone dizer a Europa enquanto a levava para longe. - Uma jornada bem longa e árdua.

Rindo novamente, Nomitius se perguntou porque Cantone sentia a necessidade de cortejar a pequena escrava, como se ela precisasse de qualquer convencimento em relação ao seu papel no encontro.

- Senhor, - veio um chamado de trás dele. Se virando, o construtor viu Dintare, o pedreiro.

- O arco foi finalizado e nós vamos mover as pedras para a construção da basílica. O senhor gostaria de verificar os planos enquanto os homens juntam os materiais?

- Sim, eu gostaria - adicionou Nomitius com indiferença, sua atenção ainda tomada pela vista dos quadris de Europa enquanto ela se afastava. Depois de mais uma olhada, que Dintare também apreciou, os dois homens andaram até o segmento nordeste da construção, até a basílica, o atributo mais impressionante da villa.

As paredes da basílica eram agora da altura de três homens, com aberturas deixadas na pedra que permitiam a entrada de luz. O chão era de pura terra, embora o cimento houvesse sido posto em algumas seções em preparação para os mosaicos que seriam arranjados para demonstrar a geometria do artista, bem como as cenas que demonstravam a vida em uma província romana. O início da moldura de madeira para o domo da catedral ficava na extremidade oposta do cômodo, mantida em pé pelas muitas peças cruzadas e pelos longos pregos de ferro que prendiam as juntas da estrutura.

Nomitius havia passado vários anos no trabalho pesado do processo de construção em si, servindo tanto de trabalhador como de pedreiro antes de se tornar supervisor de tais construções. Ele levou os olhos da esquerda para a direita, absorvendo a solidez das paredes de pedra e o brilho da luz do sol que se derramava pelas janelas em ambos os lados. Ele sorriu ao que estava sendo feito e estava ansioso para ver como o produto finalizado ficaria.

Nomitius e Dintare saíram da basílica por uma passagem ainda não finalizada e foram inspecionar o abrigo onde o mosaico de pedras estava sendo mantido. Havia mais do que uma dúzia de homens ali, mais da metade deles escravos que trabalhavam junto com alguns homens livres. Todos estavam concentrados em suas tarefas quando Nomitius e Dintare entraram; nenhum se preocupou em olhar para os dois homens mesmo quando eles foram notados.

Lineu era o mestre artesão. No momento em que Nomitius e Dintare entraram, Lineu estava fazendo um intrincado desenho com giz branco em um papel rústico espalhado na mesa. Era um desenho preliminar de um dos mosaicos e serviria apenas para mostrar ao artista o arranjo das figuras. Mais tarde, ele usaria esse desenho para desenvolver uma nova versão do mesmo mosaico no chão, onde a peça final ficaria, mudando do giz branco no papel para a ponta de um dedo besuntado de carvão no chão.

Nomitius ficou ao lado dele e observou enquanto ele desenhava. Lineu estava tão focado em seu trabalho que qualquer atividade ao seu redor passava despercebida, então a presença dos dois visitantes seria ignorada pelo artista até que ele se afastasse para observar o resultado.

Andando para o lado de fora novamente, Nomitius discutiu o processo de construção do mosaico com Dintare.

Aqui em Roma, você sabe que os mosaicos são quase tão importantes quanto o mármore. Em alguns lugares, ainda mais importantes. Então o governador quer ostentar sua propriedade com os mosaicos mais finos já criados.

- Porque não se exibir com mármore? Perguntou Dintare.

- Bem, ele terá mármore também, - comentou Nomitius, - mas nada feito de mármore pode rivalizar com alguns dos grandes templos gregos e já de pé em Trinacrium. Populônio pensa em usar os escravos nesta ilha, os navios que trazem pedras de qualidade e vidros, e o clima dócil dessa região num geral. Seus mosaicos serão mais finos do que qualquer coisa vista em Roma.

- Mas isso não o causará problemas? - perguntou Dintare. - Os líderes romanos não gostam de ser ofuscados por seus governadores.

- Talvez, - disse Nomitius. - Mas isso não é preocupação minha. Eu sou um construtor, e estou muito feliz de estar construindo algo tão magnífico.

- Onde você encontrou Lineu? Ele tem sido artista em Roma, também? Parece já ter grandes desenhos em mente.

Nomitius riu daquilo.

- Lineu viu algumas das artes mais finas ao redor do mundo, mas não como artesão.

- O que, então? - perguntou Dintare.

- Lineu é um escravo, e ele trabalhou para romanos ricos ao redor de todo o império. Ele viu as maiores obras de arte de todos os lugares, de Shalem a Gadir, de Massalia a Melita. E ele tem a melhor memória que eu já vi, e as mãos mais exatas que qualquer deus já criou.

- Mas ele é um escravo. E foi confiada a ele a execução desse grande projeto?

- Tudo o que importa a ele é sua arte. Nós o tratamos com respeito, lhe demos uma boa casa e até mesmo alguns *denarii* por suas habilidades. Nós até mesmo o deixamos manter sua esposa com ele, para que ele não precise incomodar as outras escravas.

A isso, Nomitius pausou e observou o escravo artesão mais uma vez.

- Ele não gasta o dinheiro romano que nós o pagamos, - adicionou Nomitius. - Disse que irá usá-lo para comprar sua liberdade. Mas o governador já prometeu sua liberdade caso ele complete esses mosaicos dentro do cronograma.

Dintare e Nomitius olharam por cima dos desenhos que Lineu estava fazendo no papel. O artista ainda não havia percebido a presença deles, então eles partiram para observar o descarregamento dos vagões.

AGOSTO DE 2018

CAFETERIA AMADEO

- Ainda está aqui? - Perguntei.

- A Villa Casale? Ah, sim, e muito dela foi restaurado. Foi redescoberta há muito tempo, mas a escavação e recuperação não começaram a sério até o início do século XX. Era conhecida como Villa Casale, mas se for procurá-la agora, precisa procurar por Villa Romana del Casale, o nome dado a ela pelos arqueólogos.

Eu adicionei aquilo ao meu diário, para pesquisar depois.

- A Roma Antiga é conhecida por muitas coisas, - continuou Vito, - incluindo conquistas e construções, os aquedutos e o sistema legal, mas os mosaicos nos contam sobre as pessoas que os desenharam, a cultura que estimavam e a arte que as preservou. Na Sicília, juntamente com os maravilhosos templos gregos, há mosaicos tão finos quanto os encontrados na própria Itália.

A extensão da influência de Roma na vida siciliana vai muito além dos mosaicos, no entanto. Como o "celeiro" de Roma, obviamente sabemos que a ilha supria Roma com grãos, pelo menos até os estágios mais tardios do Império, quando outros territórios conquistados contribuíam com sua parte. Mas a Sicília foi fortemente arborizada por séculos, então quando Roma demandava mais e mais grãos do povo da província, os fazendeiros foram forçados a limpar mais áreas e fazer mais plantações.

O trigo se tornou um pivô das importações romanas, e a agricultura se tornou um pivô da economia siciliana. Isso afetava diretamente as comunidades rurais, mas os impostos eram coletados com base nas regiões. Então mesmo as pessoas que moravam em cidades como Agrigentum e Siracusa e Panormus tinham de trabalhar com a colheita de grãos e garantir seu sucesso.

Mas a pressão de Roma por grãos na Sicília impunha fardos adicionais no povo da ilha. Uma vez que o sistema de impostos estava implementado, era mais fácil corromper líderes - especialmente com o poder dos governadores - para a exploração. Contagens baixas intencionais das colheitas, fixação de preços e ameaças a outras liberdades estavam todas ligadas à economia agrícola.

Mas para além da influência romana - majoritariamente comercial a essa altura - a Sicília já apreciava sua cultura e herança gregas. A arquitetura da ilha lembrava a das ilhas gregas... - e então ele parou e sorriu.

- É irônico, de certa forma - disse Vito, pensativo.

- O que? - perguntei.

- É irônico que Roma houvesse subjugado os assentamentos gregos na Sicília, mas a língua grega permanecesse a linguagem da intelligentsia romana ali.

Vito deu um muxoxo a isso, alcançou a xícara de espresso e ainda sorria quando ela encostou em seus lábios.

- Mas há outra diferença muito importante na vida e cultura da ilha sob o domínio romano - adicionou ele.

Eu esperei que Vito continuasse, ou adicionasse o substantivo que faltava na frase, mas ele não o fez, então mordi a isca.

- E qual era ela?

- A paz.

- Quer dizer a paz que vem do poderio militar e subjugação?

- Sim, há isto, mas de maneira geral, os governantes romanos não faziam uso do terror com frequência para controlar as massas. Ao invés de crucificar escravos rebeldes - uma mácula terrível em sua história - e sufocar uma revolta judaica ocasional com forças armadas, Roma preferia gerenciar e controlar suas províncias com um... digamos... toque leve. Não, não quero dizer que eles não usassem da força, mas a ameaça da força era mais útil quanto ela em si para debelar a insubordinação. Na verdade, uma coisa interessante separava a época hegemônica grega da romana na Sicília.

Novamente, a pausa, como se ele esperasse que eu tentasse adivinhar sua resposta. Eu não tinha ideia.

- Sim, é claro, não é tão óbvio, é? - perguntou Vito, lendo minha pausa. - A maior parte dos séculos em que a migração grega e seu assentamento definiram a cultura da Sicília – a época de 800 A.C. até mais ou menos o ano zero – foi cheia de guerras. Houveram as chamadas Guerras Sicilianas entre Grécia e Cartago, a invasão ateniense de Siracusa, a Guerra Pírrica, todas as três Guerras Púnicas e as Guerras Servis que tomaram a maior parte dos dois últimos séculos A.C. No ponto em que Roma dominou a ilha, a paz reinava, e reinou por centenas de anos.

- E a cultura? - perguntei.

- Ah, essa é outra história. Os gregos, em sua terra natal e na Sicília, pensavam na cultura como sendo representada por peças, grandes discursos e arte. Os romanos eram mais rústicos do que isso. Eles consideravam a cultura como sendo competições de gladiadores e bacanais obscenos. Para a sorte de nós, siciliani, ainda temos muito da influência grega para nos orgulhar.

440 E.C. – 660 E.C.

BÁRBAROS

AGOSTO DE 2018

TRATTORIA BETTINA, MAZARA DEL VALLO

- Bárbaros, - começou Vito, enquanto eu deslizava para uma cadeira à frente dele naquele fim de tarde na Trattoria Bettina. Era uma noite abafada, com pouco vento, mas com um céu limpo acima. As pequenas luzes brancas penduradas pelas beiradas do bar davam uma aparência festiva, e as conversas animadas vindas das fileiras de clientes que enchiam os bancos contribuíam para essa sensação.

- O que tem eles? - perguntei, sinalizando para que o garçom trouxesse outra taça. Mesmo em um fim de tarde quente e úmido, Vito tinha sua garrafa de Nero d'Avola, um vinho tinto bem quisto da região, na mesa. Eu poderia pedir uma taça fresca de vinho branco, ou um espumante Prosecco para aplacar o calor. Mas eu não esperava que meu mentor das antigas mudasse seus costumes.

- As pessoas usam o significado moderno da palavra, "bárbaro", para pensar sobre esses povos como aculturados, andarilhos sem raízes, com pouca cultura e menos virtude ainda.

- E não é verdade?

- Bem, - respondeu Vito, com uma risada, - na verdade, sim. Ele levantou sua taça quase como um voto de concordância para o comentário, ou será que não saudava as hordas desrespeitadas por tanto tempo?

- Eles vieram da área norte do Império Romano nos primeiros séculos D.C. Vinha sendo chamada de Germania pelos romanos há muito tempo, mas as várias tribos de bárbaros vinham de uma geografia diversa. Por exemplo, os registros tem bastante certeza de que os vândalos vieram desde a Escandinávia, passando pelo continente europeu para atacar algumas cidades e vilas, tomar suprimentos, talvez ficar por um tempo e então seguir viagem.

- Eles eram povos migratórios?

- Sim, mas não no sentido de saqueadores que pensamos hoje em dia. Eles não haviam desenvolvido a agricultura, pelo menos não como os povos mediterrâneos haviam – lembre-se, o crescimento da agricultura foi a maior das razões para que os povos deixassem seus costumes nômades e se assentassem. Os vândalos também não haviam desenvolvido um ritual artístico.

- O que quer dizer com ritual artístico?

- Arte é qualquer coisa que vocês desenhe, pinte ou esculpa. Talvez mais do que isso, por exemplo, quando você projeta construções, constrói dólmens, tira notas sonoras de um instrumento de corda, ou constrói pontes. Não quer dizer que os vândalos não soubessem desenhar ou pintar, esculpir pequenas bonecas de forma humana ou fazer miçangas. Mas o "ritual artístico" significa mais do que isso, significa a inclusão de criações artesanais no ritual da vida, na religião ou no sistema de crenças, no uso da expressão artística para capturar essas crenças em construções, grandes esculturas e megálitos aos deuses. Coisas esculpidas na terra, desde túmulos funerais ao Stonehenge, são parte do ritual artístico.

- Então o que os vândalos faziam? - perguntei.

- Sabemos muito pouco sobre qual tipo de arte eles possuíam. Encontramos bijuterias e pequenos objetos em túmulos, mas temos poucos exemplos de túmulos vândalos. E eles não deixaram nenhuma grande escultura ou construções megalíticas porque não ficavam parados por muito tempo. Na verdade, a ausência de arte e de rituais artísticos em sua cultura é precisamente o porquê de termos problemas em apontar a essência de sua cultura e sistema de crenças.

- E os godos? Os ostrogodos e visigodos? - perguntei. - Eles não são considerados no registro histórico dos bárbaros?

- *Sì, certamentu,* - respondeu Vito. - Mas nem todos os bárbaros eram os mesmos. Lembre-se de que os vândalos vieram da Escandinávia, mas os ostrogodos vieram do Mar Báltico, enquanto os visigodos vieram de uma área mais ocidental.

- A percepção comum é de que essas... vamos chamar de "hordas" de bárbaros... - eu adicionei, com alguma relutância, - caíram sobre os remanescentes do Império Romano quando ele estava ruindo - terminei, me referindo às anotações de meu diário.

- Muito bom, Luca!

- Então, me fale sobre a Sicília.

- Isso é sobre o que temos falado por semanas - respondeu Vito, astutamente. Ele levantou a taça de vinho e tomou um gole, então alcançou uma azeitona da vasilha na mesa.

- Sim, e você sabe o que quero dizer, - disse, me juntando ao gracejo. - O que os bárbaros têm a ver com a Sicília?

Vito se inclinou para a frente, apoiou os cotovelos na mesa e olhou diretamente para mim, com o rosto sério.

- Vamos voltar para o que você acabou de dizer sobre eles. Você disse que os bárbaros caíram sobre Roma quando o império estava perdendo seu vigor, quando a corrupção e a violência haviam afrouxado o tecido social, quando a imoralidade dos líderes estava destruindo o império por dentro.

- Bem, eu não falei de forma tão elegante, - eu sorri, e tomei um gole de minha própria taça de vinho. - Mas eu concordo com sua descrição. Conte-me mais.

- Vamos começar com os vândalos. Como sabe, eles vieram da área que hoje conhecemos por Escandinávia, e eles migraram para o sul. Eles foram para o sul e então um pouco para o leste, por áreas que conhecemos como Alemanha, Áustria, a região báltica e a Suiça. Mas eles continuaram e então foram para o oeste novamente.

- Porque?

- É difícil dizer, - respondeu Vito. - Como eu disse, os bárbaros deixavam muito pouca evidência de sua cultura, então não conseguimos extrair muita informação sobre porque eles faziam o que faziam. De qualquer forma, os vândalos foram para o oeste por áreas da França moderna e Espanha, onde eles cruzaram a brecha em Gibraltar até Tingis, o que hoje em dia é Tânger. De lá, eles se aventuraram para o leste ao longo da costa norte-africana...

- Bem como os sicanos fizeram - interrompi.

- *Esattumentu,* - disse Vito, em aprovação. - Bem como os sicanos fizeram, cinco milênios antes. Então, os vândalos se moveram para o mesmo lugar em que os sicanos chegaram, que se chamava Cartago àquela altura, mas que conhecemos como a Túnis moderna.

- Como eles chegaram à Sicília?

- Uma pergunta melhor seria, porque eles foram para a Sicília?

- Eu desisto. Eu não desisti de verdade, mas eu precisava incentivar Vito a continuar.

- Genserico, o líder vândalo, vinha planejando derrotar Roma há muito tempo. Lembre-se, essa era uma época onde o Império Romano estava colapsando e forças externas acreditavam que estava pronto para ser saqueado. Então, Genserico desenvolveu um plano, que não diferia de um cerco, no qual ele começaria a cortar o acesso do Império ao grão, esfomearia os cidadãos e os afrouxaria para sua invasão. Para fazer isso, ele tinha de trazer suas forças

– alguns dizem que era de dezenas de milhares de homens, embora eu ache que havia muito menos combatentes entre eles – ele teria de trazer suas forças pela costa africana, subindo até a Sicília.

Ele guiou seus homens a um grande sucesso na captura das cidades que eles invadiam enquanto se moviam para o leste. No ano de 432, eles venceram as forças do general romano Bonifácio para capturar Hippo Regius na área que hoje é a Argélia. Houve uma pequena pausa na ação, e Genserico até mesmo deu a impressão de ter chegado a um trato com Roma. Mas eu suspeito que ele estava meramente juntando suas forças, então, em 439, Genserico as levou para mais longe ainda, a leste de onde eles tomaram Cartago. De lá, eles continuaram até a costa sul da Sicília, o cenário de muitas batalhas a serem ainda travadas.

- Entre quem?

- Roma ainda estava zangada com os vândalos por terem quebrado o tratado, - continuou Vito, - mas o Império agora estava dividido em duas partes, leste e oeste.

- E...

- E então isso complicava a resposta ao avanço vândalo na Sicília. Quem deveria agir, e quando? O Império Romano Ocidental estava lutando contra tribos no norte, então eles não podiam mandar ninguém para expelir os vândalos da Sicília. O Império Bizantino, o que você chama de Império Romano Oriental, enviou forças para mandar os vândalos de volta para a África – e, com sorte, para mais longe ainda, para fora da região – mas, em 441, os bizantinos ainda estavam presos na Sicília.

No ano seguinte, os líderes do Império Romano Ocidental começaram a sentir a ameaça que os vândalos representavam e decidiram voltar sua atenção do norte para o sul de seu território. Então eles fizeram a paz com os vândalos invasores, ofertando-os boa parte do território africano para completar a barganha, mas utilizando a Sicília como uma nova fronteira para proteger o flanco sul de Roma.

- Funcionou?

Vito pausou para beber um pouco de vinho, primeiro bebericando e então girando o líquido na taça enquanto ponderava minha questão.

- Por um tempo. Mas parece que esse tal de Genserico era difícil de agradar. Depois que o tratado foi feito, ele começou a atacar e saquear por todo o mediterrâneo, especialmente enquanto a atenção de Roma estava voltada para o norte novamente. Esse foi o fator primário que levou ao saque vândalo de Roma em 455.

- E a Sicília?

- Como sempre, nosso país foi pego entre duas forças em guerra, os vândalos e as duas metades do Império Romano, um campo de batalha sob o qual nosso povo morreu em números maiores do que os dos exércitos de ambos os lados do conflito.

Finalmente, Genserico vendeu a maior parte da ilha para Odoacro, um general germânico enviado pelas forças bizantinas em Constantinopla, mas ele manteve Marsala – Lilibeu, na época – para si. Com isso, Genserico, um vândalo, ocupou uma pequena porção do oeste siciliano, cercado por forças bizantinas em todos os lados. Os cristãos que sobreviveram na ilha agora eram minoria frente aos vândalos e bizantinos.

Olhando para trás com o telescópio da história, no entanto, hoje vemos que a invasão vândala se assentou na Sicília, o que foi algo ruim para nós. Mas os romanos não desistiram exatamente da missão de expulsar os bárbaros, na verdade tudo se encaminharia para um final alguns anos depois.

- Em Agrigentum - ofereci.

- *Bravu,* Luca. Vito soou bastante impressionado com o pequeno fato que eu relatei. Mas eu não sabia dizer se ele se importava mais com o fato de que eu me lembrei da batalha lutada no ano 456 ou com a minha pronúncia do nome de Agrigento na forma romana que tinha na época.

- Então, o que aconteceu em 536? - perguntei. Não era uma prova, mas Vito estava pronto para ela de qualquer forma.

MARÇO DE 536 E.C.

SIRACUSAE

- Eles estão vindo - disse Clio, enquanto ela olhava para fora de sua casa em direção ao porto abaixo.

- Quem? - perguntou seu marido, Theodes.

- Mais navios. Os mesmos que atracaram nos últimos dias, mas mais deles agora.

O porto de Siracusae estava sendo preenchido por esses navios de três mastros. Os ostrogodos haviam sido expulsos da cidade - e do país todo - facilmente pelas forças bizantinas na estação passada, e agora os siracusanos hospedavam outra força invasora.

Esses novos navios não representavam uma ameaça direta ao povo nativo, já que Siracusae havia mantido sua identificação com o Império Romano Oriental -

chamado de bizantino pelos líderes da nova invasão - ao longo do período de domínio ostrogodo. Mas o novo estilo de navio de guerra havia chamado a atenção.

Os navios de guerra ostrogodos tinham um design de vela com traves que ficavam cruzadas em relação à parte larga do convés. Navios similares vinham sendo usados no Mar Médio por séculos e dependiam de um vento de popa para impulsionar o navio à frente.

Embarcações bizantinas punham suas velas diagonalmente para com o convés, usando ventos contrários passando pelo tecido para reduzir a pressão do ar e empurrar o navio para a frente. Elas eram mais rápidas do que os designs anteriores e mais ágeis em ventos cambiantes. Diferentemente dos birremes e trirremes, que levavam três andares de remadores, essas novas embarcações tinham apenas um convés de remadores, e a adição de um leme dava ao capitão mais controle sobre a direção. O uso de metal no design do casco também oferecia proteção adicional contra abalroamentos.

Nesse dia claro de primavera, os siracusanos não tinham nenhuma embarcação ostrogoda de mastro único à vista, apenas os lustrosos mastros triplos dos navios de guerra bizantinos.

A frota era comandada por Belisário, o comandante bizantino, que havia levado três *banda* de soldados -

em torno de quinhentos homens armados - até a África para sufocar uma rebelião dos locais, que ameaçavam o controle de seu império sobre o continente. A missão foi completada rapidamente e, naquele dia, sua força expedicionária retornou para Siracusae, se somando à multidão de embarcações no porto e se tornando o desfile matinal do poderio naval notado por Clio, de sua cozinha.

Belisário já era famoso antes de desembarcar na Sicília. Nascido em uma área do norte, ele cresceu rapidamente como um militar. Ele entrou a serviço de Justino I, Imperador do Império Romano do Oriente, onde ele veio a conhecer o sobrinho do imperador, Justiniano. Por aquele jovem, Belisário se voluntariou na formação de um regimento de guarda-costas, chamados de *bucelarii*, um exército privado empregado somente para o benefício de uma pessoa-chave: nesse caso, a pessoa se tornaria o próximo imperador. Dessa posição de influência, levou pouco para ser promovido juntamente com seu patrono, o Imperador Justiniano I, até se tornar o mais poderoso líder militar de Bizâncio.

- O navio batedor dele chegou no fim da tarde de ontem, - disse Theodes, - e reportou que os bárbaros na África foram facilmente derrotados. Na verdade, - adicionou ele, com uma risada, - eles correram antes dos navios bizantinos atracarem.

- Mas porque eles precisam de tantos aqui, em nossa cidade? - ela perguntou. O limite de seu temperamento era óbvio em seu tom de voz.

- Não precisamos deles aqui. Ouvi, por acaso, um soldado dizendo que eles iriam para Rhegium.

- Onde você ouviu isso? Nós não podemos ficar perto dos soldados.

- Ele veio até o *Calic' Bellu*. Eu já estava lá.

- O quê? Você disse que o velho Salidus só serve mijo de porco na taverna dele.

- Ele me deve pela mesa que eu construí para ele, então pelo menos o "mijo de porco" é de graça.

Clio foi se sentar perto de Theodes e não pôde suprimir um sorriso. Ela gostava de seu marido, mesmo que ele parecesse beber demais. Mas ele era um bom e amável pai, manteve ela e as crianças seguros durante as recentes guerras contra os ostrogodos, e sabia como fazer *denarii* o suficiente para tomar conta deles.

- O que ele disse?

- Quem? Salidus?

- Não, - disse Clio, dando um tapinha bem-humorado em seu braço. - O que disse o soldado?

Theodes pegou o pesado copo de vinho e o arrastou pela mesa enquanto se recostava na parede para relaxar.

- O comandante bizantino, como é o nome dele? Belizari?

- Belisário.

- Ok, Belisário. Ele não está interessado em Siracusae, nem em nada na ilha de Trinácria. Ele veio até aqui pelas provisões, e para ter um lugar para descansar seus soldados antes de marchar para o norte.

- Onde, no norte?

- Pela Itália, e tão ao norte quanto ele consiga perseguir os ostrogodos.

- Mas ele livrou a Trinácria dos bárbaros, porque se importa com a Itália?

Theodes sorriu às preocupações meramente locais de Clio.

- As tribos bárbaras vêm incomodando o Império Romano por duzentos anos. Eu ouvi que eles foram atacados por províncias romanas no norte por mais tempo ainda. Agora, Belisário acredita que ele pode derrotá-los de uma vez por todas. Ele pode expulsá-los de Trinácria...

- Ele já livrou nosso país deles - interrompeu Clio.

- ...sim, e ele pode empurrá-los para fora da Itália, de volta para o lugar de que vieram.

- E onde é esse lugar? - ela perguntou. - De onde eles vieram?

- Eu não sei, - Theodes fez uma careta enquanto levava o copo aos lábios. - Sou apenas um pobre carpinteiro. O que eu sei sobre as coisas que acontecem no mundo?

Theodes entendia das coisas do mundo muito bem, no entanto. Pelo menos nesse momento.

Belisário estava trazendo uma flotilha de navios à Trinácria para preparar um assalto massivo na península ao norte. Suas embarcações carregavam marinheiros experientes, mas também deviam dar espaço para os *moirai* - divisões de mais ou menos dois mil soldados - compostas de *lochaghiai* (infantaria), *allaghia* (cavalaria) e *skutatoi* (arqueiros). Nunca uma força militar desse tamanho havia sido trazida ao seu país, não na memória recente e nas histórias que os anciões contavam das invasões passadas.

Para a sorte do povo de Siracusae, o exército bizantino não parecia querer fazê-los nenhum mal. Eles pagavam pelo alojamento quando dormiam na cidade, pagavam pelo vinho e se comportavam melhor do que os ostrogodos que haviam controlado

Siracusae por muitos anos. Soldados são soldados, no entanto, e parte do seu comportamento com mulheres e moças não era apreciado, mas os siracusanos sabiam como lidar com eles. Raramente havia alguma razão para reclamar com os oficiais bizantinos acerca do comportamento de seus homens, e não havia ocorrido quase nenhum incidente realmente perigoso para a população.

Ainda assim, o povo de Siracusae sentia como se estivesse em uma cidade ocupada, com pouco controle ou opinião sobre como seus assuntos deveriam ser geridos. Quanto mais cedo as forças bizantinas partissem para guerrear em Rhegium e na grande Itália, mais cedo o povo poderia retomar alguma ordem para si.

Clio voltou à lareira e ao forno de pedra que ela usava para preparar as refeições. A pequena mesa quadrada de madeira em bloco era usada tanto para preparar a comida quanto para servi-la. Tinha lugar para apenas quatro pessoas, perto o suficiente para que qualquer um pudesse alcançar o prato de outra pessoa e roubar uma porção.

Essa cozinha era em um canto do cômodo mais escuro do que aquele onde Theodes se sentava. Com apenas uma janela em sua casa, ele havia arranjado duas cadeiras de frente para ela, móveis feitos com armações de madeira e tiras de couro gasto como assento. Theodes encarava a janela ao ritmo do trabalho de Clio, cortando e picando alimentos para a refeição da noite. Mas Theodes também mantinha uma jarra de vinho no chão, aos seus pés. Ele encheu um copo de madeira esculpido com o líquido de cor rubi, bebeu devagar e olhou pela janela.

- Temos lebre esta noite, com cenouras e aipo. Vou fazer um caldo com o que sobrar do cozimento da carne, podemos molhar o pão nele.

As palavras de Clio eram para Theodes, mas ele prestava só um pouco de atenção nelas. Ela também não focou na mensagem, embora viesse de seus próprios lábios.

Era em momentos quietos como esse que o casal considerava sua vida em Siracusae, os gregos que as histórias contam que a construíram e deram ao povo sua língua, os godos que tomaram controle e lutaram batalha após batalha para mantê-la, e os bizantinos que agora navegaram até ela para conquistá-la.

Depois de outro gole de vinho, os pensamentos de Theodes foram para Hermedes e Calentus, seus filhos. Hermedes casou-se com um jovem rapaz em Siracusae, alguém com futuro - Theodes esperava - um homem que era favorecido pela classe dominante que havia sobrevivido aos godos e agora era favorecida pelos líderes bizantinos. Casamentos dentro de cidades eram mais comuns agora do que nos séculos passados, já que as populações haviam crescido e havia muitos jovens rapazes e garotas sem compromisso a serem escolhidos. A cultura da cidade também havia se tornado mais insular e voltada para dentro, então à medida que as crianças cresciam até a vida adulta, elas passavam a maior parte de seu tempo ao redor de seus concidadãos e eram mais propensas a ficar ali do que viajar para longe.

Clio não assoviou enquanto trabalhava e não falou com Theodes. Enquanto seu marido encarava o exterior pela janela e bebia vinho, ela entrou em um ritmo de trabalho silencioso, mas seus pensamentos estavam em seus filhos também, e nos anos em que moraram ali, enchendo a pequena mesa quadrada onde ela se debruçava para um momento de descanso.

Theodes não estava tão contente com seu filho. Calentus odiava os godos e foi atraído para gangues de homens que resistiam ao controle que os invasores submetiam a eles. Calentus havia sido preso diversas vezes por seu comportamento, e Theodes teve de pagar fianças para libertá-lo. Mas aconteceria de novo.

Numa manhã, quanto Theodes se levantou para ir até a serraria pegar madeira para fazer móveis para a nova casa de um homem, ele viu seu filho já de pé e vestido, em pé do lado de fora da casa, falando com alguns dos seus jovens amigos brigões.

- Venha para casa - Theodes o disse, mas Calentus estava firme.

- Eles estão nos matando, - disse ele ao pai, - eles estão te matando. Você não vai fazer nada?

- Calentus, os godos são iguais a todos os que vieram antes. Eles querem nosso país, eles tomam nossas cidades...

- E eles tomam nossas filhas - bufou Calentus.

Theodes deu um tapa forte no rosto de seu filho com as costas da mão. É verdade que ele temia todos os dias que um dos soldados guarnecidos em sua cidade tomasse Hermedes, e que esse pensamento o mantinha acordado durante muitas noites, mesmo agora que ela havia encontrado um marido para si. Os soldados às vezes se importam com a propriedade de outro homem, mas geralmente eles só se importam com sua própria sede.

Calentus saiu naquele dia, se juntando aos seus compatriotas para formar uma resistência organizada. E Clio e Theodes não o haviam visto desde então. Aquilo foi há um ano, antes dos Bizantinos chegarem e expulsarem os godos de Siracusae. Theodes queria que ele ainda pudesse chegar até seu filho e contar as novidades a ele, mas Calentus provavelmente já sabia. Se ele ainda estivesse vivo.

- Por quanto tempo eles vão ficar? A pergunta de Clio trouxe Theodes de volta de seus pensamentos.

- Quem?

- Os novos navios e seus soldados?

- Eu não sei.

- Porque você não vai até o *Calic' Bellu* e pergunta para o seu amigo?

- Salidus? Ele vai dizer que já está tudo pago e que ele não me deve mais nada. Você vai ter que me dar alguns *denarii* para a bebida.

Clio olhou para seu marido com intensidade e sorriu levemente.

- Quis dizer o seu amigo, o soldado. Pergunte a ele.

- Eu ainda precisaria de alguns *denarii* - respondeu Theodes, estendendo a mão com a palma para cima.

AGOSTO DE 2018

CAFETERIA AMADEO

Eu quase corri até a cafeteria na manhã seguinte, ansioso para reforçar o que eu sabia sobre os bárbaros ou descobrir o que não sabia. Eu tentei diminuir o ritmo para um passo mais deliberado enquanto passava pela porta, mas minha ansiedade venceu.

- Então os bárbaros, todos eles, os vândalos, os ostrogodos, os visigodos...

- Não, os visigodos não, - corrigiu Vito, com um dedo artrítico apontado para o alto para reforçar sua afirmação. - Lembre-se, eles não chegaram à Sicília.

- Sim, eu sei. Não é aí que quero chegar. Mas, tudo bem, os vândalos e ostrogodos. Eles ficaram na Sicília apenas por um período muito curto, certo?

- Sim, se você está falando em tempo geológico - ele respondeu com uma careta e um gole de seu espresso.

- Perdão?

- Os bárbaros ficaram aqui por mais ou menos duzentos anos, da metade do século V até a metade do século VII. Em tempo geológico, isso é uma única batida do coração. Mas o que você acha que o povo siciliano estava sentindo? Foi tão efêmero assim?

- Bem, não, eu suponho, - respondi. - Duzentos anos são duzentos anos. Considerando o tempo médio de vida de uma pessoa da época, isso seria em torno de cinco gerações. Alguns contos folclóricos duram este tempo, mas cinco gerações os contando é tempo o suficiente para que os contos mudem. Tempo o suficiente para que os fatos da história sejam rearranjados.

- *Sì*, - respondeu Vito, - é longo pelos padrões de um único humano, mas apenas um momento em toda a história da Sicília. Então, você está certo e errado ao mesmo tempo. Ainda assim, não podemos subestimar a importância das invasões bárbaras em nosso país. Eles não deixaram muitos dos seus próprios artefatos, nada mais do que deixaram no caminho que trilharam antes de vir à Sicília. Mas eles trouxeram um pouco de paganismo em suas religiões, e mais uma coisa.

Vito pausou novamente, para ênfase.

- E isso foi? - instiguei.

- Cabelos loiros e olhos azuis. Ele estava a ponto de rir e quase não conseguiu falar o fim do chiste.

Eu ri, também. Ele estava certo. Os vândalos que vieram de tão longe quanto a Escandinávia teriam trazido algumas das suas características arianas, o cabelo loiro e os olhos azuis que esporadicamente apareciam no povo siciliano. De repente, eu pensei nos olhos azuis do barista e nos olhos verdes de Antonio. Eu havia passado por algumas pessoas de cabelo castanho claro e até mesmo algumas de cabelos loiros. Eu percebi naquele momento que todos eles, provavelmente, descendiam dos vândalos.

Como um amigo me disse uma vez: "Presumir que há qualquer raça pura é presumir que exércitos invasores não desciam dos seus cavalos."

- Eles foram expulsos das costas sicilianas, mas não do fundo genético, eu acho - concluí.

- Tarde demais - disse Vito, bebendo de seu espresso novamente.

- Mas isso não começou a mudar depois de Belisário conquistá-los e cravar a bandeira bizantina na Sicília?

- É claro. Então nosso país se tornou mais parecido com o Império Romano do Oriente e sua igreja, e tomamos o modo de vida bizantino. Desse modo, a língua grega que persistiu aqui ao longo dos anos, desde as invasões no século IX A.C., era a língua dos bizantinos, então não tivemos problemas para nos ajustar a eles. Você se surpreenderia com o modo como uma língua comum é reconfortante para um povo que experienciou ondas de mudanças ao longo do tempo.

Na verdade, eu não ficaria muito surpreso. Eu me lembrei de como, em minhas muitas viagens ao redor do mundo, toda vez que eu entrava em uma sociedade que tinha uma língua da qual eu compartilhava, meus nervos imediatamente se acalmavam. Eu dormia melhor, comia melhor e geralmente me sentia mais à vontade, mesmo se fosse um país que eu nunca havia visitado antes.

- Mesmo tendo sido expulsos de nosso país, no entanto, os godos ainda não haviam terminado.

- Como assim?

- Totila. Já ouviu falar dele?

Eu balancei a cabeça.

- Totila era o rei dos ostrogodos, e ele lutou uma nova guerra contra Belisário e os bizantinos. Esses dois grandes heróis lutaram na Sicília, na Itália continental e por todo o caminho norte até Roma. Eles ganhavam vez um, vez outro, e perdiam cidades e territórios. Totila na verdade conquistou Roma duas vezes no seu caminho para retomar a Sicília.

- Por quanto tempo isso durou?

- Totila tomou o reino ostrogodo em 541, apenas alguns anos depois de Belisário vencer os godos na Sicília. E ele reinou até 552.

- Ele desistiu ou morreu? - perguntei.

- Reis com tanto poder não desistem. Não, Justiniano I do Império Bizantino estava ficando bem cansado desse godo e planejou expulsá-lo da região. Infelizmente, uma série de fatores – incluindo a peste bubônica que varreu Bizâncio em 541 – impediu ações imediatas. Mas quando Totila invadiu a Sicília novamente, Justiniano estava pronto para lidar com ele. Ele montou um grande exército em 552, pôs um novo homem, Narses, a seu comando, e foi derrotar Totila de uma vez por todas. Os godos já haviam passado de arrasto pela península e atingido o centro do norte da Itália, onde ele tomou o desafio de Narses em Tagina.

Foi uma batalha famosa, lutada próxima à costa do Adriático, Narses prevaleceu e Totila foi morto em batalha. E, com isso, as hordas bárbaras na Itália – e, portanto, na Sicília – foram eliminadas.

- Para nunca mais voltar? Quero dizer, os bárbaros?

- Ah, isso teria sido fácil demais, mas falemos disso. Acredito que a conquista histórica mais significante dos bárbaros foi a destruição do Império Romano.

- Sério? As causas diretas, ou mesmo indiretas do colapso de Roma têm sido debatidas por séculos. A resposta é simples como você sugere?

- Não, não simples, mas possivelmente clara. E não foram só os bárbaros. Roma nos séculos três e quatro D.C. já estava enfraquecida por conta da superextensão do império. Isso sobrecarregava a estrutura de comando – tente controlar um governador em uma província que está a três meses de marcha de distância – e as linhas de suprimentos. Não é apenas na guerra que as linhas de suprimento importam; conexão fácil e direta com o coração do império é necessária ao longo da vida para garantir que os bens importados e exportados cheguem devidamente. Também havia a questão do povo.

- O que quer dizer? - perguntei.

- Roma já estava relativamente indulgente ao que tangia as práticas culturais das áreas que conquistavam. Essa tolerância mantinha a resistência em cheque, mas também permitia que o Império Romano em si se tornasse um poliglossia de ideologias, religiões e princípios legais. A confusão começou a se esgueirar e perturbar as fundações da sociedade romana. Então, em seu estado enfraquecido, Roma não pôde resistir a ataques abertos em suas fronteiras. Como os visigodos do norte, e os vândalos e ostrogodos do sul. Essas tribos bárbaras importunavam Roma constantemente e mordiscavam seu perímetro.

- Bem, - eu sugeri, com dúvida em minha voz, - eu não chamaria o saque de Roma de uma "mordiscada", exatamente.

- É claro, - Vito continuou, - e isso é a seriedade que a pressão constante dos bárbaros tomou para Roma. Ela também foi vítima de outras forças, incluindo a corrupção interna – tanto política quanto genética – e ficou condenada a cair. Mas enquanto esse câncer interno estava comendo a estrutura do corpo político romano, nossos amigos, os bárbaros, estavam apenas ajudando a desmontá-lo pelas bordas.

- E, novamente, voltaram à Sicília.

- *Sì*, é claro, - continuou Vito. - A Sicília era uma província do Império Romano, mas não era qualquer província. A Sicília era o celeiro, ou a "cesta de pão" do Império. Também era geograficamente mais próxima da Itália continental do que algumas das províncias longínquas, e, assim, mais fácil para Roma vigiar e interferir. Mas os imperadores continuavam a mandar homens corruptos para governar a ilha...

- Como Verres? - perguntei.

- *Esattumentu,* - respondeu ele. Como governador de uma província insular, Verres imediatamente presumiu que poderia pilhá-la à vontade. Ele enviou muito do material roubado para outras terras, por exemplo, Sardenha e Marselha, para impedir que fosse recuperado. Ele não foi o único governador que tirou vantagem da Sicília, mas seu envolvimento aconteceu logo no momento em que Roma estava começando a ruir.

- Então a corrupção de Roma se afunilou na Sicília e baixou a ilha até o nível do Império - ofereci.

- *Sì,* mas um pouco diferente. A decadência de Roma e a corrupção derrubaram o governo, mas não a infraestrutura. As construções, estradas e aquedutos romanos – mesmo seus códigos legal e criminal – sobreviveram ao desmoronamento lento do Império, mesmo até os dias de hoje. Na Sicília, as construções permaneceram, e muitos dos antigos templos gregos, mas a Sicília não tinha uma sociedade robusta o suficiente para sobreviver à dissolução de Roma. A Idade das Trevas se assentou quando o Império colapsou e a maior das províncias romanas, incluindo a Sicília, sofreram dos efeitos dessa época. O seu “velho oeste” nos Estados Unidos não foi nada comparado à vida na Europa durante a Idade das Trevas.

- É Idade Média, ou Idade das Trevas?

- Elas não são a mesma coisa. Imagina-se que a era medieval foi de 500 a 1500 D.C., uma época onde as mudanças sociais, movimento populacional e reconstrução cultural dominaram. Começou com cerca de quatro séculos de espetacular migração, nas regiões europeia e mediterrânea e ao redor delas, mais ou menos de 400 a 800 D.C. Já falamos disso, com a invasão vândala pelo mundo conhecido. Na segunda parte da Idade Média, de cerca de 700 D.C. Até mais ou menos 1300 D.C., as coisas se assentaram um pouco. Um fator significante durante esse período foi a ascensão do poder da Igreja.

- Da Igreja Cristã, presumo.

- É claro. Havia muitas outras teologias na época, e o politeísmo estava minguando. O Judaísmo ainda era praticado em pequenas comunidades, mas Maomé estabeleceu o Islã durante esse período. De qualquer forma, voltando à Igreja Cristã... Havia dinheiro ligado ao poder que o papa e seu clero exerciam. Esse dinheiro era tirado do povo da mesma forma que os impostos sempre foram tirados. Mas havia uma diferença agora. No passado – e talvez hoje em dia também – os impostos eram tirados da população sob ameaça de medidas legais, incluindo a prisão. A Igreja demandava o dízimo sob a ameaça da danação eterna. Dessa parte da Idade das Trevas nós entendemos.

A educação era vigiada de perto e geralmente limitada aos nobres e ao clero. Na verdade, mesmo aqueles que vestiam robes não eram muito educados, mas o campesinato claramente não era. Então a igreja podia convencer o povo de quase qualquer coisa, incluindo o pagamento pelo direito ao paraíso.

- Venda de indulgências? - perguntei.

- Sim, uma das causas fundamentais da Revolução Protestante. Então, com esse controle da educação – e, portanto, do conhecimento – a Igreja podia impor ao povo a obediência cega. E a igreja tinha a maior parte do dinheiro, e usava muito dele para construir catedrais incríveis e encomendar arte religiosa.

- Como isso afeta a Sicília?

- Estamos chegando lá. Você perguntou se a Idade das Trevas e a Idade Média eram a mesma coisa. Bem, eu descrevi a Idade das Trevas como a parte inicial e mediana do milênio entre 500 e 1500 D.C. Embora a Idade Média geralmente seja usada para se referir cronologicamente a esse período inteiro, muitas pessoas pensam nos avanços desse período, incluindo o Renascimento, e, mais tarde, a Era do Iluminismo, como sendo produtos da Idade Média e descendentes diretos da Idade das Trevas.

Lembre-se, a Igreja controlava o dinheiro, e a Igreja encomendava as catedrais, janelas de vitrais, esculturas e pinturas. É claro, a maior parte disso tinha temas religiosos, como você pode ver na massiva produção artística daquele período, mas a Igreja também servia como patrona das artes e foi amplamente responsável pelo surgimento do Renascimento.

Mas, estamos nos adiantando um pouco. Voltemos aos invasores vindos de Bizâncio.

535 E.C. – 827 E.C.

BIZANTINOS

AGOSTO DE 2018

CAFETERIA AMADEO

- *Corpus Juris*, - disse Vito, olhando para mim enquanto eu entrava pela porta da cafeteria. Talvez ele estivesse especialmente ansioso para começar naquela manhã, porque eu ainda estava a três metros da mesa quando ele se dirigiu a mim.

- Desisto - respondi, com um sorriso. Havia momentos em que eu estava tão perdido que resolvia ser honesto e parar de folhear meu diário como se eu fizesse alguma ideia do que ele estava falando. Eu não fazia, e ele sabia disso, então evitei o constrangimento.

- *Corpus Juris* se traduz como...

- Um corpo da lei - eu disse, me redimindo um pouco com uma rápida tradução do latim.

- *Certamentu,* - respondeu Vito. - É às vezes chamado de código de Justiniano. Justiniano, o Imperador Romano do Oriente durante o sexto século D.C., o compilou. Tinha três partes, a primeira – e mais importante delas, na época – era a codificação da lei romana até aquele momento.

- Como isso impacta a Sicília? - perguntei.

- Diretamente e indiretamente, - respondeu Vito. - Como imperador, o método de governar de Justiniano foi crítico para todos os territórios sob o seu poder, incluindo a Sicília. Até aquele período, o sistema legal era governado pela lei natural, precedente e decretos escritos – às vezes não escritos – por uma longa linha de reis e imperadores. Justiniano quis trazer ordem a esse emaranhado de registros, um bom passo para a pessoa comum que quisesse saber quais tipos de comportamento seriam esperados, e quais sancionados. Em 528, ele criou um conselho para pesquisar textos e decisões existentes e compilar e organizar os resultados.

- Lei natural... espere, - implorei. - Isso é o mesmo que a lei comum?

- É o correlato mais próximo. Sim, a lei natural, ou comum, significa tudo que esperaríamos que fosse proscrito. Assassinato, roubo...

- Estupro - adicionei, declarativamente.

- Não, tristemente, não podemos dizer que o estupro foi proscrito por toda a história - respondeu Vito, com o queixo e os olhos para baixo.

- O quê? Isso parece uma lei natural, ou, devo dizer, comum.

- Não em todos os lugares. Na verdade, o estupro não foi ilegal ao longo dos tempos medievais e não foi especificamente tipificado no corpo da lei italiana até muitos séculos depois.

Eu não sabia ao certo como explorar esse terrível lapso na lei, então pausei minhas perguntas a Vito sobre isso.

- O estupro era muitas vezes considerado um ato de oportunidade - comentou ele.

- Você não disse um "crime" de oportunidade.

- Não, porque esse é exatamente o ponto. Esperava-se que os homens de uma sociedade protegessem suas mulheres, especialmente as moças e garotas jovens, senão elas poderiam ser vítimas de um "ato de oportunidade".

Você sabe que as primeiras sociedades sicilianas requeriam que as mulheres ficassem dentro de casa, fora de vista? - ele perguntou.

- Sim, e, bem, se me permite dizer, não apenas as *primeiras* sociedades sicilianas. Eu percebo isso mesmo nos dias de hoje, em Mazara del Vallo.

- *Sì*, - permitiu Vito, e continuou. As garotas não devem olhar para fora das janelas, ou aparecer à porta de seus lares a menos que estejam escoltadas.

- Mas isso não pode ser um costume universal. Soa antiquado demais - eu objetei.

- E, é claro, é. Mas isso não significa que ainda não seja seguido. Na Sicília, muitas das antigas leis ainda são novas. E os homens das famílias ainda são considerados responsáveis pelas mulheres, e por garantir que elas não sejam vítimas de "atos de oportunidade". Mas, voltemos a Justiniano e à lei comum. Seu conselho organizou as leis conhecidas, precedentes e julgamentos e os compilou de maneira que apontasse discrepâncias.

- E foi bem-sucedido? - perguntei.

- No geral, sim, mas o conselho e, até certo ponto, o próprio Justiniano, estava relutante em excluir julgamentos que pareciam estar corretos em si mesmos, ainda que conflitassem com um corpo de decisões paralelo. De qualquer forma, esse *corpus juris* foi uma conquista histórica, e pavimentou o caminho para outras compilações da lei no teatro romano e, portanto, pela Europa.

- E então, para retornarmos à Sicília, como isso importa? - perguntei.

- Lembra-se de Narses?

- Ele foi o general apontado por Justiniano para livrar a região dos godos.

- Em 552. *Correttu.* A vitória de Narses sobre Totila e os godos estabeleceu o domínio do Império Romano do Oriente sobre a Sicília e o sul da Itália, e o sistema de justiça de Justiniano se tornou a lei na Sicília naquele período subitamente. Para a sorte de nosso povo da época, a abordagem de Justiniano foi uma junção de tradição e justiça bem pensada e considerada por um longo tempo, não apenas o capricho de um novo tirano.

Vito pausou, se ajeitou no assento e bebericou seu espresso.

- Durante todo o período Bizantino, houveram esporádicas – e crescentes – ameaças do mundo árabe. Maomé, que nasceu no ano 570 D.C., logo depois de Bizâncio tomar o controle do Mediterrâneo oriental, estabeleceu uma nova religião, o Islã. Seus seguidores cresceram, e embora eles não tivessem começado sua migração e conversão da Europa até bem depois de sua morte, em 632, o Islã apresentava um desafio constante ao Império Romano do Oriente desde o início. Batalhas em Damasco, Jerusalém e Alexandria deixaram essas áreas sob o controle muçulmano, mas o Império Bizantino continuou com o sul da Itália e a Sicília. Em torno de 650, isso mudaria.

Entretanto, devemos adiar nossas conversas sobre os muçulmanos e sua invasão da Sicília para depois, mas nunca os deixar fora de nossas vistas ou mentes enquanto falamos dos bizantinos.

Então Vito deu uma risada.

- Certamente, os bizantinos nunca poderiam ter afastado a vista deles, também, - adicionou.

- Constante II, o imperador bizantino na metade do século VII, estava preocupado o suficiente, no entanto, então ele veio até a Sicília em pessoa. Na verdade, ele mudou a capital do Império Bizantino para Siracusa, uma jogada dramática para a história que tornaria a Sicília a capital do Império Romano do Oriente, numa ilha no centro de milhares de anos de conflito. As preocupações de Constante não eram infundadas, já que o Islã começava a cercar os territórios bizantinos. Entre sua chegada na Sicília e cerca de 667 D.C., o Islã teria feito tantos ataques na Sicília – levando consigo tesouros pilhados e escravizando sicilianos – que Constante em pessoa ficou ameaçado. No fim das contas, ele foi assassinado em Siracusa por suas próprias tropas em 668 D.C. Ainda assim, a importância da residência do Império Bizantino em Siracusa não ficou sem uma significação histórica.

Ele parou novamente para mordiscar o cantucci em seu prato.

- Você sabe do Papa Leo II?

Eu balancei a cabeça.

- O papa Leo nasceu na Sicília durante o período bizantino e foi elevado ao papado em 682.

- Então, um papa veio daqui?

Vito assentiu.

- Sua proximidade com o centro de poder bizantino ajudou em sua ascensão? - perguntei. - Sua herança siciliana?

- Duvidoso. Houve muitos padres e bispos sicilianos que foram para Roma durante esse período, para escapar da ameaça contínua do Islã, talvez. Nosso rapaz da Sicília apenas durou por um curto período na cadeira de São Pedro.

- Como foi isso?

- Ele morreu dentro de um ano de sua seleção. Naquele período curto, no entanto, ele fez muito, na maior parte trabalhando na complicada relação entre Bizâncio e Roma. Talvez, como um siciliano vivendo durante o período bizantino, ele fosse a personagem perfeita para esse papel.

655 E.C.

ORTÍGIA

Anatole havia andando a mesma distância todos os dias por três meses. De sua casa no bairro hebraico de Ortígia até a planície chata perto da borda da pequena ilha. Ortígia havia servido em muitos papéis para Siracusa ao longo dos séculos, de posto de comércio a complexo militar, de acampamentos modestos para o comércio de escravos até seu status atual como moradia dos trabalhadores. Havia muitas nacionalidades representadas ali, com uma linhagem que podia traçar sua história até os escravos, e havia um aglomerado no centro onde Anatole morava com os outros judeus da ilha, chamado de *Giudecca*.

O acesso à água para limpeza ritual era parte central da prática judia. A água corrente dos córregos e rios era usada, assim como a água parada dos lagos e poças. Os judeus da Sicília tinham acesso à água do Mediterrâneo, para não mencionar os rios da ilha, mas o povo de Siracusa queria construir um templo. O primeiro passo para o projeto era a construção de um *mikveh,* ou banho ritual, no local em que o templo ocuparia.

Anatole era um dos trabalhadores que traziam pedras e blocos para o local do *mikveh,* e ele era treinado em assentar a pedra nos locais onde a fundação já fora desenhada. Seria maior do que qualquer banho ritual já visto, e formaria a parte central do plano do templo, uma construção sagrada que seria erigida ao redor do *mikveh* após o banho ser completado.

- É hora - disse Azriel, saudando Anatole com uma risada. - Achei que começávamos no alvorecer.

Ainda está escuro lá fora - reclamou Anatole, apontando para o sol que mal havia se elevado acima da água, ao leste da ilha.

- Aquele sol já se levantou faz um longo tempo, e eu também - mas Azriel não estava discutindo. Ele sabia que seu jovem amigo tinha problemas em sair da cama pela manhã.

Levou vários meses para que a comunidade hebraica se decidisse acerca da localização do templo, e, portanto, do *mikveh.* O banho usado para esse propósito deveria ser conectado a uma vertente natural que não secasse e que provesse água o suficiente para encher uma piscina de modo que uma pessoa adulta pudesse se imergir completamente nela. Os rabinos de Ortígia discutiam isso longamente enquanto caminhavam pela pequena ilha.

- Eu acharia melhor se pudéssemos usar o córrego que corre por Siracusa em si - disse o rabino Tzadok.

- Isso nunca funcionará - retrucou Yosef, outro rabino que era mais novo do que o ancião Tzadok, que aceitou o controle cristão da cidade. - Nossa *Giudecca* é aqui, nessa pequena ilha logo além de Siracusa. Os romanos nunca nos permitiriam tomar espaço em sua cidade.

- Somos bem-vindos em Siracusa, - foi a resposta de Tzadok. - Eles querem nossos bens e comprarão nosso linho.

- Sim, e esperemos que isso continue. Mas nossa *Giudecca* é aqui, como eu disse, - repetiu Yosef. - É uma linda ilha, cercada pelas águas pristinas do *Mare Nostrum,* e podemos encontrar uma fonte aqui em nossa área. Além disso, e se conseguíssemos que os romanos nos deixassem construir um *mikveh* no centro de Siracusa. Você iria querer andar todos os dias daqui até lá para o templo?

Tzadok balançou a mão como se estivesse afastando um inseto chato.

Eles se esgueiraram por um pomar de pêras e videiras e se aproximaram do local largo e chato onde Anatole e Azriel trabalhavam. O chão já havia sido nivelado e marcado com a planta do *mikveh* com uma série de pequenas pedras arredondadas. Os rabinos andaram até a borda da fundação e pausaram para observar os homens trabalhando.

- Levante! - apressou Azriel, ensinando seu jovem aprendiz a mover um bloco para o seu lugar. O homem mais velho era o cortador de pedra e ele havia acabado de polir o bloco logo antes de Anatole chegar, naquela manhã. As cavidades para os banhos haviam sido escavadas com cuidado nas semanas anteriores, um processo que poderia apenas ser terminado durante a estação seca, para evitar um colapso das paredes molhadas de chuva. Agora que a escavação havia sido feita, era hora de começar a assentar os blocos em seus lugares ao longo do perímetro do banho, como paredes baixas e colunas, formando um recinto permanente que poderia aguentar as estações.

Todo o *mikveh* era abaixo do chão, o que requeria um enorme esforço para escavar, envolvendo todos os homens da comunidade por vários meses. Uma vez que isso houvesse terminado, cavar os buracos para cada banho requeria cortes adicionais no leito do próprio calcário, mas esse era um trabalho mais preciso e era deixado para especialistas como Azriel. A escavação e corte dos banhos em conjunto levou quase um ano, com picaretas e pás, por vezes, e outras vezes o cinzel de Azriel, para dar forma aos contornos da cavidade quando a pedra do lugar podia ser usada. Mas dois lados do *mikveh* escavado requeriam que pedras novas devessem ser cortadas e posicionadas, já que o leito de calcário tinha filamentos e confluências que não serviriam bem como paredes para o banho.

- É fundo o suficiente? - perguntou Tzadok. Ele era o primeiro a duvidar de projetos como esse, sempre questionando se seus esforços eram apropriados ou adequados.

- A *tevilah* precisa de imersão total, sabe - ele disse a Yosef, como se o rabino mais novo já não conhecesse o ritual.

Yosef apenas sorriu. Ele sabia que o ancião criticaria todos os movimentos e todas as colocações de blocos e contestaria o lugar que haviam escolhido mesmo depois da última pedra do templo ter sido assentada.

Azriel ouviu o rabino ancião e sorriu um pouco às suas palavras. O cortador de pedra havia morado em *Giudecca* por toda a sua vida, como Anatole e quase todos que ele conhecia, e ele havia ouvido a interpretação de Tzadok da Torá durante os fins de tarde no Shabat. O homem idoso era conhecido por ser sábio e correto em sua leitura dos textos antigos, mas com a idade, ele começava a soar demais como uma velha mulher que se preocupava com tudo. Ele deu uma espiadela na direção de Yosef e viu que os dois rabinos estavam engajados em uma conversa sussurrada.

- Provavelmente sobre mim - pensou Azriel, e ele sorriu novamente enquanto continuava a encaixar o bloco no lugar. Na verdade, os rabinos não estavam falando sobre o *mikveh* ou os homens que trabalhavam nele. Os olhos de Yosef foram para a direção de Azriel e ele assentiu para o homem.

Com suas mãos cheias de calos, Azriel podia levantar um grande bloco para o seu lugar com a mesma precisão com a qual ele cortava a pedra para fazê-la caber na abertura.

- Bem assim - ele disse para Anatole e o outro homem operando a polia. A pedra retangular era quase idêntica em tamanho à pilha de blocos de construção que Azriel já havia completado, mas cada peça dessa construção teria algumas diferenças individuais - veios que faziam um sulco na lateral, entalhes feitos por uma batida de formão aleatória - então cada uma requeria atenção pessoal. Era por isso que Azriel estava em pé na frente do *mikveh* enquanto Anatole e o homem na polia ficavam acima.

- Um pouco - disse o cortador de pedra, com uma mão na lateral do bloco e a outra acima da cabeça, usando gestos para indicar a direção do movimento e a velocidade da descida da pedra.

- Sim - disse Azriel enquanto o bloco se aninhava no espaço entre duas outras pedras. Ele tinha de descer perfeitamente alinhado com a face dos outros; as superfícies plenas e ásperas dos lados do bloco nunca permitiriam que fosse ajustado para o lugar. Trabalhando em conjunto e seguindo direcionamentos de mão, os três homens haviam abaixado a nova pedra no lugar com as palavras do próprio Azriel, "bem assim".

Agora livre do trabalho de precisão, o cortador de pedra se voltou para os rabinos, mas os viu andando para longe do local da construção, em direção à *Giudecca.* No lugar deles, Azriel viu alguns homens da cidade. Eles não eram judeus: aquela comunidade era pequena o suficiente para que ele pudesse reconhecer cada um deles. Esses homens falavam em grego, que Azriel e Anatole entendiam, embora em seu pequeno conclave os judeus ainda mantivessem seu uso comum de aramaico, outra das muitas línguas ouvidas pela cidade de Siracusa.

Azriel subiu para fora da cavidade do banho e subiu a escada que o tirava de todo o *mikveh* subterrâneo em si para o nível do solo. Lá, uma linha ordenada de pedras que deveriam ser abaixadas até o *mikveh* ao longo do dia o esperava. Anatole conhecia os seus deveres, assim como os outros homens, então Azriel deu poucos comandos apenas e foi cuidar de suas outras tarefas. Tudo foi arranjado com antecedência, todos os trabalhadores entendiam seus deveres e todos sabiam a importância de manter o ritmo até que a luz do sol desvanecesse e eles retornassem aos seus lares.

Ao meio dia, enquanto o sol estava no alto e a luz batia diretamente no *mikveh,* duas mulheres se aproximaram carregando cestos e jarros altos. Azriel sorriu à vista de sua esposa, Dina, e sua irmã mais nova, Rebecca, caminhando em sua direção com uma refeição e água fresca para eles. Levou um momento a mais para Anatole aparecer, de trás de uma parede de calcário, mas quando ele o fez, seu sorriso aumentou mais do que o de Azriel, já que ele tinha seus olhos presos na jovem irmã. Ele vinha tendo um interesse em Rebecca há um longo tempo, e ela retribuía o favor, mas ele não havia estado próximo dela em privado. Seus encontros aconteceram, até o momento, em situações como esta, quando Dina estava trazendo comida para os homens.

Dina também sorriu, e assentiu de maneira amigável na direção de Anatole. Ela sabia que o comportamento desajeitado do aprendiz era causado por sua bela irmã.

As mulheres pousaram suas sacolas, prataria e jarros na mesa de trabalho, e toda a equipe de oito homens se reuniu ali. Dina era jovem e bonita, não era uma mãe ainda, e usava uma túnica azul e macia que expunha seu ombro direito e se dobrava folgadamente pelos seios, uma vestimenta comum para uma mulher desse período e desse lugar. Ela não tinha de fazer esforço algum para ser graciosa e atraente; ela simplesmente era.

E seus olhos estavam grudados em Azriel, o homem forte e líder desse projeto com quem ela havia se casado no ano anterior. Eles eram inseparáveis, exceto quando ele tinha de trabalhar e quando eles iam aos eventos do templo, quando os homens e as mulheres eram mantidos distantes um do outro. Dina estava ansiosa para ter um bebê com Azriel, mas ela estava aproveitando sua vida fácil sem prole juntos também.

Ao contrário de Dina, que mantinha um sorriso modesto nos lábios e reservava seus olhares para Azriel, Rebecca representava o papel de uma garota solteira elegível. Ela tinha intenções claras por

Anatole, mas ela também queria que ele soubesse que ela tinha opções.

Enquanto as mulheres abriam as cestas e serviam a água para os homens, Anatole abriu caminho entre a pequena multidão para ficar ao lado de Rebecca.

- Ei, espere a sua vez - veio a brincadeira bem-humorada de outro trabalhador. O homem sabia que Anatole se importava menos com a comida do que com outra fome, mas Shemule não o deixaria passar sem nenhuma cutucada. - Tem o bastante aqui para todos nós - e o duplo sentido fez Rebecca corar.

E Anatole também. Ele se afastou da multidão, decidindo esperar pela sua comida e, com sorte, por menos competição pela atenção de Rebecca uma vez que os outros homens tivessem saído com suas refeições. Sua estratégia funcionou, e a jovem moça virou para ele depois que os trabalhadores haviam se afastado.

- Posso te oferecer um pouco de comida? Você parece vir trabalhando duro.

Anatole apreciou suas palavras, e soaram como um elogio, mas em sua mente nervosa, ele subitamente se perguntou se Rebecca não queria dizer que ele parecia desgrenhado. Ele atirou o olhar aos próprios pés, então para a túnica curta que ele vestia dos ombros aos joelhos, e então à cor de suas mãos cobertas de poeira. Antes que ele pudesse montar uma defesa - caso uma fosse necessária - Dina veio ao seu resgate.

- Seja boa com Anatole, Rebecca. Um dia ele pode virar um parente.

Ambos os jovens pareceram atordoados e tentaram desenrolar as palavras dela. Ela queria dizer cunhado de Dina através de Rebecca, ou um parente como marido da garota?

Dina não os deixou tempo para considerar a afirmação enigmática. Ela andou para longe e os deixou sozinhos.

- Obrigado - disse Anatole, atrasado, à oferta de assistência de Rebecca.

Ela alcançou as alcachofras grelhadas, os feijões de lima e as pêras frescas e pôs uma porção em um prato para ele. Então ela estocou um pouco de cordeiro que havia sido grelhado anteriormente e cortado antes de ser trazido para o local de trabalho. Ela depositou um líquido ralo e marrom sobre tudo, que, quando Anatole cheirou, o lembrou de caldo de carne salgada. Rebecca entregou-lhe o prato e então se virou para lhe servir um copo de água do jarro que ela carregava.

Com o prato em uma mão e o copo em outra, Anatole olhou para os lados, procurando um lugar para se sentar. Ele não queria ficar próximo aos outros homens e queria encontrar um banco largo o suficiente para que Rebecca pudesse se juntar a ele. Se ela quisesse.

Ele viu um logo na borda da escavação, um banco longo deixado vazio de propósito por Shemule e os outros trabalhadores como uma gentileza ao homem que eles sabiam estar cortejando essa linda e jovem moça.

Anatole começou a ir em direção ao banco, então se voltou para Rebecca. Ela estava em pé, sozinha, com as mãos juntas à sua frente, e olhando diretamente para ele.

- Você também irá comer, e sentar-se comigo? - ele perguntou.

Rebecca sorriu, um pouco aliviada que esse homem que tinha sua atenção era capaz de entender suas intenções.

- Sim, eu sentarei com você, mas Dina e eu já comemos.

E, com isso, eles se moveram em direção ao banco e se sentaram juntos.

Dina e Azriel observaram esse cortejo juvenil com divertimento. Eles eram jovens também - bem, Dina era cerca de dez anos mais jovem do que Azriel, mais maduro - mas seu romance havia começado da mesma maneira. Eles assistiram a irmã de Dina e Anatole, que parecia tão cuidadoso e confiante quando estava movendo pedras, mas tão desajeitado quando estava na presença de Rebecca.

Rebecca sentou-se em silêncio por cortesia, e Anatole comeu em silêncio por medo. Ele tinha uma cabeça cheia de cabelos negros e enrolados e, quando ele se debruçava sobre a comida, os cachos caíam sobre sua testa. Em dado momento, Rebecca levantou a mão e empurrou os cachos para trás com seus dedos.

O toque não era proibido, mas demonstrações públicas de intimidade não eram comuns. Tocar alguém espontaneamente era uma sugestão que trazia um sentido, e uma questão não-verbalizada que pedia uma resposta. Anatole olhou para ela e tentou conjurar uma resposta, mas ele não tinha palavras. Depois de um momento desconfortável, ele voltou a se debruçar sobre a comida, para se ocupar com a mastigação de um pedaço de cordeiro.

- Ela está tentando - disse Dina sobre sua irmã.

- Ele também, - respondeu seu marido, - ela só é melhor nisso do que ele.

- E como você acha que eu peguei você? - respondeu Dina, com um soquinho nas costelas de Azriel.

- O quê? Você não me pegou. Eu parei de correr e você trombou comigo.

- É, claro que sim - disse Dina, com um olhar de desdém.

Quando os homens haviam terminado a refeição do meio dia e voltado a descer para a escavação, Yosef e Tzadok haviam retornado, com o homem mais velho balançando a cabeça.

- Não vai segurar - disse ele.

- Segurar o que? - perguntou Yosef.

- Água o suficiente. O *mikveh* tem de ser fundo e largo, e tem que segurar água o bastante para que um homem possa entrar completamente no banho e ficar embaixo d'água.

- Não exatamente embaixo d'água, - foi a resposta de Yosef. O rabino mais jovem também era escolado nos ensinamentos, e enquanto ele concordava em geral com o ponto do rabino mais velho, ele conhecia suas lições.

- O homem só tem que poder sentar no banho até o queixo.

- Não vai segurar - repetiu Tzadok.

Os dois homens debatiam o volume da água no *mikveh,* o número de *seah* que seguraria - o que eles sabiam significar que o banho deveria ter o volume de quarenta *seah*. Enquanto o debate era travado, os dois romanos retornaram e ficaram em pé assistindo os homens na escavação esculpindo os contornos do banho abaixo.

- Porque estão tão fundo aí? - perguntou um dos homens. Ele tinha as roupas simples de um trabalhador de Siracusa, mas os judeus no local sabiam que ele era romano, e, portanto, deveria ser tratado com deferência.

- Essa é nossa terra, - disse Azriel, sem rodeios. - Estamos preparando nosso *mikveh* para o templo.

- O que é um *mikveh,* e porque deve ser abaixo do solo? - perguntou o outro romano.

O questionamento estava se tornando um pouco incômodo, e os trabalhadores, os rabinos e Dina e Rebecca assistiam cautelosamente para ver onde isso iria dar.

- O *mikveh* deve ser alimentado com água doce, por um córrego, - disse Anatole. Era arriscado para ele se juntar à conversa, que seria melhor manejada pelo seu superior, Azriel, ou pelos rabinos. Mas com Rebecca como testemunha, ele queria mostrar que não se acovardava diante dos romanos.

- Então cavamos aqui, - Anatole apontou para o chão aos seus pés, - para encontrar água. Quando a nascente foi descoberta no subterrâneo, procuramos a fonte de água para preencher nosso banho e manter a água pura, sem que seque.

Os romanos permaneceram na borda da escavação, olhando com algum interesse, mas sua presença fazia com que os judeus que trabalhavam e que estavam no local ficassem nervosos.

- É um problema? - perguntou Yosef. - É um problema que tenhamos cavado esse poço para nosso *mikveh*?

Os romanos deram de ombros e foram embora. Não pareceu uma censura, mas o questionamento deixou os judeus ali reunidos apreensivos.

O trabalho continuou e as mulheres ali ficaram. Elas tinham pouco a fazer nas horas mais tardias do dia, e, com os romanos causando alguma preocupação, elas decidiram esperar no local até que os homens tivessem terminado o trabalho. Quando o dia de trabalho chegou ao fim, Azriel saiu do fosso com a ajuda de Shemule, e Anatole coletou as ferramentas e se preparou para ir embora.

- Você se juntaria a nós para a ceia? - veio uma voz suave.

Anatole não percebeu que alguém estava falando com ele, mas se virou para ver a face brilhante de Rebecca. Ela havia acabado de convidá-lo para se juntar à família para o jantar, e ele não pretendia recusar.

- Estou contente de você ter explicado nossa prática aos romanos, - disse ela. - Foi uma demonstração forte.

Anatole se abrilhantou com o comentário e assentiu rapidamente para aceitar o convite. Ele sabia que ela morava com os pais, e que Dina e Azriel moravam em uma casa bem próxima. Anatole não sabia para qual casa Rebecca havia convidado ele para ceiar, mas ele também não se importava.

674 E.C.

CATEDRAL DE SIRACUSA

O BISPO CAMINHOU LENTAMENTE PELO perímetro do antigo templo grego. Era um início magnífico, pensou ele, mas um arquiteto cristão poderia ter feito muito melhor.

- Nós usaríamos estes pilares, - disse o bispo Zosimo, apontando as fileiras de colunas de pedra que eram dispostas em um retângulo ao redor do Templo de Atena, chamado de Atenaion pelos gregos locais em Siracusa.

- Essa é uma estrutura forte que... - ele continuou, antes de ser interrompido.

- Vossa senhoria, - disse Penarius, - esse lugar é pagão. Foi construído para honrar uma deusa grega.

Zosimo olhou para o seu guia, que se tornou um interrogador, e riu de seu comentário.

- As coisas são o que são - declarou Zosimo. Com um balançar desdenhoso da mão e a cabeça atirada para o lado, o bispo disse que já que os deuses pagãos não existiam, os templos construídos em seu louvor eram cascas sem valor que precisavam ser reclamadas e usadas para homenagens devotas ao verdadeiro Deus.

Zosimo continuou seu tour do templo, fazendo gestos de varredura para descrever como ele queria revisar o que estava lá, e fazer daquilo uma igreja consagrada. Ele queria que a construção o representasse e representasse o seu reinado, então ele começou convertendo construções como essa para seus propósitos. O Templo de Atena havia tomado um local proeminente na ilha de Ortígia, logo além da costa da cidade de Siracusa em si, a uma pequena caminhada de outro local religioso, o que os romanos e cristãos chamavam de *Bagno Ebraico,* o que significava o banho dos judeus - ou hebreus - que também residiam nessa pequena ilha-barreira para além da costa sudeste de Siracusa.

O Templo de Atena vinha fascinando Zosimo há muito tempo. Seus componentes arquitetônicos eram impressionantes, e a precisão com a qual o templo foi construído sugeria uma atenção cuidadosa aos detalhes. Diferente de monumentos europeus mais antigos, o Atenaion não tinha uma história antiga que o ligasse ao politeísmo ou ao sacrifício, mas Zosimo ainda se intrigava com a evidência que seus homens haviam encontrado de um antigo altar abaixo da superfície do templo em si. Ele considerou que fosse um sinal de que o lugar tinha poderes místicos, e ele quis tomar seus poderes para si. E, claro, para a Igreja Católica, ele frequentemente lembrava os interlocutores - se sobrassem alguns poderes.

- Vamos construir fortes paredes de pedra aqui, - disse ele, traçando uma linha entre os pilares do Atenaion, - e substituir o piso com mármore.

O arquiteto que andava com ele fazia notas mentais dos desejos do bispo e assentia afirmativamente para cada uma de suas ideias de design.

- Sim, é claro. Como quiser, vossa santidade - eram as servis respostas do homem.

Penarius vinha trabalhando para o bispo desde a ascensão do santo homem à mais alta posição na Igreja da Sicília alguns anos atrás. Ele era habilidoso com números e imagens, o que significava que ele podia entender conceitos de construção e os transformar em desenhos. Suas habilidades com matemática permitiam que ele calculasse distâncias, o peso de blocos de construção e a pressão em membros estruturais desenhados para apoiar a construção uma vez que fosse erigida.

Penarius também sabia assentir e dizer "sim" e ser agradável. Ele tinha mais conhecimento do que o bispo - mais conhecimento, pensava, do que o Papa Odeodato, um seguidor de Benedito que havia pregado pelo Império do Oriente durante seu tempo útil de vida. Penarius estudava os líderes da Igreja e os papas porque ele sabia que Zosimo e os outros que tinham posse das algibeiras aqui em Siracusa podiam ser convencidos a serem generosos se o suplicante prestasse atenção à ordem hierárquica religiosa.

Quando Zosimo desenhava projetos no ar, Penarius conseguia lembrar deles, ao menos o suficiente para fazer com que seu bispo pensasse que estava prestando atenção. Como a maior parte dos projetos imaginados por Zosimo, este iria requerer um pouco de gerenciamento, a palavra que Penarius usava quando ele tinha de revisar o design para se adequar ao modelo, e às vezes para se adequar às leis naturais.

Bem naquele momento, Martha, uma jovem beldade que já era sabido que capturara o gosto do bispo, passou andando. Zosimo parou seu monólogo para observá-la e Penarius ficou parado respeitosamente até que a cobiça do santo homem houvesse se completado.

Martha notou a atenção e nada fez para desencorajá-la. Ela vinha sendo a consorte do bispo por cerca de um ano, apreciando sua companhia, mas, mais importante, seu dinheiro e poder, e ela tinha de se mostrar vez ou outra quando ele estava em público. Era importante para sua própria missão egoísta que os siracusanos - mesmo aquelas pobres almas que viviam em Ortígia - soubessem que ela tinha algum poder sobre seus destinos.

Mas, em sua passagem, Martha também lançou um olhar chamativo para Penarius. Ele era casado, ela havia ouvido, mas se ela jogasse suas cartas corretamente, ela sabia que poderia ganhar seu favor enquanto ainda dividia a cama com o bispo.

Após Martha passar pela cena, Zosimo redirecionou sua atenção para o projeto à frente.

- Vamos pôr novas colunas aqui - enquanto indicava com as mãos. Ele queria aumentar o simples retângulo do Atenaion para adicionar um pórtico, comum no design romano, e com diversas colunas novas esculpidas à moda da época. Esse pórtico iria incluir uma escadaria de cinco degraus, e o chão em frente ao antigo templo teria de ser escavado para liberar espaço para uma subida com degraus dessa natureza.

Um templo pode ficar no chão, pensou Zosimo, mas uma igreja deve se erguer acima dele.

Depois de outra volta ao redor da planta do templo envelhecido, os dois homens estavam prontos para terminar o trabalho do dia e procurar outro entretenimento. Para o bispo, aquilo queria dizer música, comida e muito vinho - talvez uma visita amigável de Martha. Para Penarius, a tarde poderia ser usada para passar um tempo com sua esposa e dois filhos, cheia de boa comida, proporcionada pelo seu emprego lucrativo com o bispo. O vinho também seria apreciado, e a esposa de Penarius e seus jovens filhos poderiam compartilhar dele. Ele gostava quando sua esposa ceiava com ele, e ainda mais quando ela ficava após a refeição - depois dos garotos terem ido para suas camas - para beber da última jarra de vinho tinto da noite.

Na manhã seguinte, Zosimo demorou para se levantar. No fim de tarde anterior, Martha decidiu que seu olhar sugestivo para Penarius poderia ter sido detectado pelo bispo e mal-interpretado - bem, seu plano era fácil de se entender, mas ela queria dissipá-lo. Então, ela fez questão de ir até a casa do bispo após ele ter terminado a refeição final do dia. Sua governanta a haveria preparado, e, se ela houvesse servido vinho o suficiente, o clérigo também teria feito comentários sugestivos para a mulher de meia-idade que cuidava da mesa. Martha sabia que depois de Zosimo haver exaurido suas fantasias e sua energia na governanta, ela poderia se esgueirar e propôr uma noite amorosa sem ter de cumpri-la de fato.

Então, ela acordou em sua cama ao som de seu ronco bêbado. Zosimo era, àquela altura, um homem amplo. Os direitos e privilégios da igreja o haviam levado a uma vida de prazer, e sua cintura demonstrava isso. Martha não era dissuadida por isso; ela trabalhava para sobreviver, e nem sempre podia escolher a altura e peso de seus clientes. Mas, nessa manhã em particular, ela queria se levantar e se vestir, então sair da casa do bispo antes que ele acordasse - ou levantasse, nesse caso.

Nas ruas de Siracusa, Martha encontrou Julia, a esposa de Penarius. Elas conheciam uma a outra, e compartilhavam alguns amigos de infância, mas suas vidas tomaram caminhos diferentes. Julia era uma boa cristã e havia se casado com Penarius quando tinha apenas quinze anos de idade.

Martha, no entanto, queria o tipo de poder que as mulheres daquela época raramente possuíam. Os homens em Siracusa - até onde ela sabia - mantinham todo o poder, mas as mulheres sabiam que podiam controlar os homens com sexo ou outros benefícios. Martha sabia que nenhum homem poderia resistir ao seu corpo, então ao invés de se casar e se contentar com o poder de apenas um homem - como Julia havia feito com Penarius - Martha decidiu compartilhar-se com muitos homens e fazer com que todos se rendessem a ela e a empoderassem, para que ela seguisse sua vida como nenhuma outra mulher poderia.

- E você está bem hoje, espero? - ela perguntou a Julia, quando se encontraram na praça.

- Sim, muito bem, obrigada - respondeu Julia. Ambas jogavam um jogo. Cada uma sabia da escolha da outra na sociedade Siracusana, cada uma olhava para a outra com um certo desdém, mas também reconheciam a força que era necessária para escolher os caminhos que seguiam. Martha raramente invejava Julia, mas ela cobiçava uma vida onde só teria de agradar a um homem. E um homem simples como Penarius, ainda por cima.

Julia via Martha como uma prostituta, simplesmente. Mas ela tinha de admirar o poder que essa jovem beldade possuía, pela cidade e além dela.

- Seu marido irá ganhar um grande projeto de sua santidade, ouço dizer, - disse Martha a Julia. Apesar de seu status igual na cidade, normalmente as siracusanas não se referiam aos maridos de outras mulheres por seus primeiros nomes. Era considerado inapropriadamente casual.

- Seu marido tem muita sorte - disse Martha, uma observação improvisada que tratava a conquista de

Penarius como vinda mais do destino do que do talento.

- Entretanto, - rebateu Julia, - um homem sortudo é quem é bom. Estou certa de que concorda.

Martha não queria entrar em uma batalha de sagacidade com essa mulher. A prostituta era orgulhosa e se engajaria com qualquer um da cidade que a desafiasse, mas ela sabia que a habilidade de Julia de dobrar a linguagem poderia envergonhar Martha num combate verbal, se suas palavras fossem ouvidas. Ela olhou em volta para ver se alguém estaria ouvindo sua conversa com Julia antes de responder.

- Um homem sortudo é bom, mas um bom homem pode não ser sortudo - disse ela, antes de sair da discussão.

Penarius retornou ao local do templo naquela manhã. Ele havia mantido as ideias do bispo em sua memória, revisou-as como necessário - sem contar ao santo homem - e pretendia dar aos trabalhadores seus primeiros planos para a reconstrução do templo.

- Será uma igreja magnífica, uma catedral para rivalizar com as de Roma ou de Bizâncio - declarou ele, confiantemente.

Os homens em pé em um círculo ao redor dele nunca haviam estado em nenhuma dessas cidades, mas haviam ouvido sobre sua grandeza. Sem tentar imaginar os planos que Zosimo ou Penarius fizeram para a Catedral de Siracusa, eles tinham de presumir que seria um lugar que os próprios deuses visitariam.

- Construiremos paredes de pedra que preencham os espaços entre esses pilares, - disse ele, indicando como as fileiras de blocos seriam montadas para ir pelo chão de uma coluna até a outra do Atenaion, - mas as colunas devem ficar aparentes do lado de fora e de dentro. A grossura das paredes deve ser menor do que o diâmetro das colunas, para que a superfície curvada dos pilares fique dentro e fora.

Os trabalhadores entendiam um pouco do que Penarius dizia, mas eles não tinham sua habilidade de visualizar a estrutura, então a maioria deles assentiu inexpressivamente ou deu de ombros. Para completar seu plano, as paredes deveriam ser notavelmente mais finas do que as colunas para permitir que a superfície de cada pilar fosse mostrada. Os operários murmuraram entre si, mas não tinham a habilidade de calcular a força da parede proporcionalmente à sua grossura e altura.

- Essas paredes serão fortes o suficiente para segurar o teto? - um dos homens perguntou.

Penarius já havia considerado aquele problema, mas respondeu com indiferença: - É claro.

Isso não era preocupação dos trabalhadores ao seu redor. Se Penarius e o bispo quisessem gastar seu dinheiro construindo uma catedral que fosse cair, esses homens não se importavam. Contanto que eles não estivessem sob o teto dela quando caísse.

A construção começou rapidamente, de acordo com as ordens de Zosimo. O próprio bispo visitava quase todos os dias, mas quando ele percebeu que o progresso seria lento, ele perdeu o interesse. Penarius estava no local todos os dias, e guiava os trabalhadores no mover dos blocos e completou o design de acordo com suas medidas. Tal empreendimento requeria anos de árdua construção, o que Penarius sabia: no entanto, ele era paciente. Projetos longos significavam longos salários, e Julia e seus filhos apreciariam o dinheiro que ele faria.

- O bispo cuida de seus próprios afazeres e você cuida da igreja dele - disse Julia numa manhã, quando Penarius entrou no cômodo. O servo deles havia colhido algumas frutas das árvores em seu pátio, incluindo pêssegos, pêras e maçãs, e Julia as cortava e adicionava folhas aromáticas do topo de arbustos de manjericão que cresciam na plataforma ensolarada do lado de fora de sua casa.

- Sim, os afazeres do bispo são todos cansativos - respondeu o construtor, mas ele tinha um pequeno sorriso enquanto falava isso, como se duvidasse que as atividades de Zosimo tivessem qualquer importância maior do que os afazeres da carne.

- Ele te paga bem, - disse Julia, com uma pequena subida na entonação no final da frase, quase soando como se fosse uma pergunta ao invés de uma resposta. - Não é?

- É claro. Você sabe que ele paga. E nós nos aproveitamos do status e da importância de sua posição em nossa sociedade.

- Você aproveita o status, - ela lembrou seu marido, mas ele deu um muxoxo àquilo.

- Eu aproveito a vista da multidão se afastando no mercado para te deixar passar - adicionou ela.

Os olhos de Julia permaneceram fixos na superfície rústica de madeira da mesa onde ela cortava as frutas. Os fios de cabelo castanho-claro que pendiam por suas bochechas quase escondiam sua face de Penarius, mas não o suficiente para impedir que ele visse o sorriso irônico na face dela.

Ele se sentou em uma cadeira próxima da mesa e alcançou o toque da mão direita dela, a que segurava a faca.

- Temos muito para sermos gratos. Temos uma boa casa, dois filhos fortes...

- E respeito - ela interrompeu.

- Sim, e respeito.

Então a mão dela parou o movimento e ela abaixou a faca. Olhando para o marido com carinho, Julia também se sentou.

- A nova igreja. Ela será bonita?

- Durará por muitas gerações. como um tributo à grandiosidade do bispo Zosimo.

- Mas não a você? Não ao povo de Siracusa?

Penarius pensou por um momento antes de responder, olhando para as mãos como se a resposta pudesse estar escrita nelas.

- Os gregos construíram o templo. Foi uma gloriosa homenagem à sua deusa, Atena. E eu ouvi as histórias dos anciões que diziam que havia algo lá antes dos gregos construírem seu templo.

Ele pausou, ainda olhando para as mãos, mas as virando para inspecionar sua textura áspera e os calos que cobriam sua pele.

- E agora o povo vem de Bizâncio e constrói sua igreja. Ele olhou para cima e afastou os cachos sedosos de cabelo da face de Julia. A luz do sol que vinha através da janela destacava as fracas faixas loiras que apareciam aleatoriamente no cabelo dela.

- Nosso povo já esteve aqui antes, ainda estamos aqui e estaremos aqui mais tarde, quando outra grande igreja ou templo seja construído sobre este. Os tempos parecem mudar e ir em frente para o povo que vem para cá, os exércitos que lutam para tomar nossa terra de nós, ou os governadores que simplesmente vêm e a compram, levando nossas propriedades com impostos ou novas leis, ou o que quer que seja.

Para nós, o tempo não parece mudar ou ir para a frente. Sempre existirá o nosso povo, e sempre existirá um novo povo vindo construir sua igreja sobre a nossa, e então outra igreja para substituir aquela. O que importa se é construída como um tributo a nós?

Mais tarde naquela manhã, Penarius estava no local do templo, olhando para os desenhos em pergaminho da nova igreja. Seu aprendiz, Ottimo, veio circulando a pilha de pedras cortadas que havia sido trazida para o local, e acenou quando viu o construtor debruçado sobre os desenhos.

- É um belo dia, meu amigo, - disse ele a Penarius. - Devemos construir uma grande catedral hoje! - adicionou ele, danto tapinhas nas costas do homem.

Penarius pousou o compasso de madeira e sorriu ao seu assistente. Ele apreciava a alegria despreocupada do jovem rapaz. A maior parte dos trabalhadores do local eram escravos, provavelmente das províncias de Regio Tripolitana ou Cartago, e para eles, a alvorada sinalizava o início de outro dia de trabalho tortuoso. Os gracejos de Ottimo davam a Penarius uma folga daquilo e o lembravam do privilégio que ele tinha como um artesão favorecido pelos comandantes bizantinos.

- Começaremos movendo os vagões de blocos hoje, - disse ele, voltando sua atenção para o projeto em mãos. - Primeiramente, - disse ele, apontando com o compasso de calibre em sua mão direita para os vagões largos que eram carregados de pedras pré-cortadas, com cerca da metade do tamanho de um homem. - Primeiramente, movemos esses blocos até a borda - levando a mão lentamente em direção à periferia da fundação da igreja.

O assoalho do Templo de Atena seria usado como piso para a catedral, e esses vagões de blocos seriam levados até as bordas, onde os cortadores de pedra refinariam as superfícies e os empilhariam para criar as paredes. Essas paredes iriam, por sua vez, fechar os espaços entre as colunas do Atenaion para cercar a nova estrutura.

Ottimo se pôs entre dois vagões e sinalizou para o capataz dos escravos trazer sua equipe até ele. Poucas instruções tiveram de ser dadas; tanto os escravos quanto o capataz - também escravo, mas um que havia ganhado uma posição de poder sobre os outros - haviam realizado tarefas similares muitas vezes antes e sabiam quais passos seriam necessários.

Bois haviam sido usados para trazer os vagões até o lugar, mas os animais brutos não podiam ser controlados facilmente tão próximos do templo, então os escravos seriam utilizados como os animais seriam para esta tarefa.

O capataz, Acctual, apontou para o vagão que seria puxado primeiro, e seis homens foram até ele. Quatro pegaram as cordas que prendiam os vagões aos bois, e os outros dois foram para a parte de trás do veículo. Às ordens de Acctual, todos os quatro homens puxaram enquanto os dois que estavam atrás puseram seus ombros ao esforço, o suor se juntando à poeira acumulada no vagão quando estava na pedreira.

Após mover o vagão para a posição apropriada perto da construção, esses seis escravos foram substituídos pelos cortadores de pedra, que finalizariam o formato dos blocos para garantir que encaixassem bem. Nesse meio tempo, a equipe de escravos retornava para buscar outro vagão e posicionava cada um deles em lugares alternados ao longo do perímetro da construção. Naquele dia, as pedras podiam ser postas no lugar pelos homens enquanto ficavam em pé. Nos meses seguintes, quando carregamentos de pedra continuassem a ser levados até o local, robustos andaimes de madeira seriam necessários para que os homens continuassem a levantar as paredes até a grande altura requerida por uma catedral. Equipamentos com tripés de polias e blocos pesados de madeira e roldanas seriam empoleirados acima dos andaimes e chegariam longe no ar acima do topo das próprias colunas.

No final de cada dia, quando o sol se punha e a escuridão baixava sobre a estrutura, Penarius ficaria após o trabalho ser completado. Os escravos seriam levados de volta aos seus aposentos, e Ottimo se retiraria para uma taverna próxima. Sem uma esposa, suas refeições sempre eram feitas em companhia de outros homens, com muito vinho e alguma mulher local cujos planos incluíam compartilhar do pagamento dos trabalhadores.

- É pela glória de todos nós, - murmurou Penarius.

Ele era um cristão, tendo se convertido àquela fé na medida em que o domínio bizantino cresceu. O povo de Siracusa não considerava crenças e religião como sendo unidos em nenhum sentido. Cada um deles tinha suas próprias crenças; alguns ainda se agarravam ao politeísmo, como os romanos e os gregos antes deles. Escolher uma religião, por outro lado, era mais uma decisão política. E escolher a religião dominante da época, o cristianismo, parecia fazer sentido. Se alinhar com uma religião era uma decisão prática; escolher as próprias crenças era uma coisa completamente diferente.

- Meus filhos ficarão contentes com o dinheiro que eu faço - disse ele, em voz alta, para si mesmo.

Quando a escuridão deixava difícil distinguir os sulcos entre os blocos, Penarius sabia que era hora de voltar para casa. Julia prepararia algo para comer e ele consumiria vinho o suficiente para deslizar para o sono, então ele acordaria na manhã seguinte e começaria novamente.

Algumas semanas depois, Zosimo apareceu no local da construção. Suas visitas haviam ficado menos frequentes e mais imprevisíveis. Penarius presumiu que um bispo teria outras responsabilidades importantes, ao menos este bispo fingia ter. Além disso, o construtor não precisava que o homem santo o importunasse na catedral. O trabalho estava seguindo bem, Penarius tinha material e mão de obra suficientes para continuar, e ele estava sendo pago regularmente para continuar o projeto.

- Entendo - disse o bispo em tom sério. Ele circulava a planta da catedral enquanto a atividade continuava, repetindo "entendo" em intervalos e assentindo em aprovação às paredes que estavam sendo erigidas.

Nessa manhã em particular, Martha estava com ele. Ela havia nascido livre, mas era considerada uma *infama* - um membro da classe mais baixa, logo acima dos escravos. Ainda assim, sua associação com Zosimo e outros homens de posses a recompensava com privilégios acima desse status.

Penarius presumiu que a presença dela na nova catedral neste dia era primariamente para deixar público que ela permanecia sendo a servente do bispo. Seu poder sobre as pessoas de Siracusa era limitado ao seu poder aparente sobre o clérigo. Então ela periodicamente desfilava pela cidade com ele, para lembrar a todos e ter certeza de que a conexão não estava perdida.

- Eu a nomearei como Theotokos - disse o bispo para ela, alto o suficiente para que todos soubessem que ele havia feito um pronunciamento. Era o título bizantino para a Mãe de Deus e, bem como os gregos haviam erigido seu templo neste lugar a Atena, a deusa da fertilidade, Zosimo pretendia construir essa catedral em honra de Theotokos, a mãe de Jesus.

- É perfeito - murmurou Martha. Ela sempre flertava mais quando eles estavam em público. Sua proximidade física com o bispo e seus comentários recatados eram uma jogada teatral que lembrava os espectadores dos laços que os dois dividiam. Em privado, ela era sempre mais artificial e não era sempre tão subserviente ao santo homem.

- Quando ficará pronta? - perguntou o bispo para Penarius.

- Em seu tempo de vida.

- Isso foi uma questão ou um comprometimento? - Zosimo retrucou, mas seu construtor não respondeu. Embora Penarius fosse empregado pelo bispo, ele havia estabelecido uma relação que lhe permitia algumas pequenas liberdades. Mas ele também sabia que era melhor não as pressionar em presença de outros. Como todos os líderes, Zosimo tinha de manter seu poder através da persuasão e de convencer as pessoas ao seu redor de que ele possuía algum poder não dito sobre eles.

- A grande igreja o honrará, meu senhor. E à mais santa das santas, a Mãe de Deus.

O bispo pareceu suficientemente satisfeito com isso e andou para longe. Martha andou atrás dele e deu um olhar de reconhecimento a Penarius. Talvez o olhar da *infama* fosse um pouco expressivo demais, porque

Julia apareceu com o almoço de seu marido e ficou um pouco ofendida.

- Ela também planeja ter você? - ela perguntou, zombeteiramente.

- Não, - respondeu ele. - Não posso pagar por ela.

Para o que Julia deu um tabefe brincalhão em seu marido.

827 E.C. -965 E.C.

MUÇULMANOS

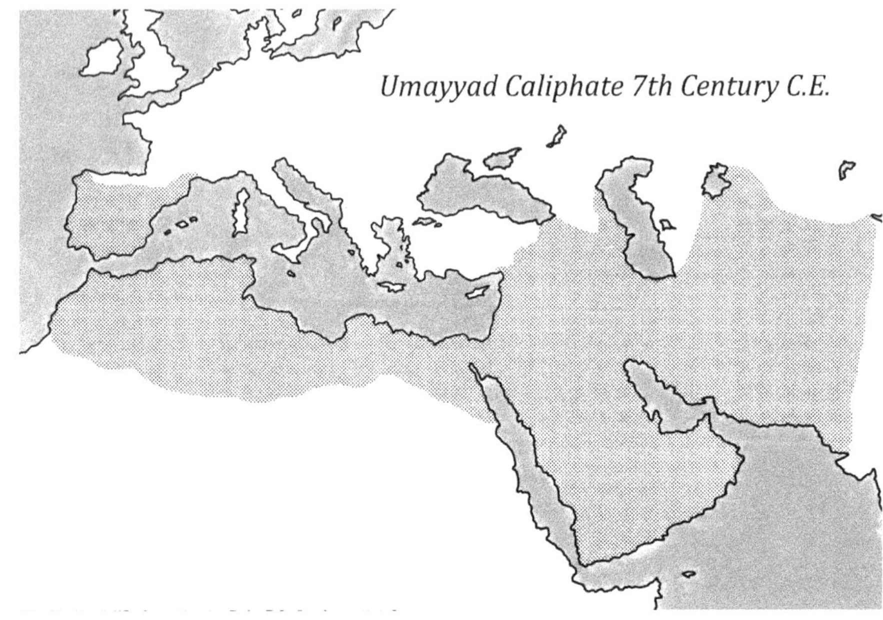
Umayyad Caliphate 7th Century C.E.

AGOSTO DE 2018

CAFETERIA AMADEO

VITO ESTAVA NA CAFETERIA QUANDO EU CHEGUEI na manhã seguinte. Ele se sentava no canto que encarava a porta de entrada e levantou a mão para mim, sorrindo.

- Atena - disse Vito.

- Sim - eu respondi, mas não tinha certeza para onde a deusa grega nos levaria.

- O Templo de Atena. Lembra-se dele, não?

- Sim... não, espere. - pedi, enquanto folheava meu diário.

- Hímera... 480 A.C... - ofereceu Vito bondosamente.

- Não. O que estou dizendo? É claro, sim. - mas eu estava protelando. Enquanto eu voltava nas páginas, Vito voltou para me contar a história novamente.

- Gélon, tirano de Siracusa, derrotou os cartagineses em uma grande batalha perto de Hímera em 480 A.C. Ele celebrou a vitória construindo um enorme templo a Atena fora de sua cidade. Bem, foi em cima de sua fundação que Zosimo construiu a catedral de Siracusa.

Eu imaginei que sabia disso, mas agora minhas anotações estavam tão confusas quanto a minha memória.

- Zosimo. Esse é novo. Já falamos sobre ele?

- Não, Luca, - disse Vito, com um tapinha em minha mão. Eu acho que ele percebia que seu domínio sobre os fatos históricos excedia mesmo a minha habilidade de escrevê-los, muito menos integrá-los todos.

- Ele não era uma figura terrivelmente importante, para ser franco. De acordo com a maior parte dos relatos, Zosimo cresceu na hierarquia do clero simplesmente por estar no lugar certo e na hora certa. - Não quer dizer que ele fosse impotente, - a isso, ele riu, mas continuou, - mas seu conhecimento e treinamento não foram importantes em determinar para onde ele iria na hierarquia da igreja.

- Conte-me mais sobre essa catedral - pedi.

- Bem, era – e é – uma bela visão. Os elementos do Atenaion – é assim que é chamado – especialmente as colunas e o piso em si, são bem impressionantes. Os romanos tendiam a cercar seus templos de adoração, enquanto os gregos queriam manter os seus abertos para o mundo. Então, enquanto o Templo de Atena tinha o design de uma área aberta com apenas algumas colunas bem espaçadas e um teto, a igreja que Zosimo construiu nele era cercada. Isso foi antes das aberturas para janelas serem comuns, então havia pouca luz natural naquilo que o bispo de Siracusa construiu. Mas era sólida, permanente... na verdade, a catedral é tão imponente que ela permaneceu como é por séculos, intocada por novas construções.

Os muçulmanos converteram a construção para uma mesquita mais tarde, em torno do ano de 878, então os normandos a retomaram quando vieram para cá, a devolvendo ao propósito cristão. Cerca de duzentos anos depois.

- Presumo que ainda esteja de pé? - perguntei. Quando a pergunta escapou de minha boca, eu fiquei subitamente - e inesperadamente - envergonhado. Eu havia vindo à Sicília para dirigir pelo país e aprender sua cultura. Com tudo que havia acontecido em Siracusa ao longo dos milênios, era difícil para mim aceitar que eu ainda não havia estado lá, mas havia passado todo o meu sabático ali, em Mazara del Vallo.

- *Sì*, ainda está de pé, - respondeu Vito. - Houve terremotos, é claro, e o monte Etna não é longe. Mas a catedral de Siracusa ainda está de pé. Acho que talvez... - mas então ele pausou. O barista veio com outro espresso e um prato de fatias de laranja, e Vito mudou sua atenção por um momento. Eu me perguntei se eu seria resiliente como esse homem quando eu tivesse... então percebi que eu sequer sabia sua idade.

- Vito, me perdoe, posso fazer uma pergunta?

- Qual pergunta? - foi sua resposta.

- Quantos anos você tem?

Ele pensou por um breve momento.

- Não tantos quanto os templos, mas muito mais do que as memórias - enquanto esgueirava uma fatia de laranja entre os dentes.

Acho que foi bem feito para mim. Que importava para mim - ou para ele - quantos anos ele tinha?

- De qualquer forma, - disse ele, tentando retomar o fio de nossa conversa, mas então ele pausou novamente.

- O que eu estava dizendo?

- Sobre a Catedral de Siracusa, - sugeri. - Ainda está de pé, mas você estava prestes a dizer algo mais sobre ela.

- É claro. Foi danificada por terremotos, sabe, e sofreu algumas pilhagens ao longo dos séculos. Mas foi parcialmente reconstruída no final do século XI por Rogério I, o primeiro conde normando a reinar sobre a Sicília. Ele gostava de um design mais elaborado, então a Catedral de Siracusa tomou uma aparência barroca. Você verá isso quando for lá.

Eu notei que Vito não disse "se você for". Por mais que eu quisesse passar meu tempo com ele, acho que meu mentor havia me atribuído uma tarefa maior. Ele queria que eu aprendesse tudo que ele tinha a oferecer, mas então também continuar em minha tarefa original de viajar pelas estradas da Sicília. Eu estava cada vez mais ansioso para completar aquela tarefa.

- Conte-me mais sobre Mazara del Vallo - pedi. Vito era daqui e afirmava que sua família sempre havia sido dessa área. Várias conversas atrás, eu lembro que Vito havia dito que alguns dos colonos originais da ilha da Sicília haviam chegado bem aqui, em Mazara del Vallo, embora não fosse chamada assim originalmente. Cada uma de suas histórias trazia minha herança à vida, e eu queria saber mais sobre a sua.

- Algumas semanas atrás, - comecei devagar, me atrapalhando com meu diário para recuperar as anotações certas, - você disse que o povo da Ibéria colonizou Mazara. Mas então, depois, - novamente folheando para frente e para trás, - você falou dos púnicos. Os fenícios a colonizaram. Esclareça isso para mim.

- Eu acho que os primeiros povos que vieram ao nosso país eram da Europa, e estabeleceram uma colônia aqui, na costa sul da Sicília, - disse ele. - Eles provavelmente vieram da Ibéria, a Espanha moderna, pela brecha em Gibraltar e pela costa norte da África, antes de chegarem aqui. Mas logo que os gregos tomaram povoados mais antigos na ponta oriental da ilha, como Nassina, Myla e Katane, os fenícios se estabeleceram na costa ocidental, indo para alguns dos povoados ali existentes.

- Eles estabeleceram novas cidades para eles próprios? Quero dizer, sem conquistar uma cidade existente?

- Sim, - respondeu Vito. - A mais importante delas foi Zis, o povoado fenício que se tornaria Palermo. Os muçulmanos a chamavam de Bal'harm.

- Então, essas cidades, povoados, que seja, - interrompi. - Os nomes foram mudando com o tempo? Porque?

- Cada nova tribo, ou a essa altura suponho que devamos dizer, “cada país” que invadia trazia sua própria língua e sua própria cultura para cá. Ele pausou por um momento, enquanto seus olhos varriam o lugar, absorvendo os artefatos dos árabes, normandos, romanos e bizantinos que haviam populado essa área e agora decoravam essa cafeteria.

O barista veio até nossa mesa com outra rodada de espresso e um prato de amêndoas torradas. Vito assentiu, eu disse *grazie* - então percebi que havia pronunciado da forma italiana, não no siciliano *graziu* - e voltamos ao assunto.

- Então, sim, se tornou Bal’harm; alguns registros chamam de Balerm. Mas você perguntou de Mazara.

Quando os árabes chegaram aqui pela primeira vez, eles navegaram de Kairouan e fizeram daqui um posto de comércio. Eles vieram e foram de Kairouan muitas vezes. Já ouviu falar?

Balancei minha cabeça: “não”.

- Os omíadas – que eram os membros do califado que tomaram a maior parte do norte africano e da área do golfo pérsico no século VII – se espalharam pelo oeste, chegando até o que hoje é a Tunísia e o Marrocos. Eles estabeleceram Kairouan como o primeiro grande centro islâmico naquela parte da África. É uma obra de arte, tanto a cidade como a mesquita, que continua sendo uma das maiores conquistas arquitetônicas do mundo árabe.

Vito me olhou com intensidade, bateu o dedo nas costas de minha mão e disse seriamente: - Você deveria ir vê-la. Então ele bebeu de sua xícara e voltou para a história.

À medida que seu império cresceu, eles absorveram outras áreas já populadas por antigos colonizadores, incluindo cartagineses, romanos e godos, e todos esses povos que lutaram pela terra por séculos. O sangue desses vencedores – para não falar daqueles que foram conquistados por eles – corriam pelos povos agora sujeitos aos omíadas.

Em torno do ano 800, alguns navios de comércio árabes começaram a fazer viagens mais frequentes à Sicília, aportando aqui em Mazara, primariamente. Eles não ficavam, mas creio que comercializar produtos de Kairouan e da Tunísia em geral era apenas um dos propósitos que tinham em mente. Acho que eles estavam fazendo um reconhecimento da terra. Quando eles viram Mazara – lembre-se, já estávamos aqui por muitos séculos, desde o período fenício – os árabes decidiram que essa ilha a norte deles também devia se tornar parte de seu império. Embora na época ainda estivesse vagamente conectada ao Império Bizantino por um tratado.

Vito alcançou algumas amêndoas, as jogou na boca e mastigou por um momento. Tomei vantagem da pausa para rabiscar algumas anotações. Depois de um gole de seu café, seguido de um gole da água que ficava próxima, ele retomou.

- Enquanto isso se seguia, os generais bizantinos controlavam muito da ilha. O Imperador Miguel II permitiu que um general chamado Constantino controlasse o leste, reinando de Siracusa, e que um general chamado Eufêmio controlasse o oeste, de Panormus...

- É Palermo, certo? - perguntei.

- *Correttu,* - disse ele, assentindo. - O imperador estava disposto a abrir mão de muita coisa, sabendo que ele não poderia controlar tudo o que seus governadores apontados faziam pela região, mas ele se ofendeu com Eufêmio em particular.

- Porque isso?

- Parece que o general se casou com uma mulher a quem Miguel tinha uma objeção. Bem, não à mulher em si, mas ao casamento.

- O que ele viu de errado? - perguntei. - Se o imperador estava com uma atitude de não-interferência em suas atividades, porque ele se importaria com um casamento?

Vito riu antes de tomar um gole de água.

- Bem, uma das histórias diz que a mulher envolvida era uma freira. E ele bebeu do espresso enquanto me olhava para uma resposta. Eu não tinha reposta, mas tive de rir da situação.

- Espere, - disse eu, entre lábios sorridentes. - Se era normal que papas e bispos tivessem mulheres em suas camas, porque não as freiras?

Vito levantou a mão e abanou o dedo.

- Não, não. Você não está com toda a perspectiva ainda. Não havia proibição contra sexo e casamento para padres ainda. Isso não viria até 1123 D.C., no Primeiro Concílio de Latrão. Mas, - e novamente ele riu, - você está certo quanto à aplicação desigual da moralidade. Padres de qualquer batina eram tratados como homens, e, como homens, presumia-se que tivessem desejos.

Ele olhou para mim e levantou uma mão para não deixar que eu dissesse o que viria naturalmente de mim em seguida. Que mulheres também têm desejos.

- Mas freiras eram consideradas as esposas de Cristo. Já. O conceito foi formalizado mais tarde em certas ordens cristãs, mas as mulheres que faziam os votos já eram consideradas "proibidas".

- Então, o que aconteceu em seguida?

- Miguel ordenou que seu general oriental, Constantino, fosse até o ocidente siciliano, libertasse a mulher e cortasse o nariz de Eufêmio fora.

- Essa foi feia.

- Sim, bem, o imperador queria que o homem fosse punido. Eu sei que você leu sobre o costume medieval europeu de fazer um adúltero usar uma letra escarlate.

- Sim, como no livro de Nathaniel Hawthorne.

- *Sì*. Então, ter seu nariz cortado era provavelmente um crachá bom o suficiente para todos verem. De qualquer forma, Constantino acabou perdendo para Eufêmio após uma série de batalhas, inclusive perdendo sua própria capital de Siracusa antes de ser morto. O vitorioso Eufêmio ainda não estava satisfeito, no entanto – ou talvez ele só quisesse muito manter seu nariz – então ele continuou a lutar contra o Império Bizantino.

- Como assim?

Ele temia que Miguel montasse outro desafio, então Eufêmio ofereceu bastante do oeste siciliano a Ziadate Alá I, o emir de Ifríquia, na África, em troca do auxílio do exército muçulmano em sua defesa contra os bizantinos. De início, Ziadate Alá I hesitou; havia divisão o suficiente em seu emirado no norte da África, e dividir sua atenção com o caos na Sicília não parecia valer a pena. Mas um conselheiro, Asad ibn al-Furat, o convenceu dos benefícios de atacar a ilha. Asad reuniu um exército de quase dez mil soldados e uma frota grande o suficiente para levar todos até a Sicília.

Vito pausou por um instante e bebeu de seu espresso. Eu tentei copiar todos os nomes árabes em meu diário, mas eu sabia que teria de pesquisá-los depois e corrigir a grafia.

- Eles zarparam de Ifríquia em 827 D.C., no verão, e desembarcaram aqui alguns dias depois, - então ele apontou para o chão, - aqui mesmo, em Mazara. O assalto muçulmano na Sicília começou aqui, em minha cidade.

O tom de Vito era uma mistura de orgulho e preocupação, e eu não tinha certeza de como caracterizá-lo. Ele obviamente notava a importância de sua cidade na invasão muçulmana, um dos mais importantes eventos históricos no curso da história siciliana. Mas ele também sabia que as hordas que desembarcaram na costa de seu país há um milênio atrás alteraram a cultura, religião e o sistema legal de sua ilha.

Ele bebeu da xícara de café, a terminando, e então deu um longo suspiro. Em um instante, ele se levantou para sair. Eu não sabia se comentaria com ele sobre aquele momento, ou o deixaria largar o assunto, como ele parecia inclinado a fazer. Vito tinha orgulho de tudo que era verdadeiro em seu país, e ao longo dos dias de conversa eu também havia notado seu orgulho da arte e arquitetura do período árabe, então não era como se ele resistisse à sua inclusão em sua história. Eu me perguntei o que do período muçulmano o afetava assim.

- Eufêmio encontrou o exército muçulmano quando desembarcaram aqui, - adicionou Vito, - mas ele não percebeu que eles tinham planos maiores do que apenas apoiá-lo. Pressentindo que Asad poderia simplesmente tomar toda a ilha e deixá-lo de fora, Eufêmio elaborou uma tática para ganhar tempo. Asad poderia pegar seu exército e capturar o oeste, e Eufêmio pegaria seu exército e iria até Siracusa, tomando o leste. Em primeiro na sua lista estava Enna...

- É a cidade onde os escravos se rebelaram.

- Isso mesmo. Mas Enna figurou proeminentemente ao longo da história, especialmente como uma cidade fortificada. Pode procurar. Mas, por agora, fiquemos nos muçulmanos. Eufêmio sitiou a cidade – lembre-se, Enna, era notoriamente difícil de se capturar – e esperou por um longo período de tempo. Ele ficou convencido de que as forças de Enna estavam preparadas para se render, então ele aceitou um convite para negociar. O orgulho o venceu, no entanto.

- Como assim?

- Eufêmio sempre teve uma impressão exagerada de si mesmo. Quando o convite de negociação foi recebido, ele se gabou de sua conquista prematuramente, e se aproximou dos emissários sem proteção suficiente.

- Isso não me soa sábio.

Vito riu. Agora em pé, mas sem querer sair sem uma conclusão para a história, ele disse: - Eufêmio caiu em uma armadilha. Ele foi esfaqueado até a morte pelos homens de Enna e sua escolta fugiu da cena.

- Seu exército tomou a cidade?

- Há mais para contar sobre isso, e não aconteceu rapidamente. Mas Eufêmio atingiu um dos objetivos que tinha.

- E qual era ele?

- Ele manteve seu nariz até sua morte. E Vito riu de sua própria piada, pôs um dedo na aba do chapéu para se despedir e saiu da Cafeteria Amadeo.

827 E.C.

MAZARA

Por milhares de anos, a área costeira do norte da África – conhecida como Magrebe – havia sido populada por uma grande variedade de grupos étnicos. Havia berberes indígenas, eles mesmos um crisol de raças, com ibérios, cápsios e argelinos. Havia os primeiros exploradores árabes, alguns sicanos que pararam no caminho de sua migração de Malta até a Sicília e muitos outros cujas tribos pequenas se espalharam para o Mar Mediterrâneo e a região em torno ao longo dos séculos.

Mazara era o porto siciliano mais próximo de Ifríquia, então estava destinado a ser convertido num posto militar muçulmano, uma área de operações de onde eles poderiam manter contato próximo com suas bases na África enquanto empurravam suas campanhas mais para o norte e leste da Sicília. A proximidade de Mazara com sua terra natal era a primeira atração, garantindo um trânsito rápido pela água, mas uma vez lá, os comandantes muçulmanos passaram a apreciar as vantagens geográficas da cidade. Era na embocadura de um rio que permitia que os colonos trouxessem suprimentos do interior, bem como levá-los para o norte. E a cidade era cercada por uma rica terra cultivável, que eles podiam usar para alimentar seu povo. Na verdade, as fazendas hora de posse romana por conta de seus grãos agora poderiam se tornar a vantagem dos novos senhores da ilha, e os muçulmanos queriam que Mazara cumprisse o papel de centro mercantil e comercial.

O Islã se espalhou na região na era omíada sob o Califa Moáuia, que governava de Bilade al-Sham - a Síria moderna. Era uma extensão lógica do islã, à medida que a sociedade islâmica explorava os contornos do mundo como o conheciam. A região ainda era largamente controlada pelo Império Bizantino quando o islã cresceu em estatura e poder, e era inevitável que os dois colidissem.

Moáuia era o segundo califa da dinastia omíada, depois do discípulo de Maomé e fundador dos omíadas, Otomão ibn Affan. Moáuia tinha uma postura memorável. Mais alto do que a maioria dos muçulmanos, ele era careca, mas esbanjava uma barba que ele coloria com tintas feitas de hena. Sua ascensão à liderança devia algo às suas conexões com Iázide ibn Abi Sufian, seu irmão, e foi um dos primeiros líderes muçulmanos enviados de Bilade al-Sham.

Planejando sua expedição, Moáuia preparou seu avanço com cautela, sem se engajar em situações que poderiam acabar em sua desvantagem. Quando ele estava pronto, travou uma batalha bem-sucedida contra o Império Bizantino com uma força de soldados muçulmanos, cristãos e coptas, uma vitória que abriu o Mar Médio para uma maior invasão muçulmana.

Quando um exército árabe comandado por Uqueba ibn Nafi conquistou o Magrebe, o domínio islâmico tomou um controle quase total da área desde as Montanhas Atlas no norte até a costa marítima do Mediterrâneo. A arte, ciência e cultura árabes eram mais avançadas do que qualquer coisa vista na região, e a conquista foi realizada em um mostra de cultura superior, bem como de poderio militar.

Ao longo dos anos e mudando de califas no Magrebe, as relações entre os muçulmanos e os berberes continuaram em uma paz inquieta. Ao suplantar a cultura indígena pela islâmica, e impondo o sistema legal muçulmano sobre o que era praticado pelos berberes, a região assumiu a natureza de uma sociedade ocupada.

Povoados judaicos surgiram, e comunidades cristãs pontilharam a paisagem, a maioria seguindo discípulos itinerantes que pregavam a palavra de Jesus. Chamados de *dhimmis* pelos árabes, esses grupos continuaram a viver na mesma área em que viveram por séculos, e podiam prosperar sob o domínio árabe contanto que mantivessem suas práticas religiosas para si e pagassem o *jizya* anual - um imposto a todos os não-muçulmanos que era usado para assegurar o imposto dos próprios muçulmanos, chamado de *zakat* - um requerimento religioso do islã para ajudar os necessitados.

Foi nessa época que Eufêmio, um general bizantino na Sicília em conflito contra seu próprio Imperador Miguel II, apelou aos muçulmanos na África por ajuda na reversão dos ataques militares feitos contra ele no oeste siciliano por outro general bizantino, Constantino.

Asad ibn Al-Furat, um filósofo e *qadi* - um juiz em uma corte da sharia -, mas não um tático militar, foi quem convenceu Ziadate Alá I a vir em auxílio de Eufêmio. Ziadate Alá apontou Asad para liderar uma força expedicionária até a Sicília para suplementar as forças de Eufêmio, mas ele veio com sua própria agenda.

———

Ela puxou seu xale pelo rosto enquanto andava pelo mercado lotado. Funcionava para esconder sua face, mas não sua identidade, já que os mazaranos conheciam essa mulher pelos rumores.

Homoniza havia sido uma freira até que um poderoso general do exército bizantino se apaixonou por ela. Ela tinha apenas sentimentos vagos de atração por ele; seu juramento a Jesus Cristo era forte. Mas Eufêmio não seria rejeitado. Ele a viu pela primeira vez no jardim do convento onde ela vivia. O general tinha acesso à área porque insistiu por um lugar mais privado do que a igreja cristã em Mazara, e o convento serviu bem aos seus propósitos.

Algumas pessoas se perguntavam se o ancião lutava contra outros desejos e apreciava a solidão quieta do jardim do convento por outras razões além da meditação. Mas ele também era cristão, não tão devoto quando o imperador, Miguel II, e certamente não tão devoto como os jovens noviços e freiras que perambulavam em duplas entre as amoreiras e oliveiras que preenchiam o pátio do lado de fora de seus aposentos. Mas a necessidade de Eufêmio por um lugar pacífico para a oração era sua real razão para vir até a abadia. Pelo menos no início.

Em uma manhã quieta de primavera, Homoniza andava sozinha pelo jardim. Ela estava a caminho da cozinha comunal para ajudar na preparação da refeição pós-orações. Sua cabeça estava descoberta e sua pele juvenil brilhava sob um halo de cabelos loiros. Enquanto ela se agachava para colher algumas ervas no caminho, a bainha da túnica subiu acima dos tornozelos e expôs a pele acima de suas sandálias de couro.

Ela não notou Eufêmio, que estava em pé em um dos cantos do jardim. Ele tinha acabado de entrar pelo portão e estacou quando viu mais alguém entrar na área. Ele observou Homoniza enquanto ela andava, de cabeça descoberta, o cabelo caindo em cascata até os ombros, e ficou boquiaberto quando viu ela se abaixar e expor os tornozelos. Sem fazer nenhum som, Eufêmio deixou Homoniza andar pelo jardim e para fora dele sem saber que ela estava sendo observada.

Ele retornou ao jardim do convento na manhã seguinte, e na manhã depois daquela, mas ele não viu mais Homoniza naquelas manhãs. Então, alguns dias se passaram e ele solicitou uma reunião com a madre superiora, Irmã Anita, para discutir a segurança do convento.

- Os homens, os soldados, sabe, - começou ele, desajeitadamente, procurando algo para falar, - eles não são sempre confiáveis. Não quero que suas irmãs passem por qualquer risco.

- Sim, é claro, - respondeu a Irmã Anita, porém duvidando da sinceridade da mensagem do general. Nunca se podia confiar nos soldados, ela sabia, mas porque Eufêmio queria uma reunião para discutir isso, e porque agora?

Enquanto conversavam, houve movimento logo além da porta aberta da Irmã. Ela olhou para cima, assentiu à pessoa que andava atrás de Eufêmio e voltou à discussão.

- Estou certa de que as irmãs que vivem aqui, sob minha responsabilidade e proteção, - adicionou ela, para enfatizar, - estarão seguras. Especialmente sabendo que o grande general Eufêmio se preocupa com seu bem-estar.

Ele se levantou para sair e se virou em direção à porta. A pessoa que havia passado pelo portal aberto ainda estava lá, esperando que a madre superiora estivesse disponível, e Eufêmio a viu enquanto passava pelo umbral. Era a jovem freira que ele havia visto no jardim; ele sabia pelos fios de cabelo que escapavam pelo pano do xale que ela agora vestia sobre a cabeça. Sua face estava descoberta, e seus olhos azuis brilhavam sobre sua pele cor de mel.

Eufêmio parou para apreciar um olhar mais longo sobre ela, então se virou para a Irmã Anita para esconder suas intenções. Sorrindo e saudando a madre superiora, ele se virou mais uma vez para encarar a jovem freira Homoniza antes de partir.

Ao longo das semanas seguintes, Eufêmio encontrou mais razões para visitar o convento, e não apenas para orar. Ele era visto no jardim com frequência, ou visitando a Irmã Anita, ou perambulando pelo local. Ele sempre parecia estar em busca de algo, e quando Homoniza aparecia, sua atenção crescia. Tal comportamento foi notado pelas outras freiras e especialmente pela Irmã Anita, mas ela não pôde fazer nada quando, um mês depois, Eufêmio pediu que Homoniza fosse levada aos seus aposentos.

Ele falou com ela naquela tarde na privacidade de sua própria casa, e, embora ele não houvesse tocado nela, suas intenções estavam ficando claras. Ela havia feito votos de pobreza, obediência e celibato, mas não podia resistir à tentação de conhecer um homem com tanto poder. Com o tempo, ela se permitiu ficar em sua casa por períodos mais longos, mesmo passando a noite. Então, numa manhã, Eufêmio enviou uma nota para a Irmã Anita dizendo que sua jovem freira não retornaria.

- É com prazer que anuncio a você e ao mundo que Homoniza se tornou minha esposa.

A madre superiora sabia que um grande pecado havia sido cometido, mas ela também sabia que o poder de um general bizantino não poderia ser negado ali.

O Imperador bizantino Miguel II ficou indignado com as notícias. Quando ele foi informado de que um de seus generais na Sicília havia tomado uma freira como esposa, ele deu ordens imediatas ao general Constantino, também guarnecido na Sicília com um grande exército, para expulsar Eufêmio, libertar a freira e cortar fora o nariz do homem.

- Senhor, - disse o soldado, baixinho, interrompendo Eufêmio em sua refeição do meio dia. - Fomos informados de que Constantino foi enviado para lhe capturar e absorver suas forças sob o exército dele.

Eufêmio considerou as notícias. Não vieram como uma surpresa; ele sabia que o imperador se zangaria com seu recente casamento. Mas o general também não estava preparado para simplesmente se render. Na lei bizantina, ações como essa não seriam consideradas apenas como adultério, mas também como uma abominação, e a parte culpada raramente escapava ilesa. Então Eufêmio procedeu com o plano que ele havia feito originalmente, para quando a hora que esperava chegasse.

Ele arranjou uma pequena flotilha de barcos e navegou para a Ifríquia, na costa da África. Ele planejava se encontrar com Asad ibn al-Furat, um muçulmano que havia sido mandado para lá pelo emir Ziadate Alá por conta de um desentendimento acerca do estilo de vida ímpio do emir. Eufêmio pretendia oferecer aos muçulmanos o controle da parte oeste da Sicília, que ele, o general bizantino, comandava, em troca de ter o suporte muçulmano em sua conquista do restante da ilha, incluindo a parte leste, onde o general Constantino residia. Isso daria o ocidente siciliano aos muçulmanos, mas ganharia a metade oriental para Eufêmio.

Asad concordou e enviou Eufêmio de volta para a ilha para se preparar para o desembarque. Eufêmio reuniu suas forças na área que cercava Mazara e esperou pelo exército de Asad.

No mês mais quente do ano, uma grande frota de navios da Ifríquia assomou no horizonte e se aproximou da baía em Mazara. Centenas de navios sob a bandeira do islã apareceram, trazendo milhares de soldados muçulmanos, que emergiram das embarcações e levantaram acampamento nos arredores de Mazara.

Eufêmio estava entusiasmado em ver tal demonstração de força, e concluiu que ele certamente prevaleceria contra o exército menor de Constantino.

Ele vestiu o manto bordado que era símbolo de seu poder, e, com um longo cetro que trazia um ornamento real no topo, ele andou pelo acampamento de soldados muçulmanos. Eles o fitaram indulgentemente, mas deviam sua fidelidade somente a Asad. Ao questionar qualquer um dos soldados, ele raramente conseguia uma resposta, então retornou aos seus aposentos.

- Não é o que esperava, senhor? - perguntou seu ajudante na manhã seguinte.

- Não era o que eu esperava? O que você acha que eu sou? - ele respondeu, com escárnio. Eufêmio estava apreciando algumas frutas e pão fresco em sua refeição matinal quando Homoniza sentou-se silenciosamente na espreguiçadeira atrás dele.

- Os muçulmanos. Eles o seguirão? - perguntou o ajudante.

- Eu reino sobre o ocidente, - disse Eufêmio. - É claro que irão.

Mas ele já tinha suas dúvidas. Já haviam ocorrido alguns embates entre os exércitos, e os soldados muçulmanos pareciam melhor treinados e equipados do que seus próprios homens. As forças coexistiam com inquietude em Mazara enquanto planos eram elaborados entre Eufêmio e Asad quanto às suas manobras.

Os planos progrediam para que o exército muçulmano se juntasse a Eufêmio na marcha para o leste. Eles obteriam as cidades costeiras primeiro, e, quando chegassem em Siracusa, expulsariam Constantino - ou o enforcariam, pensou Eufêmio - e então dividiriam a ilha entre Asad e Eufêmio. Ele não se importava com o que seu imperador pensava; sua ação militar derrotaria os bizantinos na Sicília e a terra seria dele.

Ou parte dela, pelo menos.

Os problemas entre o exército de Asad e o de Eufêmio continuavam, no entanto, e os muçulmanos começaram a tomar o controle demais. Eles ignoravam os comandos de Eufêmio, e, quando o general reportou o problema a Asad, teve pouca resposta.

De sua parte, Asad havia percebido que Eufêmio precisava dele, mas ele não precisava de Eufêmio. Se lembrando de uma sugestão de Ziadate Alá, Asad decidiu ignorar o tratado entre os exércitos e prosseguiu por conta própria. O general bizantino se tornaria descartável; o líder muçulmano não pretendia matá-lo, mas Eufêmio não seria necessário para expandir o controle árabe e englobar toda a Sicília.

Asad tentou evitar conflito aberto contra o homem que o havia convidado para a Sicília, mas os eventos o impediam de permanecer indiferente por muito tempo. Com o tempo, a inimizade natural entre suas forças e as de Eufêmio, juntamente com o desejo de cada um dos homens de controlar a ilha, estavam fadados a criar diferenças irresolvíveis. Dentro de algumas semanas de sua chegada em Mazara, os muçulmanos chegaram num embate contra as forças bizantinas e as forçaram a recuar da área em torno da cidade. Com um avanço contínuo, Eufêmio e seu exército foram expulsos da região como um todo, e forçados a recuar para Enna, onde ele permaneceu para lamber suas feridas e considerar como derrotar Constantino no leste sem o suporte árabe pelo qual ele cedeu o oeste da Sicília.

- É hora de prosseguirmos - disse Asad a Galal, o capitão das forças muçulmanas. O modo de Asad dizer a frase foi entendido entre eles como tendo o sentido de um plano para controlar toda a Sicília, um plano que havia sido desenvolvido muito antes de sua chegada em Mazara. A conquista muçulmana da ilha foi preordenada, e Asad pretendia ser o general que a executaria por Alá.

- Sim, senhor, - respondeu Galal. - Ordenarei que os homens se preparem para marchar amanhã de manhã, depois de dormirem e prepararem suas armas.

- Suas armas estão preparadas, - Asad assegurou seu capitão, - como Alá proclamou.

Galal apenas assentiu. Era seu comando para executar, não para questionar. Dentro de um dia, os milhares de soldados muçulmanos estariam na marcha para o leste. Eles tomariam as cidades que pontilhavam a costa sul da Sicília, poupando a vida de descrentes se essas pessoas jurassem não apoiar o império bizantino atual, e abrigar soldados o suficiente em cada cidade para manter o controle e extrair os impostos que continuariam a financiar a linha de conquista oriental dos árabes.

Depois de algumas semanas, Asad pausou sua marcha para permitir aos homens algum descanso das lutas, mas ele nunca abriu mão dos seus planos de continuar para leste, até Siracusa, a antiga capital da ilha. Enquanto o exército descansava, um emissário da cidade se aproximou com uma oferta para Asad. Quando ele percebeu que o objetivo do emissário era um truque, com a intenção de dar mais tempo para que Siracusa fortalecesse suas defesas, Asad sitiou a cidade.

- Preparem-se para sobrepujá-los - comandou ele aos seus homens. Galal fez preparativos para acampar por vários meses. Ele havia participado de cercos antes, e podia julgar, pelo tamanho e desenho da cidade e outros fatores intangíveis que ele percebia por intuição, o tempo pelo qual cada cerco duraria.

- Isso levará um longo tempo, senhor - ele disse a Assad, que por si já mostrava sinais de um espírito enfraquecido. Galal percebeu que seu comandante tinha menos energia do que o normal, e que seus olhos pareciam inchados e escuros.

- O cerco durará pelo tempo necessário para que esses infiéis se rendam - declarou Asad, confiantemente. Mas ele se retirou para sua tenda, onde permaneceu por diversas semanas sob a observação de um médico.

Asad tentou trazer suprimentos e tropas da África, mas inicialmente teve pouca sorte. Ao mesmo tempo, os siracusanos chamavam por ajuda de seu império bizantino. Ambos os exércitos esperavam que reforços chegassem. Os reforços árabes chegaram em pequenos lotes, e, embora o exército bizantino tivesse chegado depois, ele era maior.

- Recuem - foi o comando súbito. Maomé ibn Abu'l-Jawari havia assumiu o comando das forças muçulmanas quando Asad sucumbiu à doença. Ele testemunhou a chegada de forças de suporte ao comando bizantino de Siracusa e estava perdendo a confiança no plano original. Nos meses intervenientes, os muçulmanos haviam tido grande sucesso na conquista de maior parte da ilha, e controlavam com certeza o norte, oeste e sul da

Sicília. Se eles não pudessem capturar e manter Siracusa, aquilo seria deixado para outro dia.

- Senhor, deseja acabar com o cerco ou parar apenas por agora? - perguntou Galal, que havia sobrevivido ao primeiro comandante e assistia o segundo.

- Acabaremos com o cerco, - disse Maomé. - Temos outros trabalhos importantes, - concluiu ele, sabendo que seu exército podia servir a Alá em outras partes da ilha.

Galal estava relutante em desistir. Ele havia investido muito tempo, perdido alguns homens e mantido Siracusa cercada por mais de um ano. Ele não queria simplesmente entregá-la de volta aos bizantinos, e o novo comandante podia notar a falta de entusiasmo do capitão com a ordem.

- E você, Galal. O que acha? - perguntou Maomé. Ele não estava interessado na opinião desse homem; ele era um subordinado e os dois não tinham a conexão que havia existido entre Galal e Asad ibn al-Furat. A questão foi posta mais como um desafio, como se o general estivesse desafiando Galal a contestar a decisão.

- Acredito que servimos a Alá, e que ele nos deu você para essa empreitada. Era uma resposta elaborada com cuidado, uma mistura de respeito e obediência a Alá. Mas Maomé sentiu a falta de sinceridade na voz de Galal, e aquele tom infeccionaria sua relação dali para a frente.

- Então faça os preparativos - foi tudo que o líder teve a dizer.

Galal voltou ao acampamento e andou entre os robustos soldados, de início sem dizer nada. Havia tido pouco perigo direto durante o cerco, já que essas ações eram geralmente nada mais do que bloqueios terrestres com a presa encarcerada dentro de sua cidade, com pouco contato físico entre os soldados. Mas a vida nos campos que cercavam Siracusa tinha seus reveses. Os homens tinham de permanecer ali até o fim do cerco e não tinham informação alguma sobre quanto ele demoraria. A percepção anterior de Galal de que seria uma empreitada longa foi demonstrada em sua organização da logística, tal como a construção de campos semi-permanentes e cozinhas, e a insistência de que as latrinas tivessem de ser construídas longe do acampamento, com fossas mais longas e mais fundas. Os homens percebiam esses sinais e se punham obedientemente às tarefas cotidianas de um exército acampado em um país estrangeiro.

Agora Galal teria de dizê-los que os últimos meses seriam deixados sem uma vitória. Que eles recuariam, talvez voltassem para suas casas. Por mais que um retorno ao lar fosse bem-vindo aos soldados, era um desgosto não ter nada para reportar às famílias que eles deixaram para trás. O capitão guardou as ordens para si por horas naquela tarde, visitando os soldados e então retornando para sua tenda para considerar a situação.

- Senhor, - disse um jovem rapaz que abriu as abas da tenda para olhar para dentro. - Emir Maomé solicita que vá até ele.

Galal se levantou e seguiu o homem até os aposentos de Maomé, uma tenda grande e alta com vigas de madeira em vários pontos nas laterais para suportar as muitas tapeçarias e lâmpadas a óleo penduradas no alto.

- Então, é hora de irmos - disse Maomé. Novamente, mais um desafio do que um questionamento.

- Sim, senhor. Os homens estão prontos - respondeu Galal, mas ele escolheu aquelas palavras - sabendo que seus homens estavam sempre prontos - ao invés de dizer explicitamente que eles haviam sido informados.

- Então desmontamos o cerco hoje. Os infiéis chegaram do norte. Eles já estão perto da cidade e trarão seus *skoutatoi* - arqueiros - e seus cavaleiros até amanhã.

Maomé pausou por um momento para verificar a reação de Galal a essa descrição. Ele não tinha intenção alguma de soar como se estivesse fugindo, mas ele não tinha intenção de ficar e lutar contra uma força maior quando o exército muçulmano já havia sido esgotado pela doença.

- Partimos esta noite.

Galal soube então que teria de informar os soldados imediatamente para que pudessem desmontar as tendas e se preparar para carregar os vagões. Fiel ao treinamento do exército muçulmano - e ao próprio islã - ele tinha certeza de que os homens se moveriam rapidamente e confiantemente. Eles deixariam Siracusa para conquistar outros lugares, e ele os louvaria pela sua coragem e força.

- *In shāʾallāh,* - disse ele a Maomé, - "pela vontade de Alá", - curvando a cabeça em saudação a Alá mas conspicuamente não em deferência a seu comandante.

Como Galal esperava, os homens responderam rapidamente às suas ordens e se organizaram em fileiras para se retirar de Siracusa. Eles recuaram aos navios, onde descobriram que Maomé havia ordenado uma retirada completa, um retorno para a própria Ifríquia, abandonando a ilha, bem como Siracusa. Porém, uma vez a bordo de seus navios, as forças bizantinas despachadas do norte os interceptaram e ameaçaram destruir a marinha muçulmana e os homens a bordo.

Na fuga de uma batalha naval para a qual não estavam preparados, Galal tomou o controle e ordenou que os homens retornassem à ilha. Ele não tinha tempo - ou interesse - para consultar seu comandante Maomé, então Galal agiu em autoridade própria. Ele manteve alguns homens na retaguarda, para atear fogo em seus navios e impedir que fossem confiscados pelos bizantinos, então instruiu a eles e ao exército reunido na costa sul da Sicília que organizassem uma marcha para o interior. Eles chegaram à cidade de Miniu no topo de uma colina, uma vila com parcas defesas nos Montes Íbleos, a oeste de Siracusa, e lá se reorganizaram. Os mineus estavam pouco preparados para essa investida inesperada; seu posto era pequeno na ilha e as batalhas entre os muçulmanos e os bizantinos - para não mencionar os séculos de gregos, godos e romanos - eram lutadas em cidades maiores, com mais tesouros a serem saqueados.

Miniu se rendou ao exército de Galal quase imediatamente.

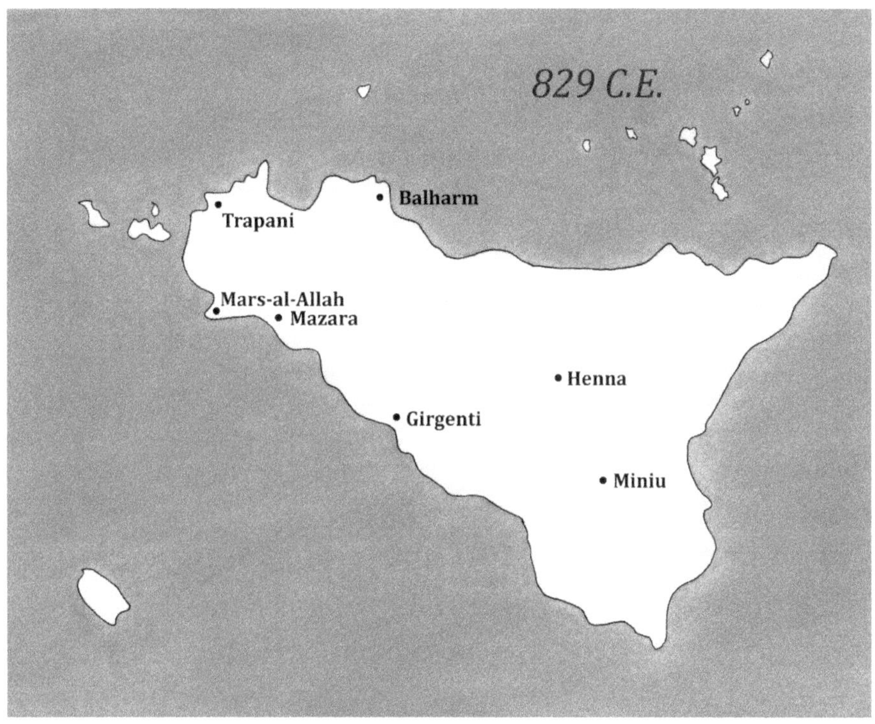
829 C.E.
Balharm
Trapani
Mars-al-Allah
Mazara
Henna
Girgenti
Miniu

829 E.C.

HENNA

Depois de Miniu se render ao exército muçulmano, Galal virou sua atenção para Henna, para onde ele sabia que Eufêmio havia se retirado para criar um espaço gerenciável entre seu exército oriental bizantino e a força invasora muçulmana que ele havia trazido para a ilha. Eufêmio estava ciente da morte de Asad, e também sabia que seu capitão, Galal, estava comandando o exército muçulmano agora, sem a presença de seu novo líder, Maomé, na região. Isso, Eufêmio esperava, o permitiria ter a vantagem sobre o líder militar árabe.

- Capturamos Miniu - Galal disse ao general bizantino quando eles se encontraram nos campos abaixo de Henna. Ele se impunha frente à sua contraparte, com a postura de um líder forte para negar a Eufêmio uma oportunidade de assumir o comando.

- Sim, entendo. Foi depois da questão desafortunada em Siracusa - veio a resposta. O líder bizantino havia sido humilhado por Asad em encontros anteriores, e ele não deixaria que Galal aproveitasse da mesma vantagem. O capitão muçulmano sorriu de volta ao seu interrogador, mais uma zombaria do que um sorriso, mas ele escolheu não se engajar em uma batalha de palavras.

- E o que fará com Henna? - respondeu Galal, dobrando o dedo em direção à fortaleza no topo do monte que havia resistido a ataques tão facilmente no passado.

O plano de Eufêmio era sitiar a cidade, mas ele estava relutante em dizer isso, já que o exército muçulmano - mais forte e melhor equipado do que o seu próprio - havia recentemente falhado em sua tática em Siracusa.

- Nós cercaremos a cidade, cortaremos seu contato com outros fora de Henna e faremos um ultimato.

Aqui soava muito como um cerco para Galal, mas ele não falou isso de início.

- E quando eles estiverem cercados e isolados, - começou ele, escolhendo suas palavras com cuidado, -

eles decidirão que é para o melhor interesse de seu povo se juntar ao islã?

- Ah, não, - disse Eufêmio com um sorriso orgulhoso. - Eles já são cristãos, de Bizâncio, e eles serão convidados a permanecer em Cristo, mas sob o meu reinado.

As palavras de cada homem tomavam o tom de um discurso, ou de um alerta. Mas pouco mais foi dito à medida que os exércitos acampavam próximos um do outro.

Em uma manhã logo depois, dois homens saíram pelo portão leste em Henna e marcharam pelo caminho sinuoso que os levava aos campos abaixo da cidade. Seus movimentos foram notados pelo guarda bizantino que estava em seu turno bem cedo, e ele enviou uma mensagem a Eufêmio. O general se levantou rapidamente e saiu de sua tenda para considerar os eventos.

Galal, que também havia sido avisado dos batedores de Henna, encontrou-se com Eufêmio no centro do acampamento bizantino. Galal foi até ele como uma mostra de cooperação, já que nenhum dos homens sabia ainda para qual direção os batedores iriam, e se eles consideravam os bizantinos que haviam chegado em Henna antes ou os muçulmanos que reforçavam Eufêmio depois como o exército em comando.

Enquanto Galal e Eufêmio assistiam de seu acampamento, os dois batedores henneus continuaram sua longa caminhada pelo caminho desde a cidade, ao longo dos campos abertos e em direção à clareira onde Eufêmia tinha sua tenda de comando.

- Bem-vindos à Henna, - começou um dos homens. - Me chamo Santoro, e tenho uma mensagem para o honorável general Eufêmio.

- Sou eu, - disse o general, se adiantando e se pondo à frente do aliado, Galal. - Qual é a sua mensagem?

- Fomos informados das grandes vitórias que teve sobre os inimigos de nosso império, - começou Santoro. Ele distinguiu com cuidado entre as regiões leste e oeste da Sicília e como elas eram comandadas por dois generais diferentes de Bizâncio. Ele também evitou mencionar o militar árabe que apoiava Eufêmio. Santoro era um cristão, e pretendia manter essa negociação entre povos cristãos.

- E fomos informados de que nosso Imperador Miguel o apontou para essa grande e honorável posição de proteger nosso povo e de nos livrar de intenções malignas.

Santoro tentou evitar o contato visual com Galal nesse último comentário, mas sua visão foi para aquela direção. Galal respondeu sem falar nada, mas com grande emoção em sua face. Ele não estava feliz com o curso dessa conversa e pretendia ter sua revanche quando chegasse a hora.

- Nós em Henna gostaríamos de nos render ao senhor, - continuou Santoro, enquanto encarava assiduamente somente Eufêmio. - É nossa conclusão que o reinado de Bizâncio, sob qualquer general que o mui santo Miguel escolher, é o caminho correto.

Eufêmio sorria para o mensageiro agora. Ele estava rendendo toda a cidade a ele, o forte que outros haviam falhado em tomar, e ele estava fazendo isso sem uma batalha armada e sem mesmo levantar um longo cerco. A ele parecia que o cerco - possivelmente feito por ambos os exércitos, cristão e muçulmano - terminaria o conflito em Henna e que os cidadãos de lá prefeririam ficar sob o reinado dos bizantinos.

Galal era um estudante cuidadoso da emoção das pessoas, no entanto, e ele não aceitou o juramento de Santoro exatamente como foi conduzido.

- Retornaremos ao crepúsculo, - continuou Santoro, - e o encontraremos aos pés da colina enneia, trazendo nossos anciãos conosco para lhe acompanhar à cidade.

- Traremos nossa escolta para esse encontro - interrompeu Galal. Eufêmio ficou furioso e uma cor vermelha coloriu suas bochechas. O comentário de Galal sugeria que a conquista de Henna por Eufêmio seria dividida e compartilhada com os muçulmanos, e ele não tinha intenção alguma de concordar com aquilo. A fortaleza era sua; a vitória seria dele, e apenas dele.

- Não preciso de sua ajuda, - disse ele a Galal, suas palavras acompanhadas por um gesto de desdém. - Chegamos a um acordo, - então assentiu ao mensageiro de Henna como se fossem velhos amigos. - Nos encontraremos com os anciãos da cidade nós mesmos, como descrito.

Galal pressentia problemas nesse plano, mas já que o perigo seria encarado por esse bizantino arrogante ao seu lado, o capitão muçulmano decidiu permanecer quieto.

Eufêmio celebrou a vitória com uma grande refeição ao meio dia. Dois cordeiros foram abatidos e um grande fogo construído para assar a carne e esquentar o caldo. Ele apreciou a camaradagem de seus soldados, e até mesmo a companhia das duas mulheres que ele julgou necessárias para lhe acompanhar nessa missão. O sol brilhava forte nesse dia e o general estava de muito bom humor celebrando sua vitória.

Tarde adentro, quando o sol começava a se esgueirar para baixo dos picos das montanhas atrás de seu acampamento, Eufêmio vestiu-se com seu mais elaborado uniforme. Tinha fios trançados no peitoral, um manto de seda dobrado sobre os ombros e pendurado sobre a longa túnica branca que vestia. Quando ele sentiu que estava vestido o suficiente, ele pediu pelo cetro torcido com o qual ele andava e pediu para que dois de seus soldados mais altos o acompanhassem até o pé das colinas de Henna.

Galal havia retornado ao seu próprio acampamento enquanto Eufêmio celebrava, mas quando o pôr do sol se aproximou, ele voltou para assistir ao general bizantino sair para o encontro.

Eufêmio e sua escolta de dois homens saiu do campo bem no momento em que um pequeno grupo foi visto saindo do portão de Henna. O grupo enneu desceu pelo declive enquanto os três bizantinos andavam pelos campos entre o acampamento militar e a cidade. Quando a proximidade permitiu uma vista mais clara dos enneus, Galal pôde ver que havia seis ou sete deles. De início, ele supôs que o grupo incluísse Santoro e os anciãos da cidade, como prometido. Mas, à medida que os homens desciam a colina e ficavam mais fáceis de se ver, Galal pôde notar que nenhum dos homens no grupo henneu lhe parecia velho, a menos que os "anciãos" dessa cidade nunca vivessem mais do que um jovem. Ele observou atentamente enquanto sua contraparte, Eufêmio, continuava sua marcha confiante em direção a Henna, e ele se perguntou se o bizantino ou os dois homens que o escoltavam estavam cientes de que esse poderia não ser o encontro que estavam esperando.

- Nós o recebemos em Henna - disse Santoro, enquanto os dois grupos se aproximavam. Ele era acompanhado por seis outros homens que, embora vestidos em roupas citadinas e não em armaduras, pareciam-se menos com anciãos e mais com soldados.

- Quem está com você? - disse o general. Ele estava ficando inquieto, mas não podia recuar imediatamente sem parecer que havia confiado demais em aceitar esse encontro.

- Esses são meus camaradas henneus que vieram lhe receber.

- E eles têm nomes? - persistiu Eufêmio.

Santoro olhou para ele por um momento, mas mostrou pouco interesse em responder à pergunta. Ele levantou sua mão direita como se fizesse uma saudação, mas o sorriso sumiu de seus lábios. À medida que Santoro abaixava sua mão para o lado rapidamente, os outros homens henneus entenderam o sinal e caíram sobre os três bizantinos com facas e espadas curtas.

A luta levou apenas alguns momentos para Eufêmio e sua escolta serem mortos.

O ataque fracassado em Henna foi um ponto de virada para o exército bizantino e os muçulmanos. Galal informou Maomé da traição dos henneus e culpou Eufêmio por cair no truque. Maomé instruiu Galal a permanecer em Henna e sitiar a cidade. Perguntado sobre o que fazer com os homens de Eufêmio que ficaram após o ataque, Maomé disse ao seu capitão para mandar os bizantinos embora, os derrotando e destruindo se necessário, mas sob nenhuma circunstância deixar que Henna sobrevivesse a esse momento.

Galal executou as ordens e expulsou o exército bizantino da região, então retomou o cerco a Henna. Ouvindo sobre o conflito com os muçulmanos, o Imperador Miguel enviou outra força de Bizâncio liderada por Teódoto, que navegou rapidamente e foi diretamente para Henna se juntar à batalha. A essa altura, Galal não tinha nada a ver com os bizantinos. Ele abandonou qualquer noção do convite original de Eufêmio para se unir na conquista da parte leste da ilha. Galal pretendia ganhar a Sicília para o Islã, e ele não iria cooperar com qualquer general bizantino em seu avanço.

Teódoto chegou em Henna enquanto o cerco muçulmano ainda estava ocorrendo, mas ele e suas forças foram expulsos de Henna, em retirada, num estranho tratado entre os cristãos de Henna e os cristãos de Bizâncio se unindo contra uma força muçulmana invasora.

O exército muçulmano perdeu Maomé ibn Abu'l-Jawari durante esse período, e ele foi substituído por Zubair ibn Gawt, um homem com menos inteligência do que o seu predecessor e incapaz de continuar com a campanha bem-sucedida. Teódoto levou pouco tempo para avaliar seu novo oponente e presumiu que o exército muçulmano se dobraria quando suficientemente ameaçado. Ele montou um assalto morro abaixo para o acampamento deles, cercou o exército e fez Zubair fugir para sobreviver. Não satisfeito com sua primeira vitória, Teódoto perseguiu os muçulmanos até seu acampamento e depois por ele, expulsando as forças do islã da região em um ataque total, do tipo que Maomé nunca teria permitido se ainda estivesse no comando do exército em Henna.

Numa fria retirada, os muçulmanos se apressaram até Miniu, onde memórias de uma empreitada mais bem-sucedida ainda eram frescas. Eles se guarneceram lá, mas em breve ficaram sob a vista de Teódoto novamente. Ele trouxe o exército bizantino ao inimigo e sitiou Miniu, um cerco muito mais bem-sucedido do que qualquer um dos de Siracusa e Henna, forçando o exército do islã a passar fome. As notícias de Miniu eram tão graves que as forças muçulmanas de lugares distantes como Girgenti abandonaram suas fortalezas e voltaram para Mazara, no oeste. Essas ações e movimentos de tropa resultaram em uma limpeza quase completa dos soldados muçulmanos da metade leste da Sicília, retornando-os para seus fortes em Mazara, Balerm, Mars-al-Allah e Trapani.

O cerco de Teódoto em Miniu manteve os muçulmanos enclausurados, mas eles não haviam se rendido. As notícias de que seu líder havia retirado as forças muçulmanas de Girgenti também foram recebidas mesmo no Emirado Omíada da Ibéria. Uma frota de centenas de navios comandados por Asbague ibn Wakil chegou às praias da Sicília rapidamente para quebrar o cerco bizantino, e, com a ajuda de mais soldados de Ifríquia, eles conseguiram libertar sua irmandade em Miniu.

Asbague aterrorizou os bizantinos que escapavam para o oeste, mas no ambiente hostil do verão, os muçulmanos foram atingidos por mais doença e mortes nos acampamentos. A peste que varreu o exército muçulmano deu a Teódoto outra oportunidade para cair sobre eles, desta vez matando tantos soldados muçulmanos que os que restaram fugiram e zarparam de volta para a segurança de Ifríquia.

859 E.C.

HENNA

Ludovico Parmentum vinha sendo o capitão da guarda bizantina em Henna por quatro anos. Ele foi escolhido para o posto pelo general Attilio Vergine e seu nome havia sido mencionado até mesmo pelo próprio imperador, então ele tinha muito orgulho de sua posição e de suas responsabilidades na proteção da cidade na colina.

Mas esses não eram anos tranquilos. Os muçulmanos haviam saqueado um certo número de cidades cristãs na Sicília, incluindo a dramática derrota dos bizantinos em Panormus, matando vintenas de seus colegas soldados e reconstruindo a antiga cidade, renomeando-a como Bal'harm. Ele ouviu que Messena havia caído aos invasores e então Modica, e depois delas, Leontini e Ragusa. A batalha mais trágica de todas foi em Butera, onde os muçulmanos não só derrotaram o exército bizantino como mataram milhares dos homens que a defendiam.

- Chame os homens - disse Vergine secamente, enquanto Parmentum entrava nos aposentos do general. O idoso estava dobrado sobre sua mesa, encarando um mapa rústico da ilha aberto à sua frente. Ele nem sequer olhou para o jovem soldado, e não disse mais nada, então Parmentum se abaixou pela porta baixa e saiu.

- Chame os homens, - Parmentum repetiu o comando a Philippus, o *turmarches* - líder de sua infantaria. Os soldados estavam amontoados ao redor de uma mesa, jogando dados, mas Parmentum foi inflexível. - Vergine quer todos no pátio.

- Para quê? - veio a resposta de um dos homens. Era uma pergunta impertinente, e Parmentum não gostou disso. Ele deu uma pancada na cabeça do homem e empurrou a mesa, jogando os dados e as moedas dos soldados no chão.

- Eu disse, chame os homens - repetiu ele para Phillipus, embora não fosse ele quem havia questionado a ordem. Parmentum era um homem paciente e compreensivo, mas ele não gostava do humor que alguns em seu exército vinham tendo nos últimos tempos. Ou eles estavam entediados pelos longos meses do dever na quietude de Henna, com medo da possibilidade de um avanço muçulmano na cidade ou apenas se desgastando, deixando seu treinamento e dever militar atrofiarem. Parmentum podia perdoar muitas violações de comportamento, mas ele não toleraria questionamentos a ordens.

Em menos de trinta minutos, o regimento inteiro de soldados em Henna havia se reunido no pátio. Normalmente, uma cidade tão importante quanto Henna seria protegida por milhares de soldados armados, incluindo *koursorses* - ou cavalaria - *skoutatoi* - os arqueiros, e mecânicos para operar as polias e catapultas. Mas Henna era essencialmente inexpugnável, e assim vinha sendo desde que havia registros de sua existência. Então o imperador decidiu equipar a cidade com apenas algumas centenas de homens. Bem-treinados, certamente, mas não uma força para bater de frente com as hordas muçulmanas se eles um dia descobrissem como escalar a montanha.

- Há um exército dos pagãos se aproximando, - começou o general Vergine. Ele andava para a frente e para trás das fileiras de soldados enquanto se dirigia a eles. Ele era baixo e forte, mas também era considerado um estrategista brilhante. Talvez ele houvesse sido escolhido para Henna precisamente para que sua genialidade pudesse contrabalancear a ausência de mais tropas. Mas Vergine odiava a tarefa. Ele acreditava em todos os comentários acerca de suas habilidades táticas, mas ele também sabia que elas só podiam ser usadas em uma batalha em campo aberto. Movimentos flanqueados, distrações e desvios não o ajudariam em nada num ambiente murado em um platô como Henna.

- Ouvimos de batedores que eles provavelmente chegarão dentro de três dias. Ele olhou para as faces dos soldados reunidos diante dele, tentando discernir seu humor e se eles permaneceriam e lutariam - ou se acovardariam diante do teste.

- Também ouvi dizer que Abu'l-Aglabe al-Abbas ibn al-Fadl está liderando seu exército até nós.

Esse anúncio mexeu com os homens, então Vergine olhou para eles mais de perto. Al-Abbas era bem conhecido por eles. Ele tomou o comando do exército muçulmano na Sicília alguns anos antes, e vinha estado numa incursão perpétua na metade leste da ilha desde então. Ele era o comandante que havia derrotado Butera e ordenado a execução dos bizantinos de lá. Ele também era o responsável por derrotar muitas outras cidades em Val di Noto - uma região que englobava toda a porção sudeste da ilha. Essa seria sua primeira incursão contra Henna, e os soldados enfileirados diante de Vergine se questionaram acerca de suas chances - e de suas próprias habilidades.

Os homens estavam nervosos, e olharam para baixo e nos arredores, evitando o olhar de Vergine. O general havia visto esse comportamento antes. Ele sabia que não devia levar isso como a única reação dos soldados; muitos haviam se assustado pelas notícias de uma luta feroz por vir, mas, após uma consideração, ficaram firmes diante do inimigo. Não, Vergine buscava sinais mais sutis. Um soldado que mostrava lágrimas nos olhos, ou que esfregava as duas mãos, ou cujos olhos disparavam de um lado para o outro. Eram esses, Vergine sabia, que fugiriam ou falhariam. Ele notou alguns desses e deu um sinal silencioso a Parmentum, que tentaria lembrar de cada um dos soldados sobre os quais seu comandante tinha dúvidas.

O próprio Parmentum havia estado em apenas um punhado de batalhas. Ele sobreviveu, mas nem todos os conflitos eram resolvidos para a glória de Bizâncio. No processo, entretanto, ele havia desenvolvido alguns dos sentidos que ele admirava em Vergine. Enquanto o general inspecionava as reações das tropas, Parmentum também o fazia.

- Esta cidade é inexpugnável, - continuou Vergine, ainda indo de um lado para o outro. - Nenhum exército consegue escalar seus montes, marchar caminho acima ou - e aqui ele pausou para efeito dramático - voar sobre o céu. Ele completou sua frase com uma mão balançando em direção aos céus, e então caindo sobre a terra.

- Não perderemos Henna - declarou Vergine, firmemente. Ele podia não ter meios de usar suas afamadas táticas aqui nessa cidade murada, mas o próprio Cristo não deixaria que os bizantinos perdessem Henna.

Diryas havia retirado sua armadura, camadas de túnica de couro e cobertura de cota de malha e estava aproveitando a brisa de ar fresco que seu peito e braços sentiam falta quando montado em sua armadura completa de soldado. Ele era um *Rashidun,* um soldado muçulmano de elite, e, como outros que eram habilidosos e corajosos o suficiente para servir nessa infantaria, ele tinha orgulho. Mas ele não se incomodava em remover a proteção pesada que vestia para a batalha quando não precisava dela.

Na verdade, Diryas se perguntava porque a infantaria precisava vestir essa armadura enquanto estava marchando. Al-Abbas, seu glorioso e honorável comandante, assim havia ordenado. Ele disse que os soldados deviam estar preparados para a batalha, e vestir a cota de malha, carregar o escudo de couro e a espada que balançava da tira de couro chamada de *talabarte* sobre o ombro os ensinaria a lidar com o peso de seus armamentos.

Mas, no acampamento, eles podiam tirar essas coisas e se reclinar próximos ao fogo com apenas uma túnica leve para cobri-los. Era verdade o que Al-Abbas havia dito: Carregar o peso deixava o uso mais fácil. E, quando a batalha viesse, eles aleijariam os infiéis, *in shāʾa llāh*.

Eles vinham andando há dois dias desde a última batalha. Ela havia corrido bem, com Naaqid dando ordens no campo de batalha. Diryas confiava nele; eles haviam lutado juntos por dois anos quando o islã estava conquistando a ilha, e Diryas conhecia bem o estilo de Naaqid. Ele os levava para a frente e avançava com tudo sobre o inimigo para assustá-lo, então recuava enquanto os *skutatoi* choviam flechas na posição fixa dos infiéis. Então Naaqid montava outro assalto, ajustado para o momento em que o inimigo se levantasse para ver porque ele havia recuado. O movimento de avanço e retorno era difícil de prever para os bizantinos, e eles não podiam avançar para inspecionar o campo de batalha por medo de serem pegos em outra investida.

Diryas em si havia decidido relaxar tanto quanto pudesse, sabendo que Al-Abbas iria querer que se movessem novamente e ele teria de carregar a armadura em seus ombros mais uma vez em uma marcha até Henna.

Naaqid veio até o círculo onde Diryas estava e ficou em pé entre os homens. Ele não era um intruso; os homens o respeitavam. Mas sua aparição depois de vir da tenda do comandante era significativa.

- Ficaremos aqui esta noite, - disse ele, e todos os homens suspiraram em alívio.

- Estamos a algumas horas de Henna, e gostaríamos de chegar na cidade pela manhã, não esta noite enquanto o sol se põe. Então, acampemos aqui.

Alguns dos homens coletaram mais lenha e construíram uma fogueira maior. Os outros prepararam o peixe salgado que tinham em suas sacolas para comer, e também o pão - agora velho - que as mulheres que seguiam o exército assaram para eles. Essas mesmas mulheres entregariam mais comida, talvez algumas uvas silvestres e amoras, enquanto a tarde seguisse. Haveria muito pouca carne cozida; o exército viajava com pouca carga e não podia trazer ovelhas e cabras para tão longe, então a única carne que os homens comiam eram as tiras secas que eram penduradas em tendas antes de sua partida de Siracusa.

- Não é tão ruim - disse outro *rashidun,* Inamur, enquanto Aqsa se aproximava. Ela usava um véu, como era o costume para todas as mulheres muçulmanas, o que era particularmente importante para as mulheres que viajavam com um exército, faminto por muitas coisas, incluindo a comida. Ela trazia a fruta que os homens esperavam, e mais um pouco de carne seca.

- E então, - Naaqid o desafiou, - está pronto para enfrentar os infiéis?

- Estou sempre pronto - gabou-se Inamur. - Eles não são nada para nós.

- *In shāʾa llāh - disse o homem à sua direita.*

- Os veremos amanhã - disse Naaqid. Com isso, as pavoneadas pararam e os homens comeram mais devagar. Sua missão era solene, derrotar os infiéis e deixar a Sicília sob o controle do islã. Mas também era uma tarefa formidável. Eles haviam aguentado muitos meses de marchas e batalhas, e perdido alguns de seus amigos. Louvor a Alá, dizem eles, mas a guerra para os soldados da linha de frente não é tão nobre quanto é para os comandantes nas linhas da retaguarda.

Philippus estava acordado antes do sol nascer. Ele sabia que o inimigo estava se aproximando a essa altura; alguns dias haviam se passado desde que Vergine havia anunciado que eles estavam chegando. O *tourmarchēs* conhecia seus deveres e sabia que seus homens estavam preparados, mas batalhas sempre queriam dizer mais mortes.

- Provavelmente será um cerco, - ele pensou consigo mesmo. - Al-Abbas não tentará marchar montanha acima.

E ele estava certo. Quando o exército muçulmano foi visto através da planície que vinha até Henna, a formação se dividiu em quatro segmentos. Os dois grupos do meio retardaram sua marcha, enquanto os grupos em cada um dos lados se dividiram e tomaram posições ao redor da montanha onde Henna ficava. Foi uma manobra que tomou muitas horas para se completar, mas os soldados bizantinos nas torres assistiram enquanto o exército muçulmano se arranjava num círculo completo ao redor da base da montanha. Havia tantos deles que, mesmo esticando o exército, os muçulmanos ainda pareciam formar de dez a vinte fileiras completas ao redor da montanha.

Havia algumas quebras no círculo, mas não eram grandes o suficiente para que um exército em fuga pudesse aproveitá-las. Os muçulmanos levantaram acampamento, começaram suas fogueiras e se espalharam em destacamentos altamente organizados, ordenados estritamente em "dezenas de dez", a centena que constituía um esquadrão. Havia arqueiros e mecânicos em cada quadrante, e os oficiais, cozinheiros e os gerentes de suprimentos estavam arranjados na retaguarda de cada esquadrão.

O exército se organizou com pouco alvoroço. Não havia flechas voando sobre as ameias de Henna, nenhum piche flamejante sendo atirado por catapultas e nenhuma oferta de negociação. Ibrar ibn Afsad - um nome irônico, já que Ibrar significa "pacífico" em árabe - era o comandante desse assalto em particular, e ele não pretendia negociar uma paz. Tudo se desenrolaria em seus termos.

E o cerco estava montado.

- Para onde vamos?

A pergunta de Traestrum parecia estranha, mesmo para Philippus, que sabia da inclinação de seu amigo por pensamentos anômalos.

- Não vamos a lugar algum - foi a resposta simples de Philippus. Ele se sentava em um círculo de homens que ele comandava, almoçando, e se perguntou sobre o que Traestrum estava pensando.

- Não, quero dizer, para onde isto está indo?

- Quer dizer, o cerco? - perguntou um soldado à sua esquerda.

- Ficamos aqui sentados, e esperamos que eles venham?

- O general me disse o que faríamos, e eu repeti suas ordens. Os muçulmanos nos cercarão, mas não irão atacar porque não podem chegar até Henna sem serem apedrejados em seu caminho montanha acima. Nós, no entanto, temos muita água potável em nossas cisternas e muita carne de nossos animais. Até temos...

- Sim, eu sei. Temos grãos dos campos que plantamos aqui, dentro das muralhas. Mas isso significa que nós vamos apenas sentar aqui até que esses pagãos desistam e vão embora?

- Ah, mas eles não irão embora, - afirmou Sterios. - Eles querem Henna e eles ficarão pelo tempo que for preciso para pegá-la.

- Então porque não falamos com eles? - perguntou Traestum.

- Eles não querem conversar, - respondeu Philippus. - Eles querem nossa cidade, talvez nossas vidas, e eles não acham que precisam negociar um povoado.

A conversa desvaneceu um pouco enquanto os homens contemplavam o significado do último comentário de Philippus. Soava como se os muçulmanos passariam todos na espada se Henna caísse. Depois de um breve silêncio enquanto os homens terminavam a refeição, Philippus ofereceu algumas palavras de confiança.

- Henna sempre sobreviveu e sempre irá sobreviver. Estamos na cidade mais segura de Bizâncio.

Venatos era responsável pelo lote de fazenda que os enneus haviam cultivado por muitas gerações. Era particularmente importante durante esses tempos, porque eles precisavam se alimentar sem ir para fora das muralhas e sem depender de importações de grãos, fruta e animais do campo. Ele era o melhor da cidade e sabia que eles podiam produzir comida o suficiente para se manterem vivos, e a água viria da chuva e seria armazenada nas cisternas até que fosse necessária. Uma estação seca poderia ser bem difícil, no entanto, então Venatos foi cuidadoso em manter suas plantações saudáveis o suficiente para que uma seca longa pudesse ser suportada.

Mas ele estava menos otimista quanto ao exército islâmico que circundava a cidade. Venatos ocasionalmente subia pelos degraus até o poleiro usado pelos soldados, e ele ficou espantado com os milhares de soldados acampados lá embaixo. Eles estavam a uma curta distância, e ele podia ver indivíduos se movendo pelo complexo, mas a impressão coletiva era a de um laço de cânhamo sólido ao redor do pé das colinas. Se esse nó fosse apertado, ele ficaria muito preocupado.

Na verdade, Venatos já estava bem preocupado. Ele não era um soldado, mas ele havia ouvido as mesmas histórias que o exército bizantino ouviu. Os muçulmanos haviam sitiado muitas outras cidades em Val di Noto e haviam conquistado todas elas. Porque Enna seria diferente?

Numa manhã, Venatos se esgueirou pela abertura nas muralhas da cidade que estava bem escondida, mas que o dava acesso às pequenas plantas herbáceas que ele cultivava ali. Eshaal, a jovem garota cujo nome a fazia parecer uma moura, já estava lá. Venatos e Eshaal trabalhavam lado a lado no jardim com frequência, ele, o cristão bem aceito, e ela, a estrangeira de pele escura que ainda tinha dificuldades em ser recebida como uma verdadeira enneia.

- Do que precisa hoje? - perguntou Eshaal.

- Quero *trichiagon,* - disse ele, se referindo a uma planta verde e brilhante, com folhas finas que brotavam por todo o caule. - É para o bezerro que abatemos. É para o general, Vergine.

- Aqui - disse Eshaal. Seu sotaque era como sua pele, decididamente sulista. Todos em Henna sabiam que ela era da África, e que ela provavelmente veio ao seu país como parte de uma troca de escravos. De alguma maneira, ela havia acabado em Enna e era livre.

Venatos pegou o galho que ela puxou do arbusto, mas, ao invés de sair o levando, ele ficou lá, admirando a jovem garota. Sua pele brilhava no sol, e seu cabelo negro era suave como a seda. Venatos conhecia a textura porque ele e Eshaal haviam mais de uma vez se encontrado no jardim para outras razões além de coletar estragão.

- Quero ajudar - disse ele.

- Com o quê? - perguntou Eshaal, enquanto se levantava. - De que outras ervas precisa?

Venatos parou, sem saber como dizer a próxima frase.

- Não preciso de outras ervas. Quero ajudar... quero ajudar a salvar Henna.

Eshaal sorriu para ele. Ela sabia que Venatos era um homem gentil, certamente não um soldado, e ela não sabia como ele poderia ajudar a salvar Henna.

- Como você fará isso, Venatos?

Novamente ele parou, e não tinha certeza de como proceder. Ele não podia tirar os olhos dela, e se seu plano funcionasse, ele queria que ela fosse com ele.

- Quero que Henna se renda sem lutar - disse ele, subitamente.

Eshaal ficou mais ereta ainda e lhe dirigiu um olhar confuso.

- Não sei o que quer dizer - disse ela, finalmente.

Ele sabia que tinha de elaborar suas próximas frases com cuidado, então Venatos pensou bem antes de dizer qualquer coisa.

- Os muçulmanos vencerão, e muitos do nosso povo morrerão.

A expressão de Eshaal permaneceu impassível, embora ela soubesse que havia verdade no que ele disse. Ao contrário de outros exércitos invasores, no entanto, ela não temia o estupro dos soldados do islã. Ela havia ouvido algumas histórias, sim, mas as ocasiões eram raras.

- E como irá prevenir isso? - ela o perguntou.

- Se os muçulmanos pudessem vir até Henna sem lutar, se eles chegassem aqui antes que nossos soldados pudessem resistir, tudo acabaria, não é?

Eshaal não sabia como responder àquilo. Era a primeira vez que uma coisa dessas passava por sua cabeça, e isso a deixava nervosa e animada ao mesmo tempo.

- Como seria isso?

- Conhece o sistema de cisternas, certo?

Eshaal assentiu.

- Também há uma calha, um longo cano cavado na rocha para o nosso... - ele parou antes de continuar. - Para o nosso excremento fluir para fora da cidade.

Eshaal pensou por um momento, e então sorriu. Ela nunca havia considerado como Henna permanecia tão limpa e saudável. Ela sabia que os engenheiros haviam encontrado formas de trazer a água, então deviam haver maneiras de mandá-la para fora. Mas o que isso importava para Venatos?

- É um caminho fácil para fora da cidade, e ninguém o vigia.

- Eles sabem disso? - perguntou Eshaal.

- Não. Mas... - então Venatos parou.

- Mas o que? - perguntou Eshaal.

- Você virá comigo?

A mudança súbita no assunto assustou a garota.

- Para onde? O que quer dizer com “virá”?

- Irei até os muçulmanos e os contarei como tomar Henna sem ter de lutar contra os soldados. Você virá comigo?

- Para onde? - ela perguntou novamente.

- Não para ver os muçulmanos. É perigoso demais. Mas eu pedirei que eles deixem você e eu de fora, para sair e ir para outro lugar, onde não haja guerra. Você virá comigo?

- Isso é coisa demais para considerar, Venatos. Tem que me dar um tempo para pensar.

Mas ele não o fez. Venatos já havia decidido que usaria o sistema alto de esgoto esculpido na rocha para descer até a base das colinas naquela noite. Ele pediria para ver o comandante muçulmano e contar a ele o que sabia. Ele iria fazer isso, mas ele precisava que Eshaal concordasse em vir com ele.

Depois do escurecer, Venatos seguiu com seu plano. Ele ainda não havia tido uma resposta de Eshaal, mas ele falaria com o comandante muçulmano no meio da noite. Aquilo queria dizer que eles não arranjariam uma infiltração por pelo menos outra noite, e ele teria tempo de falar com Eshaal para que ela se juntasse a ele.

Venatos caminhou com cuidado pelo túnel que havia sido esculpido para os dejetos. Era um duto inclinado que tinha uma vertente natural pingando de cima, o suficiente para permitir que o excremento fosse lavado para fora naturalmente. Era naquela abertura que muitos enneus jogavam seus baldes de dejetos, sem saber para onde iam, mas contentes em saber que iam embora.

Em sua excursão, Venatos tomou cuidado para pisar nas pedras das laterais. Ele não tinha medo das coisas que flutuavam ao longo do córrego do duto, mas ele não queria cheirar a dejetos humanos quando chegasse no acampamento muçulmano.

O comandante muçulmano Ibrar recebeu Venatos com alegria. Ele ouviu à história por vezes divagante do jardineiro, mas foi rápido em perceber a importância do que o enneu estava lhe dizendo. Esse duto, embora contaminado com dejetos romanos, era uma abertura desobstruída até a cidade que muitos exércitos antes dele nunca houveram conquistado. Ibrar sabia que isso significaria sua vitória, e, assim como Butera, ele a queimaria até às cinzas. Ele usaria esse homem, Venatos, para encontrar a abertura, e seus homens se derramariam pela cidade.

- Isso é certo e justo, - ele disse a Venatos quando o jardineiro havia completado sua descrição. - E Alá o recompensará.

Venatos não pensava muito no fato de que as recompensas de Alá vinham no além-vida.

- Você ficará conosco esta noite, acampado com meus melhores soldados, e nós entraremos em Henna amanhã, na hora mais escura - Ibrar disse a ele.

Venatos protestou que precisava retornar à cidade, mas não revelou que sua razão primária seria resgatar uma mulher - uma mulher muçulmana berbere, na verdade. Ao invés disso, ele foi retirado da tenda de Ibrar por dois homens fortes que o colocaram em um círculo de soldados muçulmanos, para quem foram dadas instruções estritas para não o deixar escapar.

- Ele é um enneu muito valioso - disse um dos soldados, com um sorriso.

Na noite seguinte, quando a estrelas falharam em sair por causa da densa cobertura de nuvens, Venatos levou os soldados muçulmanos para cima, pelos lados da colina que chegava até o túnel do esgoto em uma caverna rasa, com uma entrada escondida por árvores e arbustos abundantes. Quando a infiltração começou, ele estava na extremidade final do túnel, apontando e dizendo que estariam dentro de Henna em breve, mas que não precisariam de suas espadas, já que o exército bizantino estaria dormindo e não os esperaria. O próprio Venatos se virou para o túnel e estava indo encontrar Eshaal quando um soldado o empalou com sua espada.

- Não precisamos mais de você - foi a última coisa que Venatos ouviu enquanto os muçulmanos corriam por ele. Ele sobreviveu o suficiente para sentir o soldado arrancar a espada de seu abdômen e assistir horrorizado enquanto seu sangue e tripas se derramavam pela ferida exposta.

Quando a invasão de Henna estava completa, Ibrar entrou pelo portão principal.

- Esta cidade será Qas'r Ianni para sempre, como é a vontade de Alá. Com isso, a fortaleza renomeada se tornou um forte muçulmano, e Ibrar ordenou uma guarda constante sobre o túnel que eles haviam usado para entrar e conquistar a cidade.

878 E.C.

SIRACUSA

Basílio estava bravo. Ele estava muito bravo. Ele havia tido sucesso em suplantar o Imperador Bizantino Miguel III - não sem traição, é claro - e agora ele pretendia recapturar a Sicília dos muçulmanos. Eles ainda o importunavam - uma de suas frases favoritas, porque ele não acreditava que o Deus da Cristandade deixaria que esses pagãos ocupassem a ilha, muito menos o mundo.

Ele chegou ao poder indiretamente. O imperador, Miguel III, havia se casado com Eudóxia Decapolitissa, mas eles não haviam tido nenhum filho, um problema que ameaçava a continuidade do império e levado Miguel a procurar soluções. Os imperadores ansiavam pela progênia, e filhos eram de necessidade imprescindível.

Então, Miguel tomou outra mulher, Eudóxia Ingerina, como concubina, e apesar da similaridade dos nomes, ela não tinha qualquer relação com sua esposa. Ele estava preocupado com a reação pública caso ele inventasse uma maneira de se casar com ela, então, ao invés disso, ele arranjou para que Ingerina ficasse próxima da corte e à sua disposição a casando com seu mordomo, Basílio, da Macedônia. Um incentivo adicional para sancionar o casamento entre Basílio e Ingerina era que ela estava grávida com o que ele - Miguel - acreditava ser o seu filho.

Um filho nasceu, o qual Basílio e Ingerina decidiram batizar como Leão, e imediatamente um plano foi elaborado para arranjar a eventual ascensão do garoto ao trono.

Basílio manipulou sua situação como "pai" aparente de Leão, inventando uma forma de tomar uma parcela de poder do Imperador Miguel, que estava relutante em permitir um debate público acerca da paternidade. Naquelas circunstâncias incertas, Basílio assumiu o papel de co-imperador. Quando a oportunidade surgiu, ele surpreendeu Miguel em um estupor alcoolico, e, com a ajuda de um conspirador cruel e notório, cortou Miguel em pedaços e perfurou seu coração. Com Miguel fora do caminho, Basílio tinha o caminho livre para reclamar o trono e se tornar Basílio I de Bizâncio.

Enquanto essa briga pelo poder estava sendo travada entre os dois homens, forças muçulmanas estavam vagando pela ilha, capturando cidades, arrasando algumas e ocupando outras, e, quando necessário, executando as populações que nelas residiam, especialmente destacamentos militares que haviam sido trazidos para defender as cidades. Ibrahim II havia ascendido ao poder no islã substituindo seu irmão, Maomé II ibn Ahmad, e ele estava determinado a completar a conquista da ilha que seu irmão e outros antes dele haviam começado há muitas gerações atrás. Ele apontou Jafar ibn Maomé para realizar esta tarefa.

Jafar e seu exército andaram pelas vilas ao redor do Etna e pela área ao norte de Siracusa. Eles não tiveram problemas em tomar o controle e pôr uma administração islâmica no lugar. Ele estava empregando uma tática de estrangulamento de longo alcance: capturar todas as áreas populadas ao redor de Siracusa, para que as linhas de suprimento e de suporte da cidade fossem cortadas, e então sitiar a cidade em si.

Os estágios iniciais do plano correram bem, então Jafar deu o comando ao seu filho, Abu Ishaq, e Jafar se retirou para Bal'harm. Abu Ishaq sitiou a cidade e submeteu os siracusanos a uma longa série de ataques por soldados utilizando novas máquinas de assalto, como a nova *mangonela*, um tipo de trabuco de tração que poderia lançar objetos mais longe do que uma catapulta tradicional. Suas táticas de cerco eram mais bem-sucedidas do que as que vinham sendo empregadas contra outras resistências sicilianas, e elas resultaram nos siracusanos sendo lentamente reduzidos à fome. A situação chegou num ponto em que comer o couro dos animais - e mesmo a carne de seus irmãos falecidos - não era incomum.

O cerco de Abu Ishaq incluiu tanto a terra quanto o mar, uma parte crítica do plano, já que ele sabia que o Império Bizantino estava ocupado com outros assuntos e poderia não ter os recursos disponíveis para enviar forças armadas à Sicília para resistir ao ataque dos muçulmanos.

O cerco continuou por meses, e os suprimentos de comida na cidade continuaram a decair. Quando o exército bizantino abaixou a guarda, os muçulmanos aproveitaram o momento e atacaram a cidade. Na luta que se seguiu, milhares de siracusanos foram massacrados, os líderes foram tomados como prisioneiros e depois executados, e alguns de seus defensores mais próximos foram espancados até a morte com porretes. A cidade foi pilhada e quase destruída juntamente com sua população, deixada em ruínas enquanto os próprios árabes se retiravam dos escombros, satisfeitos de terem finalmente aniquilado o povo siracusano.

Antes do cerco, Italo havia perambulado pelo jardim, se perguntando como ele se manteria quando a água ficasse escassa e racionada apenas para matar a sede dos humanos sedentos de Siracusa. Ele era simpático aos seus colegas cidadãos, mas também era ligado ao lindo jardim que ele havia cultivado durante essa era de conflito. Romano o havia ajudado, mas o jovem garoto era apenas um aprendiz, e não havia aprendido as dificuldades de se cultivar plantas em situações difíceis.

Por muitas vezes, Italo havia se abaixado com medo ao som de piche inflamado que surgia. Era lançado pelas catapultas que os árabes possuíam, e ele sabia que cada uma delas podia atear fogo em qualquer coisa que atingisse. Seu jardim verdejante estaria em sua maior parte seguro, com o espaçamento entre as plantas e o solo úmido, mas Italo não conseguia acalmar seu coração quando as bombas flamejantes gritavam sobre sua cabeça.

Romano não parecia se importar. Na verdade, ele estava até um pouco entretido com tudo isso. Até agora, os projéteis das catapultas árabes não haviam atingido o jardim, e Romano sabia muito pouco sobre a cidade aos seus dez anos de idade, então ele não pensava no prospecto de devastação completa de Siracusa.

- Nós vamos? - perguntou ele a Italo.

- Vamos para onde?

- Vamos sair daqui - respondeu Romano.

- Não. Porque deveríamos sair daqui?

- As pessoas dizem que os invasores tomaram todas as cidades do país, até mesmo Enna, e agora eles querem tomar a nossa.

- Não se preocupe - respondeu Italo. Ele não tinha certeza se ele próprio acreditava naquilo, mas ele não sabia mais o que dizer.

No dia seguinte, o ataque muçulmano na cidade foi de uma grande urgência. Italo estava em seu jardim e os soldados apareceram subindo. Eles chegaram até ele rapidamente, e não houve tempo para reagir. Ele levantou suas mãos para cima em um sinal comum de rendição, mas um soldado muçulmano enterrou uma lança no peito de Italo, varando-o. O jardineiro tinha um olhar assustado em seu rosto quando a arma perfurou seu corpo. Ele olhou para baixo, como se não pudesse acreditar que o cabo de madeira endurecido que se projetava da frente de seu corpo pudesse se conectar à ponta de lança que saía da parte de trás. Em alguns segundos, ele caiu no chão, o soldado arrancou a arma de seu peito e prosseguiu.

954 E.C.

BAL'HARM

Uma mistura de povos se aglomerava nas ruas de Bal'harm. Havia muçulmanos em mantos esvoaçantes, cristãos em túnicas, berberes cujas capas de cores escuras se destacavam em qualquer multidão e judeus com tranças cacheadas dependuradas de suas quipás. O que um dia foi Zis e então Panormus havia se tornado Bal'harm, centro de ensino muçulmano na ilha e capital de seus abastados líderes.

O *kasbah* era no centro da cidade. Como mercado primário, sempre se podia contar com ele para atrair uma multidão e como um centro cultural de arte e administração, com a praça servindo como um palco para discursos e demonstrações.

Mas Saabih nunca olhava para o *kasbah* dessa maneira. Ele era um arquiteto, um dos melhores do islã, e ele foi trazido a Bal'ham para introduzir à cidade a bela arte e o design de sua cultura. Ele olhou para o *kasbah* da janela de seu quarto no segundo andar. Ele absorveu a energia da praça, uma parte essencial para a entrega do tipo de obra de arte decorativa que se esperava dele.

- Sabe o que tem de errado com suas ideias imponentes?

A voz era de ninguém menos do que Nudair, outro designer do islã, mas que não punha o artístico na frente do mundano. Ele havia se aproximado de Saabih por trás, mas se juntou a ele na beirada da janela que dava para o mercado abaixo.

- O que? - perguntou Saabih, quase retoricamente, já que sabia que seu amigo focaria em algo verdadeiramente mundano.

- Água.

- O que quer dizer com água?

Nudair ficou em silêncio por um momento, então olhou para o amigo.

- A água é essencial para a vida, e...

- E viemos até aqui pela água, - Saabih disse, terminando a frase.

- É claro, mas pensamos que a água não tem fim.

- E não tem, - respondeu Saabih. - Temos água por todos os lados - disse ele, balançando os braços da direita para a esquerda.

- Mas, - interrompeu Nudair, - como a pegamos?

- Mandei o escravo - disse Saabih, sorrindo.

- Não. Quero dizer, como trazemos a água até aqui?

Foi dessa conversa que Saabih e Nudair decidiram combinar suas habilidades e criar uma fonte permanente de água pra Bal'harm, uma que não estaria sujeita às marés da natureza ou as marés da guerra.

Os amigos passaram o dia seguinte andando pela crista das montanhas diminutas que circundavam o porto de Bal'harm. De cima, eles podiam ver o terreno e a inclinação do solo. Com algum esforço, eles podiam identificar o movimento lento dos córregos naturais que irrompiam da lateral das colinas e se dirigiam até a doca de maré abaixo. Eles também podiam ver as casas se espalhando abaixo, a planta de uma cidade que continuava a crescer.

- Estas, - disse Nudair. - Estas nascentes são a solução.

- Como? Elas parecem passear de forma solitária até chegarem no fundo.

- E é isso que precisamos consertar - disse Nudair, encarando os olhos de seu amigo arquiteto profundamente.

Eles voltaram aos seus aposentos e trouxeram mapas para comparação. Saabih tinha um que detalhava o plano da cidade de Bal'harm; o mapa de Nudair era devotado a formações naturais, como córregos, colinas, cavernas nas montanhas e coisas assim.

Aqsa apareceu tão silenciosamente que Nudair ficou surpreso com sua presença. Saabih não ficou. Aqsa era sua esposa, uma linda garota da Pérsia. Ela estava coberta por uma *hijab,* com um véu fino sobre sua boca e nariz. Era o modo de se vestir costumeiro para as mulheres muçulmanas, mas Nudair podia ver a beleza em seus olhos. Ela deixou um prato de figos e amêndoas com laranjas fatiadas ao lado. Então ela se virou para a lareira e retirou uma panela pesada de ferro com duas alças que carregava o aroma inconfundível de cravo e café. Nem todos os árabes punham cravo em seu café, mas Aqsa o fazia, e Nudair era eternamente grato.

Aqsa sorriu, um gesto facial que podia ser visto por trás do fino véu que ela vestia, e Nudair sorriu de volta em agradecimento. Ele levantou suas mãos, mantidas juntas, e trouxe sua testa até elas, defronte a face. Aqsa retornou o gesto e andou para trás, se afastando dos homens.

- Tenha cuidado, meu amigo, - disse Saabih, - ela é minha esposa.

Com isso, Nudair corou. Não era apropriado que os homens muçulmanos mostrassem interesse na mulher de outro homem, embora todos eles mostrassem desejo sexual por suas próprias esposas. Nudair não era casado, e ele tinha de cuidar com seus gestos para que não sugerisse nada a uma mulher que acabaria sancionada pelo emir.

- Aqui, - disse Saabih, trazendo a atenção de Nudair de voltar para a planta da cidade. - Aqui é onde podemos construir os túneis e os dutos – os *qanāt* – que tirarão a água dos córregos e a trará até as casas da cidade. Ele corria o dedo pelo mapa, dos pontos altos das colinas atrás de Bal'harm até as ladeiras do porto, e até o próprio mar.

- É um declive constante, - meditou Nudair. - Mas é o que os romanos fizeram, - objetou Nudair. - Não podemos fazer melhor do que esses pagãos?

- É sobre o fluxo da água. Sabe que ela flui da montanha até o mar. Queremos capturá-la, pôr a água que flui da montanha até esses canos que iremos construir – os *qanāt* – e a mandar para a cidade.

Mas a cidade já está populada e já construída, - disse Nudair, correndo a mão pelo mapa. - Onde colocaremos esses túneis que você imagina?

- Debaixo da cidade.

- Isso é impossível. Como chegaremos embaixo da cidade?

-Alguns serão canais, acima do chão, - explicou Saabih, alguns serão entre as construções que já estão de pé, e alguns serão abaixo das estradas que usamos, especialmente as estradas e casas que estão nas colinas.

- Essas seriam as mais difíceis - respondeu Nudair.

- Mas é essencial para o projeto, - disse Saabih. - Temos de cavar abaixo das construções nas colinas para que possamos manter uma inclinação constante. Se nos apressarmos até o porto e então tentarmos dobrar os canos pelo chão, não haverá fluxo.

- E quando a água para de fluir?

- Quer dizer, quando não tivermos água?

- Não. Temos montanhas e nascentes. Serão o suficiente. Mas como movemos a água para que não fique no mesmo lugar?

- A água vai para baixo, - disse Saabih, constatando o óbvio. - Então, construiremos nossos túneis, canos e canais que sempre tem de ir para baixo, das montanhas até o porto.

Sua ideia era ou louca demais ou inteligente demais, mas eles descobririam mais tarde, quando tentassem. Saabih teve a permissão do emir de contratar trabalhadores e trazer escravos para embarcar nesse projeto. Havia centenas de homens empregados, sem contar as mais do que centenas de povos escravizados que cortavam e cavavam na base rochosa de calcário de Bal'harm para estabelecer um ponto de apoio para o sistema. Uma coisa que Saabih não havia antecipado era o calcário. Não que ele não soubesse que estava lá, mas ele nunca havia cavado por ele antes, então subestimou o tempo que levaria para esculpir a vala para os canos.

Acima do chão, nas elevações mais altas, as nascentes iriam brotar da terra, mas as cisternas seriam esculpidas na face rochosa da montanha para acumular a água antes que entrasse pelo primeiro cano e fosse em sua longa jornada morro abaixo. Da extremidade mais baixa da piscina-cisterna, buracos eram feitos e canos inseridos, e o buraco era fechado com argila e juncos, que endureceriam como a superfície impermeável da rocha em si.

Cada seção de cano era afixada em outra antes dela da mesma forma, utilizando argila e juncos para selar as junções. A meio caminho colina abaixo, os homens começavam a cavar trincheiras para as próximas seções de encanamento serem postas. Mais longe ainda, as trincheiras ficavam mais fundas, os canos eram depositados nelas e depois eram cobertas. Mais à frente ainda, os homens cavavam grandes buracos no chão e começavam a difícil tarefa de fazer túneis pelo declive todo para inserir os canos por todo o caminho até as construções no final.

- Só preciso de um momento - disse Imtiazud. Ele foi contratado para o projeto como um escavador de superfície. Era um trabalho favorável, melhor do que os cavadores de túneis, que eram em sua maioria escravos. Mas, ainda assim, o trabalho que envolvia quebrar calcário e cavar a trincheira para os canos era duro no sol do verão.

- Sim, por favor, senhor, descanse seus ossos exaustos, - gracejou seu colega na trincheira, Sawrat. - É bom que descanse. Alá aprova - continuou ele, apontando para o céu primeiro, e então para o mar.

Imtiazud deu um sorriso fraco, mas imaginou que a piada era mais uma incitação para voltar ao trabalho. Então, ele ficou em pé, fingiu girar a picareta em direção ao amigo, e voltou a cavar.

- O pagamento é bom, e Mahira gosta disso - adicionou Imtiazud, se referindo à sua esposa.

- O pagamento é bom o suficiente, - disse Sawrat, - mas minha esposa, Isha, disse que mal alimenta nossa família.

- É porque você tem crianças bonitas, cinco crianças bonitas, - respondeu Imtiazud, entre os golpes de picareta. - E Alá diz que tem de alimentá-las!

- *In shāʾa llāh,* - rezou Sawrat. - E quando, meu amigo, você terá filhos?

Imtiazud não olhou para cima e nem parou de trabalhar com a picareta.

- A seu tempo, meu amigo, a seu tempo.

Não era permitido que as esposas subissem as colinas até onde os homens trabalhavam, então quando era a hora de uma pausa para a refeição, eles sentavam-se e puxavam pães, espetos de carne seca e frutas de suas bolsas de couro. O repasto começava com agradecimentos a Alá, e então os homens comiam em silêncio. A hora de comer era tratada como um lembrete do que Alá havia dado a eles então os muçulmanos nessa colina não enchiam o ar com balbucios. Eles comiam, bebiam dos baldes de água trazidos a eles pelos escravos e encaravam a paisagem, rezando silenciosamente em suas mentes.

Os escravos trabalhando lá embaixo, nos túneis, não eram muçulmanos em sua maioria, e suas refeições não eram tão quietas. Esses homens da ilha e alguns que haviam vindo do norte conversavam enquanto comiam. O intervalo do trabalho duro e a oportunidade de mastigar as porções de comida também eram reverenciados por esses homens, assim como os árabes da colina acima, mas seus agradecimentos eram mostrados nos devaneios e nas conversas amigáveis.

———

As escavações de trincheiras e túneis seguiram por muitas semanas e meses. Imtiazud e Sawrat eram favorecidos pelo direito de trabalharem juntos, assim como outros muçulmanos empregados com trabalho pago. Os escravos que trabalhavam abaixo eram frequentemente movidos de equipe para equipe, dependendo de onde eram necessários e quais serviços precisavam fazer.

Quando um clima mais frio chegou, mais tarde no ano, o trabalho foi feito com maior facilidade. O calor do verão havia sumido, e, embora o trabalho árduo continuasse, os homens sofriam as consequências mais facilmente.

- Me pergunto quanto tempo passará até terminar isso - ponderou Imtiazud, um dia.

- Quanto tempo? Quanto tempo para esse encanamento? - perguntou seu amigo.

- Não, para todo o sistema, - respondeu Imtiazud.

- Eu estava no *kasbah* com Isha um dia, - disse Sawrat, - e sem querer ouvi os arquitetos descrevendo o sistema para o assistente do emir. Era sobre uma linha de encanamento daqui de cima até lá embaixo, - indicou ele, com a ponta de um dedo, até a linha de casas mais baixa do declive à frente deles. - Ele disse que vai levar mais ou menos um ano.

- Um ano para um só encanamento? - perguntou Imtiazud. - É um tempo bem longo. E então ainda teremos chegado só até as primeiras casas antes de sequer tentar chegar até o porto. Vamos ter que cavar todas as linhas de encanamento?

- Ah, não, - riu Sawrat. - Você viu todos os homens nas colinas, sim?

- É claro. Bem, não sei quantos há, mas...

- Há centenas, talvez milhares, - disse Sawrat. - Não sei quantos, mas o *qanāt* está sendo feito para toda a cidade. Eu ouvi dizer que, em alguns lugares, quando os canos se juntam, há túneis tão altos que você pode ficar de pé neles.

Imtiazud parou o trabalho para considerar as ideias fantásticas de seu amigo.

- Porque eu iria querer ficar de pé neles? - respondeu.

- Bem, você não iria, mas isso é o tanto de água que haverá quando ela descer das colinas e chegar até os outros canos. O *qanāt* é o maior projeto que Alá já desenhou para Bal'harm.

Mais meses se passaram e o calor do verão retornou. Os muçulmanos trabalhando nas colinas haviam finalizado seu trabalho no topo e se moveram até outros lugares ao longo da crista das montanhas que desciam gentilmente em direção ao porto de sua cidade. Eles conheciam os estágios iniciais do *qanāt* e sabiam como instalar os canos no calcário, e então foram enviados de um cume ao outro à medida que novas linhas de encanamento eram iniciadas.

Eles também eram responsáveis por cavar as cisternas ao longo dos dutos, mas aprenderam cedo no processo os truques que impediriam a água de fluir antes do momento em que o quisessem. Eles escavaram canais laterais nas colinas e deixaram a água correr livremente dos córregos para essas novas rotas, a desviando da direção de seu trabalho. Quando os canos estavam prontos para serem usados, eles represaram esses canais alternativos e deixaram a água fluir diretamente para as cisternas e mais para baixo, pelos canos que iam até a cidade.

Os escravos continuavam seu trabalho abaixo, nas trincheiras fundas e nos túneis. Quando as grandes câmaras que Sawrat havia descrito foram escavadas abaixo da terra, nas rochas, cortadores de pedra muçulmanos foram trazidos para construir arcos e paredes para impedir que a terra se movesse e caísse nos túneis.

Era um processo longo e lento, que empregava milhares de trabalhadores livres e escravos, mas o sistema de *qanāt* foi desenhado para toda a cidade de Bal'harm. Com planejamento antecipado, financiamento suficiente e supervisão dedicada, o plano muçulmano de prover irrigação para a cidade transformou a infraestrutura daquele povoado e o modernizou como nenhum projeto antes dele.

AGOSTO DE 2018

TRATTORIA BETTINA

- Levou anos, - disse Vito enquanto andávamos até uma mesa na Trattoria Bettina, - mas os muçulmanos escavaram a rocha e instalaram canos e túneis por toda a Palermo, provendo caminhos para a água correr dos córregos acima da cidade até as casas e negócios abaixo.

Nos acomodamos em uma mesa sob o céu que escurecia e Vito acenou para o garçom. Ele não precisou fazer o pedido; uma garrafa de seu favorito, Nero d'Avola, estaria vindo.

- Foi um feito incrível, tão bem-sucedido quanto o sistema de aquedutos romano, mas, à sua maneira, mais complicado. Os aquedutos traziam água das montanhas até as cidades e enchiam mais as cisternas e as fontes. O *qanāt* a trouxe até as próprias construções, e o fez sob um ambiente urbano já construído.

Mas, então – minhas desculpas aos gregos antigos – os árabes eram a civilização mais avançada a habitar meu país àquela época, mais avançada em ciência, matemática e até literatura.

- Porque literatura? - perguntei, enquanto Vito me servia meia taça de vinho tinto.

- O Corão é uma conquista literária incrível. Quer você siga os princípios do islã ou não, deve ler esse livro pelo puro entretenimento. Preste atenção aos *sūra* – os capítulos – do *Sūrat Ta-Ha* que tratam da existência de Deus. E os poetas do Oriente Médio? - disse ele, mudando de assunto tão rapidamente que eu tinha dificuldade em acompanhar. - Nem todos eram muçulmanos, mas eram todos produtos daquela cultura. Como Omar Khayyam, e, muitos anos depois, Kahlil Gibran. E Rudaki, que provavelmente definiu a poesia persa no século X, e Sanai, e Abu al-Faraj Runi?

- Você parece ter imenso respeito pelas pessoas do islã - disse eu.

- Eu tenho, - respondeu Vito. - E não pela sua poesia, pelo *qanāt* e pela matemática, arte e arquitetura. Seu impacto na cultura siciliana foi dramático e duradouro.

Palermo – Bal'harm – havia sido tomada pelos muçulmanos no início dos anos 900s D.C. e eles a tornaram sua capital, movendo o foco da civilização na Sicília do leste para o oeste. Mas o destino da cidade na verdade recai sobre o declínio do controle bizantino da ilha tanto quanto ao crescimento do califado muçulmano.

O Imperador Miguel II morreu durante as batalhas do século IX entre os bizantinos e os muçulmanos, e foi sucedido pelo seu filho, Teófilo. O filho jurou continuar a guerra de seu pai contra o islã pela região mediterrânea, e especificamente na Sicília, que os muçulmanos haviam escolhido como seu teatro de operações para um assalto maior na Europa.

Continuei a escrever e tomar um ocasional gole de vinho, e Vito pausou para me dar um momento.

- Para Mazara e Bal'harm, os muçulmanos trouxeram suas importações mais importantes: arte e educação. O islã conduziu o mundo – bem, o mundo ocidental – em termos de arte, filosofia, ciência e educação, e foi o respeito muçulmano por essas coisas que alteraria a história da Sicília para sempre. Eles insistiam que a educação era um direito natural e providenciavam salas de aula, livros e palestras para todos os cidadãos.

Era um conceito um pouco limitado. Assim como Atenas muito antes deles, “todo cidadão” era definido como em geral os muçulmanos; na verdade, na maior parte, a elite muçulmana. Mas, da mesma forma que a igreja católica havia financiado o crescimento das artes em suas igrejas de estilo gótico, o islã fomentou o crescimento das belas artes e da educação em Bal’harm, Mazara e Mars-al-Allah – Marsala, que era Lilibeu para os romanos – bem como nas cidades sicilianas no centro e no leste da ilha, à medida que o islã conquistava essas regiões.

- E eles reinavam de Palermo? - perguntei.

- Sim.

- E então a arte e arquitetura daquela cidade... foram o modelo para o país?

- E a educação, não se esqueça, - adicionou Vito. - O emir de Bal’harm era pessoalmente devotado à distribuição de arte e educação ao povo que ele agora comandava. Ele decidiu que os centros de ensino seriam abertos a todos, embora nem todos pudessem participar do processo aberto de ensino. Entretanto, ele expôs a todos, muçulmanos e não-muçulmanos, à bela arquitetura importada do islã que agora definiria a aparência pública das cidades sicilianas, especialmente no ocidente.

Vito tomou um gole de vinho e pareceu preparado para uma tangente em nossa conversa.

- Enquanto eles trouxeram sua arte, os muçulmanos também trouxeram sua cozinha. Eles introduziram o melão, a berinjela e a planta do papiro na ilha, trouxeram açafrão, limas e limões, e plantaram pomares de tamareiras. Eles cultivaram cana de açúcar para os alimentos doces que eles apreciavam há muito tempo em sua terra natal, e tinham cordeiro, peixe e bife em seus pratos.

Os povos indígenas de Bal'harm já eram pescadores talentosos, mas os muçulmanos introduziram outra prática ainda não utilizada na Sicília, chamada de *mattanza*. Os pescadores remavam seus barcos até onde os peixes estavam e então faziam um círculo com as embarcações. Lentamente, eles fechavam o círculo para prender os peixes, então batiam neles com porretes e os puxavam para dentro dos barcos. Essas e outras práticas de pesca e agricultura de sua região natal adicionavam à complexidade da vida em meu país e aos seus deleites.

Aqui, Vito pausou e bebeu um pouco de vinho. Sorrindo, ele continuou.

- Uma das importações muçulmanas mais duradouras na Sicília foi um produto de água, sal e farinha chamado de *rishta*. Os ingredientes eram combinados em uma mistura parecida com uma massa, que era então espalhada numa camada fina em uma superfície de madeira. Depois da mistura secar por algumas horas a céu aberto, uma faca era passada por ela numa série de linhas longas e paralelas, cortando a massa em fios finos, e então era cozida. Isso geralmente era servido com pedaços de cordeiro assado, banhado em um molho feito do caldo da carne e de cebolas que eram grelhadas por cima de uma chama. Esse "macarrão", como era chamado, se tornou comum nos estoques das cozinhas sicilianas. Você pode imaginar isso como um ragu de cordeiro com fettucine, - ao que ele sorriu largamente.

- Muitas pessoas usam os termos "muçulmano" e "árabe" intercambiavelmente, - continuou ele, - mas eles não são a mesma coisa. O islã havia se espalhado pelo mundo, e bem como os berberes originais do norte da África se tornaram muçulmanos – a religião – eles não se tornaram árabes – a etnia. Mas a arte e arquitetura e ciência e matemática que os povos trouxeram do Oriente Médio eram todos produtos da cultura árabe. Então os floreios decorativos que você vê nessas paredes, - estendendo a mão para englobar os padrões geométricos que adornavam a coroa que moldava o salão, - esses são de influência árabe. O islã as adotou em seus locais de adoração e em seus textos litúrgicos, mas os muçulmanos estavam inserindo artefatos da cultura árabe de sua origem.

O garçom veio até a mesa trazendo potinhos de azeitona; um cesto de pães ainda fumegantes do forno; pedaços de *caciocavallo, canestrato, maiorchino* - queijos sicilianos típicos - e romãs fatiadas. Ele checou o nível de vinho na garrafa e, vendo que apenas cerca de um quarto sobrava, levantou-a com um gesto para Vito. O ancião apenas acenou, o suficiente para enviar o *cameriere* em busca de uma nova garrafa de vinho.

- Do ano em que os muçulmanos chegaram pela primeira vez para capturar a ilha, em 827 D.C., até a queda de Palermo em 831, então Enna em 859 e Siracusa em 878, o califado islâmico fez uma campanha longa e bem-sucedida para tomar o controle da Sicília. Foi provavelmente o empurrão constante que manteve o esforço seguindo, porque após a conquista do leste, o povo árabe na ilha caiu no que só pode ser chamado de tédio.

- O quê? Isso soa extremo. Tive de rir dessa ideia.

- Parece que as diferentes facções na população muçulmana – e no exército – que haviam trabalhado juntas durante o período de subjugação tinham problemas de convivência quando não havia um inimigo externo a ser combatido. Os aglábidas discutiam com os berberes, os fatímidas com os cálmidas, e todos eles lutavam entre si.

Jafar al-Sadiq ibn Maomé foi o primeiro a se ir. Sua queda inspirou uma batalha pela sucessão entre os ismaelitas e os jafaritas. O resultado foi que o neto de Jafar, Maomé ibn Ismail, o sucedeu no poder.

Mas isso não resolveu a disputa territorial. Husayin ibn Rabá foi apontado para governar a Sicília, e ele reinflamou a luta contra os bizantinos atacando algumas de suas cidades restantes perto de Messina. Husayin provavelmente imaginou que isso reconciliaria os árabes que lutavam entre si, mas isso tomou um caminho totalmente oposto. A divergência interna era, nessa época, tão desenfreada que o exército normalmente bem-organizado dos muçulmanos não foi capaz de fazer uma campanha bem-sucedida contra os bizantinos. Ele sofreu uma série de derrotas decepcionantes nas mãos de seu inimigo, e foi forçado a recuar e repensar suas estratégias.

- Por quanto tempo isso durou?

- O vai e vêm entre os muçulmanos e os bizantinos continuou por todo o século, com uma longa linha de vitórias e derrotas em ambos os lados até em torno do ano 900. Mas o Emir Ibrahim II – que ainda tentava reinar a ilha de Ifríquia, continuava apontando governadores que ele esperava poderem sufocar a discórdia entre seu próprio povo. Os muçulmanos estavam, efetivamente, lutando uma guerra em duas frontes; os bizantinos no leste e seu próprio povo no resto da ilha.

As ocasionais vitórias ajudavam a aquietar o descontentamento dos árabes em suas próprias fileiras, mas esses eventos felizes eram frequentemente intercalados por derrotas e reveses. O suficiente para que as divergências continuassem a se espalhar. Por fim, o comandante muçulmano, Sawada ibn Khafaia, assinou a paz com os bizantinos, que viram uma oportunidade para continuar a enterrar a faca mais fundo no coração do exército muçulmano. O tratado pedia pela libertação gradual dos prisioneiros muçulmanos, então o general bizantino escolheu libertar grupos de ifríquios e berberes separadamente, e, sendo assim, semeou mais descontentamento entre os dois grupos de acordo com quem acreditava que deveria ser libertado primeiro.

Taormina caiu aos muçulmanos em 902 D.C., o que efetivamente representou o fim do ressurgimento da conquista muçulmana na Sicília. Uma vez controlando o leste, Ibrahim – que havia sido rebaixado pelo emir a um simples comandante militar – virou sua atenção para longe da Sicília e em direção à Itália continental. Como resultado, a maior parte do século X na Sicília foi relativamente calma, pelo menos livre do tumulto da invasão e da guerra.

Eu estava maravilhado com o fato de que essa ilha, que já havia sido campo de batalha para tantos conflitos, podia ter um século de paz como interlúdio.

- Esse foi o período dos *qanāts*, a época da ascensão da educação e da arte, e os anos em que o sangue do povo siciliano realmente se misturou para formar a raça misturada que é.

- Quer dizer que então foi isso? - perguntei. - As muitas pessoas que invadiram a ilha ao longo dos milênios até aí foram, então, os que formaram a etnia siciliana?

Vito riu e secou a taça antes de levantar para ir embora.

- Ah, não. Ainda há os vikings, normandos, angevinos, aragoneses. Vejamos... austríacos e bourbons... e mais - respondeu. Ele se virou para sair, mas então se virou de volta.

- Já ouviu falar de Jawhar al-Siqilli?

- Não - disse eu, balançando a cabeça.

- Ele era um *ghulam,* um escravo. Ele era um grego siciliano, nascido bem aqui. Acorrentado, ele foi enviado ao emirado do norte da África.

- Porque o menciona?

- Ele ganhou sua liberdade através de batalhas e se tornou um general sob o califa Al-Muizz. Ele conquistou a maior parte do Magrebe, é creditado por ter fundado Cairo, e construiu a mesquita de al-Azhar na cidade.

Nada mal para um pobre escravo da Sicília, não é? Então ele inclinou o chapéu e saiu para a escura noite que havia caído enquanto falávamos.

1030 E.C. - 1193 E.C.

NORMANDOS

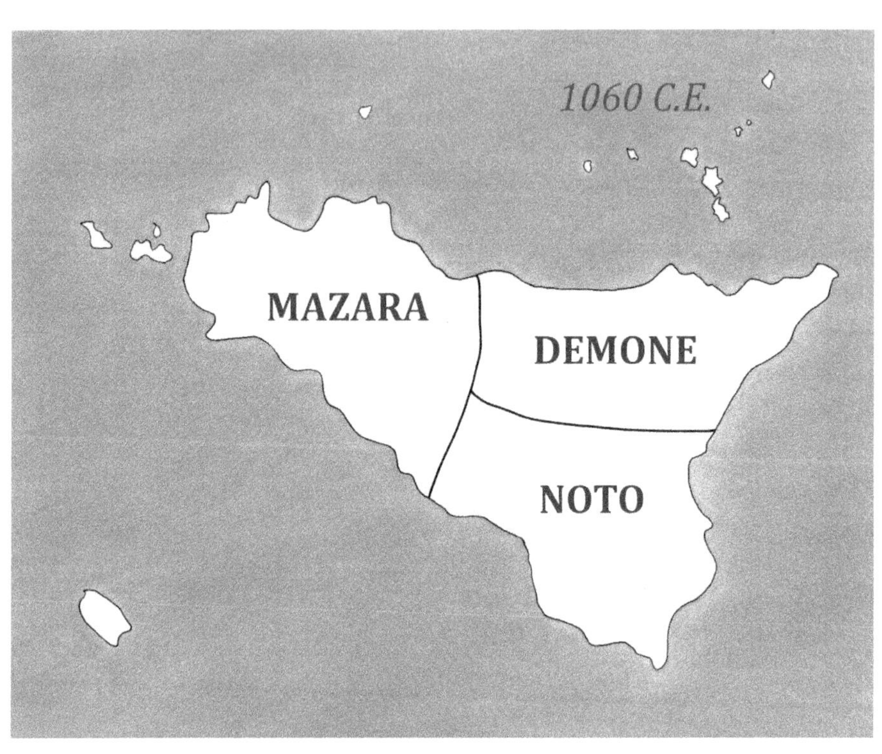
1060 C.E.
MAZARA
DEMONE
NOTO

AGOSTO DE 2018

CAFETERIA AMADEO

- Vikings - disse Vito. Era um dia inusitadamente ameno em agosto, e, por um breve momento, considerei sugerir que sentássemos nas mesas da calçada. Mas pensei melhor.

- O que tem eles? - perguntei, escorregando até uma cadeira próxima a ele.

- São nórdicos, *correttu*? Mas um subconjunto de todos os normandos que conquistaram a Europa e as ilhas britânicas.

Eu não iria discutir. Eu sabia o suficiente de história para saber que os vikings eram lembrados como saqueadores que pilhavam cidades e regiões antes de seguirem em frente, mas não botaria minha mão no fogo por isso.

- Há alguns relatos de navios vikings desembarcando na Sicília desde bem cedo, talvez enquanto os muçulmanos ainda reinassem sobre a ilha. É mais provável que eles não tenham vindo até cerca de 1038...

-... quando os muçulmanos estavam começando a perder a importância na Sicília - interrompi.

- Sim, é isso, - disse ele, sorrindo. - Mas enquanto os vikings em si não figuram proeminentemente na história do meu país, seus aliados sim.

- Quem seria?

- Tancredo de Altavila, primeiramente. Ele foi o pai de muitas gerações de Altavilas em meu país. E a família Altavila trouxe legiões de mercenários normandos para ajudar Harald Hardrada, o nórdico que mais tarde se tornaria o Rei da Noruega.

- Ok, - disse eu, levantando minha mão em sinal de rendição. - Qual é a diferença entre um nórdico e um normando?

Vito riu e bebericou seu espresso. Ele mastigou um pouco de *cantuccio,* então olhou de volta para mim.

- Pense nisso dessa forma. Nórdico, que literalmente significa "homem do norte", geralmente se refere às pessoas da Escandinávia. Embora seja uma palavra usada largamente para se referir a qualquer um do aglomerado de ilhas, incluindo os vikings, o termo se refere mais especificamente aos poucos séculos que circundam o fim do primeiro milênio D.C., mais ou menos do século IX até o XIII ou XIV. Por outro lado, normandos eram – bem, são – um subgrupo dos nórdicos que se assentaram no norte da França e duraram por muito mais tempo do que a breve era dos vikings.

O barista apareceu na mesa, mas Vito sinalizou que não queria mais café. Aquilo era um pouco estranho, sabendo de sua capacidade para o espresso, e meu olhar preocupado pedia uma resposta dele.

- Ragu com cordeiro demais ontem à noite, - se referindo a um prato favorito entre os sicilianos que havia sido introduzido pelos invasores muçulmanos. Mas, enquanto esfregava a barriga suavemente, ele sorriu.

- Não se preocupe. Comi um pouco de Marsala para fazer descer.

É a sobremesa local de vinho, que, aparentemente, o ancião usa como um digestivo... ou antídoto.

- Onde eu estava? - disse ele, pensativamente.

- Vikings - respondi, caindo no hábito de frases de uma palavra só de Vito.

- É importante esclarecer algo, - adicionou Vito. - Muitas pessoas colocam os vikings na nossa história, mas eles tiveram apenas um pequeno papel. Eles chegaram em torno do ano 1038, mas partiram dentro de algumas décadas. É por isso que o papel da família Altavila é tão importante. Eles se juntaram aos vikings, e, após os vikings terem partido, os Altavila permaneceram. E as gerações de Altavilas seguintes dominaram a política e a cultura em nosso país por quase dois séculos. O então chamado Período Normando – liderado pela mesma família – foi um dos mais importantes para a ilha, e aconteceu durante a mais profunda Idade Média, quando os embates culturais e os dogmas religiosos lideraram muito do que estava acontecendo na Europa.

- Então, deixe-me ver se consigo interpolar. O regime Altavila – os normandos – foram bem nos séculos XI e XII, certo?

Vito assentiu.

- Porque preciso saber disso? - perguntei. Não era um desafio, mas eu conhecia o estilo de Vito, e sabia que se eu fizesse a pergunta dessa forma, ele me daria um ponto de referência, um foco para que eu pudesse amarrar o resto da narrativa.

- Feudalismo, - disse Vito. - Bem, e também a erradicação dos muçulmanos, mas fiquemos no feudalismo por enquanto. Enquanto os descendentes dos Altavila consolidavam mais poder na Sicília, um deles, Rogério – que foi feito Conde da Sicília por seu irmão, Roberto Guiscardo – introduziu o feudalismo. Ele pensou que seria natural, já que nosso país era uma sociedade agrícola.

No feudalismo, o rei – ou, nesse caso, o conde – distribuía parcelas da terra, os *feudi*, aos senhores. Você vai notar, - adicionou ele, com um aceno de cabeça e uma piscada, - que "feudalismo" vem dessa palavra italiana. De qualquer forma, os senhores então redistribuíam a terra em parcelas menores entre os seus vassalos, que administravam as propriedades, onde os servos – os camponeses – realizavam de fato o trabalho.

Mas, no feudalismo, os senhores, vassalos e servos têm de oferecer um juramento de lealdade ao conde. Só se pode confiar nos cristãos para fazerem um juramento, - a isso, Vito deu um muxoxo, - então os muçulmanos, judeus – até mesmo os gregos – em nosso país foram omitidos da distribuição de terras feudais. Esses cristãos ficaram com a maior parte da terra, e, portanto, acabaram ficando com a maior vantagem possível no sistema feudal, mas a distribuição desbalanceada de terra também podia causar discórdia entre as tribos.

- Isso não parece bom - disse eu. - A Sicília tinha batalhas o suficiente para lutar contra invasores;

porque Rogério iria querer um sistema que introduzia a divisão interna?

- Verdade, verdade, - disse Vito. Então, apontando seu dedo artrítico para cima no gesto universal, ele adicionou, - Rogério teve uma ideia. Como conde, e com poder sobre tudo o que acontecia na Sicília, Rogério conhecia uma maneira de resolver isso.

Vito balançou o dedo no ritmo das sílabas de sua afirmação.

- Ele ofereceu uma exceção chamada de *alod*, que deixava qualquer um que tivesse a terra desde antes do sistema feudal continuar a possuir aquela terra. Dessa forma, ele podia... como se chama isso?

- Hmmm, - hesitei. Não tenho certeza. Quer dizer a “anterioridade”?

- *Sì*, é isso. Não sei exatamente de onde esse dizer em particular vem, - riu ele, - mas sim, é isso. Rogério evitou discussões entre os vários grupos e preservou a paz, por assim dizer. Ou então assim esperava.

Com essa solução, cada grupo tinha tanto uma vantagem quanto uma desvantagem, - disse Vito, - e a desvantagem é o que ainda podia causar muitos problemas ao conde Rogério. Os senhores cristãos e os vassalos que obtiveram terra através da redistribuição a tiveram de graça, digamos assim, embora eles tivessem de jurar lealdade ao conde, e, talvez, lutar em guerras. Os judeus, muçulmanos e gregos que eram donos da terra antes do conde Rogério impor o sistema podiam manter suas terras pelo *alod,* e não podiam proclamar lealdade ou lutar em quaisquer guerras, mas sua posse da terra era mais precária e eles sabiam que um abono tão liberal poderia ser retirado rapidamente. Eles sabiam que os cristãos estariam discutindo para tomar o controle da terra em posse dos não-cristãos. Ambos os grupos desgostavam de sua situação.

- Como ele resolveu isso? - perguntei.

- Hm, - grunhiu Vito. - Essa, de fato, é a questão. Mais sobre isso mais tarde.

- E a questão dos muçulmanos? - perguntei, voltando à questão que Vito deixou no ar.

- A outra coisa que os Altavilas fizeram pela Sicília – ou fizeram "à" Sicília –, dependendo da sua perspectiva, foi expulsar os muçulmanos da ilha.

- Mas ainda há muito de sua influência, - disse eu. - A arte, a arquitetura, mesmo você disse que isso era importante para a Sicília.

- E de fato é, - afirmou Vito. - Eu disse que os Altavilas expulsaram os muçulmanos da ilha. Eu não disse que eles expulsaram os árabes.

Eu tive de concordar com essa distinção, mas fiquei em silêncio.

- A cultura árabe trouxe a ciência e a matemática, a arte, literatura e arquitetura. Os muçulmanos não. Os seguidores de Maomé trouxeram suas crenças e o *Corão,* mas os árabes trouxeram sua cultura. Os "sinais" árabes – e com isso quero dizer a geometria comum de sua arte – permaneceram na Sicília. Nós somos muito árabes nesse sentido, no sentido em que percebemos a realidade, na maneira com que decoramos nossas casas, e em muitos dos jeitos em que conduzimos nossas vidas.

- E é essa influência árabe que permaneceu mesmo com o desaparecimento da religião muçulmana aqui? - perguntei.

- A cristandade é em grande parte a teologia do meu país. Depois da era normanda, o cristianismo reinou e continua a reinar até os dias de hoje. Mas ela tem um sotaque peculiarmente árabe.

- Como assim? - perguntei.

- Aqui, em Mazara del Vallo, nosso mercado é chamado de *kasbah,* - disse Vito, rindo ironicamente à ideia. - Tem sido assim por séculos e provavelmente ficará assim por séculos. Temos palavras que vem do árabe, como *gebbiu,* que quer dizer cisterna, que vem de *giebja.* Ou *zagara,* significando flor, de *zahra.* E então há *zibbibbu,* de *zbib,* para as passas. Aqui, Vito sorriu e pausou. - Zibbibbu também é o nome das nossas mais celebradas uvas de vinho.

Nosso bolo favorito, *cassata,* vêm de uma palavra árabe. Há muitas mais. E os templos, igrejas, chame como quiser – eles evoluíram para muitos propósitos ao longo dos séculos, e foram usados pelos árabes para praticar sua religião enquanto estiveram aqui.

Sempre teremos a influência árabe em nossa arte e em nossa cultura. Até mesmo em nossas roupas.

- O que quer dizer?

- Nossas mulheres que perdem seus maridos. Elas vestem negro para o resto de suas vidas.

Eu não respondi. Não sabia o que dizer.

- Esse é um costume bem árabe. Quando suas mulheres se tornam viúvas, elas se enlutam pela perda de seus maridos para sempre. Nós, sicilianos, fazemos o mesmo.

- Então, - comecei devagar, - a diferença entre cristão e árabe...

- Sim, - interrompeu Vito, - mas não é interessante que você e eu estamos comparando uma religião a uma cultura? - Vito tomou um gole de seu café e me espiou pela borda da xícara. - Cristianismo é uma religião; árabe é uma etnia. Religiões e cultura são frequentemente misturadas, mas frequentemente estão em desacordo. A cultura árabe é forte na Sicília, mas já que os muçulmanos foram expulsos no século XII, sua influência – o islã – não é forte.

- Então, o que vejo aqui, em Mazara, - adicionei, reflete a cultura árabe, mas pode não...

- Não o faz - disse Vito, enfaticamente.

-... não reflete a cultura muçulmana.

Ele assentiu.

- Conte-me mais sobre os normandos - sugeri.

Vito fez uma pausa, bebeu novamente e considerou as fatias de laranja no prato. Eu observei enquanto ele coçava o queixo, então passava os dedos pelo cabelo grisalho ainda denso em sua cabeça. Seus olhos nunca deixaram a mesa, mas eu sabia que ele não estava olhando para ela, nem para os pratos e copos nela. Ele estava focado somente em seus pensamentos e, quando seu sorriso familiar apareceu em sua face, eu soube que ele havia saído de seu devaneio e estava pronto para me encarar novamente.

- Normandos. *Sì*, depois dos árabes, ainda não estávamos prontos para outra invasão, mas...

Ele deixou o pensamento escapar sem completar a frase.

- Os normandos sucederam a ordem e a beleza do período árabe com, bem... ordem.

- Você não disse beleza - notei.

- Não, - e ele sorriu. - Não quero dizer que os normandos não tivessem uma bela maneira de viver, mas havia romance e... um amor ao mundo pelos árabes. Acho que vocês estadunidenses pensam nisso como "exótico" ou algo assim. Como se "exótico" explicasse porque você está apaixonado por uma cultura distante da sua própria.

Eu tive de sorrir à maneira perfeita como Vito descreveu a fascinação estadunidense com outros mundos.

- Mas o mundo árabe nos trouxe poesia e literatura, a arte que é ao mesmo tempo elementar e também complexa. Eles também trouxeram um tipo de promessa.

- De Alá? - perguntei.

- Não. Alá não teve nada a ver com isso. Mas o modo de viver árabe, seus ensinamentos, a certeza de seus rituais e costumes. Eles eram bem tranquilizadores.

- E os sicilianos levaram isso numa boa?

- Ah, sim, certamente, - ele respondeu, com um aceno de cabeça. Então Vito ficou em silêncio novamente por um momento.

- Judeus.

- O que? - perguntei. Eu estava confuso com a súbita mudança na conversa.

- Os judeus são assim.

- Como assim?

- Eles estão confortáveis com suas crenças; não, mais do que confortáveis. Eles vivem suas crenças e seus costumes, e estão felizes nessa vida. Assim como os árabes.

- É uma pena que os judeus e os árabes não se deem melhor, - disse eu, entristecido com o estado das coisas no Oriente Médio.

- Bem, sim, - adicionou Vito, então se ajeitou em sua cadeira. - Mas isso não é assunto nosso. Pelo menos, não agora. Precisamos entender os normandos e como mudaram nosso país.

- Para melhor? Adicionei, esperançoso.

Mas Vito apenas assentiu e sorriu.

1061 E.C.

REGGIO

O homem ficou sentado ereto na sela da égua, seu cabelo cinzento e longo e a barba ondulando suavemente enquanto o passo da montaria balançava o ginete de um lado para o outro. Com sua mão esquerda descansando na coxa e a mão direita se dobrando numa pegada leve nas rédeas, Roberto Guiscardo transmitia poder, presença e comando com facilidade.

Alberto Prater cavalgava ao seu lado, mas mesmo com a sela ornada de sua montaria e o cabresto trançado, ele claramente era a companhia e não o líder nessa tropa de uma dúzia de soldados cavalgando até os portões do castelo. Roberto, da família Altavila, havia vindo ao sul da Itália muitos anos antes, seguindo a conquista da região por seus irmãos mais velhos no dedo da bota da Itália. Como Guilherme e Drogo antes dele, ele havia carregado o estandarte normando para o sul da península para estender o império dos Altavilas, uma família impressionante e imponente originalmente levada à glória e ao poder por Tancredo de Altavila, anos antes.

Nesse dia, Roberto estava fazendo planos para receber seu irmão mais novo, Rogério, em sua fortaleza e posto militar. Eles haviam se correspondido através de um mensageiro por meses, e estavam considerando uma invasão de Messina, na ilha ao oeste. Isso iria aumentar as terras reivindicadas por sua família e provaria ao mundo a inevitabilidade da dinastia Altavila.

- O povo muçulmano ainda está lá, - disse Alberto, enquanto eles cavalgavam através dos portões. - Isso não é preocupante porque são um povo inferior. Mas nós...

- Nós os removeremos, - interrompeu Roberto. - Messina e a Sicília serão nossas. Os muçulmanos não serão problema, e nós certamente não os deixaremos interferir com nossos negócios.

No hábito de diversas famílias monárquicas, Roberto falava de si mesmo com o "nós" da realeza, uma manipulação linguística que o permitia tomar uma base de poder maior, o que ele desejava.

Quando os cavalariços chegaram aos cavalos e tomaram as rédeas, os dois homens desmontaram, seguidos respeitosamente dos soldados que os haviam acompanhado.

- Eles têm estado na Sicília por algum tempo, - continuou Alberto. - E eles não gostarão de serem dominados.

Roberto riu à ideia.

- Dominados é a palavra correta, meu amigo. Faremos exatamente isso. Quer gostem disso, quer não... bem, é um problema que eles devem reclamar com Deus.

- Quer dizer Alá?

Roberto riu, mas de uma forma que sugeria aversão.

- O Alá deles era um profeta. Ele não é Deus. Só o Deus cristão de nosso povo é o verdadeiro Deus.

Os dois homens andaram pelo pátio, passaram pelos estábulos onde seus cavalos eram mantidos e pela falange de criados uniformizados os aguardando no portal da construção principal do complexo. Um par de colunas emoldurava o portal, ascendendo verticalmente e então arqueando em direção ao ponto central acima da abertura. Um frontão proeminentemente esculpido arrematava o portal, e o artista que esculpia o brasão da família Altavila no escudo acima parou quando Roberto e Alberto passaram abaixo de sua escada.

Três dos soldados que haviam acompanhado Roberto e Alberto ao castelo seguiam de perto; os outros haviam se retirado aos quartéis.

Uma vez dentro, os criados despiram Roberto de sua armadura cerimonial. Como conde da região, ele sempre vestia armadura quando deixava o castelo, mas ele tinha duas versões à sua disposição. Um conjunto de armadura para batalha era pesado, com grossas camadas de metal penduradas sobre uma túnica de cota de malha. As pernas eram cobertas da cintura ao dedão, enquanto os braços só eram expostos abaixo do pulso. Quando os eventos do dia eram apenas cavalgar pelos campos ou atender a questões entre seus vassalos, havia um conjunto leve que envolvia um peitoral e uma placa traseira, com menos "telhas" nos braços e pernas.

Era esse conjunto leve que Roberto vestia nesse dia, então o despir foi realizado rapidamente. Foi apenas depois do Conde ter sido assistido pelos criados que eles viraram sua atenção para Alberto. Os três soldados que os acompanharam até esse cômodo – um salão grande e de teto alto – ficaram orbitando na periferia enquanto os cavalheiros mais velhos se acomodavam.

- Vinho - disse Henrique a um dos atendentes. Henrique Crayton era o oficial sênior entre os três, e ele se dirigiu aos criados com autoridade. Era costume que os desejos do Conde fossem conhecidos pelos criados sem terem de ser perguntados. Mas também era costume que alguém falasse por ele. Henrique assumiu esse papel como capitão de Roberto.

Roberto e Alberto tomaram assentos na grande mesa de madeira no fim do salão, e Henrique e os outros dois soldados se sentaram no banco próximo à parede. Os criados do Conde logo retornaram com jarras de vinho e cálices para todos os cinco homens, seguidos de perto por três jovens moças carregando pratos de comida.

- Quando meu irmão chega? - perguntou Roberto, para ninguém em particular.

- Ao cair da noite, senhor - respondeu Henrique, entre goles de vinho.

- Bem, então... - continuou o Conde, mas ele foi interrompido por uma presença à porta do salão.

- Bom dia! - veio o chamado da sombra à porta. Era Rogério, que havia chegado bem antes do cronograma. Roberto se levantou rapidamente para lhe dar as boas-vindas, apertando a mão de Rogério com força e pondo sua outra mão em torno do antebraço de seu irmão mais novo.

- O quê? Cedo assim, como? - perguntou ele.

- Os cavalos que me deu são ágeis. E quando contei aos estúpidos animais que haveria feno seco e bebidas frescas no final, eles galoparam por quase todo o caminho até aqui.

Outro cálice foi rapidamente providenciado, e os irmãos se juntaram a Alberto, Henrique e aos soldados num brinde ao Conde de Apúlia e Calábria.

- À saúde de meu irmão! - disse Rogério. - Que ele em breve reine sobre o mundo inteiro.

Roberto sorriu a Rogério, mas levantou uma das mãos.

- Não, jovem parceiro. É você quem reinará sobre o mundo. Meu nome não será mais do que uma pequena nota na história dos Altavila.

Os irmãos trabalharam em um plano para cruzar as águas até Messina e sitiar a fortaleza árabe que protegia a cidade. Ao longo dos próximos muitos dias, eles consideraram suas opções em relação ao tamanho do contingente, a hora do dia, e se eles desembarcariam longe de Messina e iriam até a cidade para atacar com o exército ou se o fariam do mar, com uma frota. No fim das contas, continuaram voltando à mesma ideia que Rogério havia proposto na primeira tarde.

- À noite, ou nas primeiras horas da manhã, e com uma frota veloz... - explicou ele.

- Veloz significa pequena, - protestou Roberto. - Sua intenção é trazer apenas parte de nossos homens?

Rogério se recostou na mesa com o mapa do Estreito de Messina e olhou para o irmão.

- Se lembra do que aconteceu na última vez que tentamos isso?

- Sim, lembro, e foi com um exército pequeno - riu Roberto.

- Não... bem, sim, é o que eu quero dizer, - riu de volta o irmão. - Quero dizer a hora do dia e a forma como abordamos. Levamos cerca de quatrocentos homens armados, uns cem a mais a cavalo, e zarpamos em quase duzentos navios cheios de outros guerreiros. E desembarcamos ao sul de Messina, marchando para a batalha...

- Esperando surpreender os infiéis - disse Roberto.

- Exatamente, mas não o fizemos. O tamanho da frota era fácil demais para se notar, e, no tempo em que marchamos por toda a planície, os infiéis haviam chamado reforços de Milazzo à frente de nossa marcha, da Katania, em nossa retaguarda. Não houve surpresa, e os árabes proveram seu forte para durar por um cerco longo.

- Enquanto isso, - admitiu Roberto, balançando a cabeça, - não tivemos uma rota de suprimentos desde que cruzamos os mares. Ficamos sem comida e os homens ficaram doentes com o pântano.

- Dessa vez, - indicou Rogério, - faremos diferente. Navegaremos à noite e chegaremos antes da alvorada. Levaremos menos homens, para que a frota possa se mover pelas águas na escuridão, sem ser descoberta. E travaremos uma batalha naval, atacando Messina por mar ao invés de tentar uma arremetida por terra.

Os planos foram feitos para que zarpassem na noite seguinte. Eles partiriam na escuridão, com tempo o suficiente para chegar até a baía de Messina logo antes do alvorecer, e surpreender os árabes na fortaleza antes de estarem completamente acordados.

Ayyub ibn Tamim era o filho do emir da Ifríquia, e controlava toda a Sicília oriental. Mesmo enquanto a sociedade muçulmana era assediada pela divergência interna e ataques externos, o comando metódico de Ayyub dava a impressão de um poder absoluto.

Ele reinava de Siracusa, mas dependia de seu forte em Messina, que também tinha um papel significante em seu emirado. A cidade era localizada na parte mais ao norte da ilha, perto o suficiente do continente para ter um pé em cada mundo. O centro urbano da cidade havia crescido ao longo dos séculos, e incluía um vasto mercado, aglomerados populosos de casas e uma guarnição militar posicionada perto do mar, para que seus guardas pudessem observar qualquer inimigo que se aproximasse.

Ayyub demandava disciplina e estrutura entre as fileiras de seus soldados em Messina. Ele sabia que essa era a única maneira de manter o poder, e a única maneira de manter sua proeminência numa sociedade composta de tantas facções em guerra. Devido às suas frequentes ausências para cuidar de seus assuntos em Siracusa, ele precisava de um oficial implacável para manter a ordem quando ele estava longe de Messina. Ahmed ibn Agha era um homem assim. Ele havia nascido nos arredores de Meca, devotado sua vida ao serviço de Alá e não mostrava misericórdia em batalhas contra os infiéis inimigos.

O emir de Ifríquia havia ouvido sobre as vitórias heroicas de Ahmed e o chamou para vir até o norte da África. Solteiro, e sem muita possibilidade de encontrar tempo para uma vida em família, Ahmed aceitou rapidamente, viajando até o novo país quando ele tinha apenas vinte anos de idade para levar a espada até o inimigo do islã. O emir logo enviou o jovem para Siracusa, para servir a Ayyub, que por sua vez estava satisfeito com a abordagem simples de Ahmed, e o colocou a serviço da fortaleza de Messina.

Não demorou muito, no entanto, para que o emir do leste siciliano fosse forçado a fazer decisões difíceis para domar as agressões do jovem.

- Preciso de você aqui para proteger meu reino, o que significa preservar a paz, - disse ele a Ahmed. - Não lutaremos contra os infiéis se eles não desafiarem o meu emirado.

Sentindo o desapontamento de Ahmed por ter sido comandado a supervisionar a paz da região, Ayyub adicionou rapidamente: - Lembre-se, se os cristãos vierem até Messina para lutar ou para tomar nosso país, você deve destruí-los!

O prospecto da batalha animava as paixões do homem, então ele começou a fazer exercícios com os homens sob o seu comando, os equipando com novos uniformes e armas melhores, os preparando para a batalha que ele esperava trazer seu destino, e o teste à sua devoção para com o islã.

Ele frequentemente desfilava pelo parapeito da fortaleza para inspecionar e avaliar suas tropas. Em tempos como esses, Ahmed vestia uma túnica de algodão azul simples com calças pretas curtas amarradas abaixo do joelho, assim como seus homens faziam. Suas botas eram de couro negro, e o pano torcido na cabeça também combinava com o de seus homens. Sua espada era alguns centímetros mais longa do que o normal, mas mais uma coisa era importante na distinção de sua vestimenta: Ahmed vestia uma faixa vermelha sobre o peito, vinda de seu ombro direito e amarrada na cintura, no seu lado esquerdo. Ele não seria confundido com qualquer soldado comum, mesmo à distância, e isso era exatamente o que ele queria.

O emir Ayyub esteve em Siracusa por alguns dias em maio de 1061 D.C., deixando Ahmed no comando mais uma vez. O oficial em comando inspecionou os guardas da fortaleza tarde numa noite, então se retirou para a cama deixando o contingente normal de soldados armados de guarda. Era uma noite fresca, mas quente o suficiente para tirar os tecidos pesados que impediam o ar de entrar pela abertura arqueada de sua casa, no topo da colina, dentro do forte. Ahmed tinha um sono leve, uma habilidade natural de qualquer líder militar, e, assim, ele dormiu rapidamente sob um cobertor de algodão fino.

- Ah, aí está você - disse Roberto, enquanto se aproximava do irmão mais novo na proa do barco. Eles haviam zarpado depois da meia noite com ventos favoráveis, e esperavam cruzar para Messina antes do dia raiar.

Rogério não respondeu, mas ficou encarando a água. Na escuridão, com apenas a luz fraca de uma lua crescente, ele podia ver a ponta da costa da Sicília apenas quando se concentrava na escuridão assomante no horizonte. Eles escolheram uma noite com um pouco de luz para auxiliá-los, mas zarparam quando a lua ainda estava se levantando, para que ficasse atrás deles no leste. Naquela posição, eles seriam capazes de ver um pouco do forte muçulmano e os contornos de Messina, mas seus navios ficariam escondidos na escuridão do entremeio.

- Se lembra da última vez que tentamos isso? Perguntou Rogério, enquanto Roberto se aproximava. Ele estava vestido para a batalha, embora sua posição o permitisse ficar nos mantos esvoaçantes de um governante. Rogério havia feito sua reputação como alguém que estava disposto liderar seus homens para a batalha, e esse ataque em Messina não seria diferente. Para essa expedição, no entanto, ele escolheu a cota de malha enegrecida que não refletiria a luz, mesmo a luz fraca daquela lasca de lua, e disse aos seus homens que vestissem o mesmo. A longa túnica que ele vestia por baixo também era feita de um material mais escuro, não o vermelho que o Conde normalmente usava. Ele até mesmo aplicou cinzas para escurecer a superfície de metal do elmo pontiagudo que usava, outra orientação compartilhada com seus soldados.

- Sim, eu me lembro, - disse Roberto. Ele sorriu um pouco com a memória. Embora houvessem ocorrido perdas de vidas e a vergonha que acompanhava uma empreitada falha, ele sorria agora porque antevia o sucesso no plano do dia.

- Poderíamos ter tomado Messina naquela época, mas tínhamos doentes demais no campo de batalha, e muitos morreram antes que pudéssemos estrangular a cidade até a rendição.

- Vamos atacá-los de frente dessa vez, e Messina será nossa, - disse Rogério. - E então...

- Então marcharemos pelo país, - interrompeu Roberto, - primeiro para tomar Siracusa e executar o emir, então até al Madinah no oeste, a capital deles.

À medida que a escuridão que era Messina ficou maior no horizonte, Roberto se retirou aos seus aposentos para vestir sua armadura e recuperar sua arma. Ordens haviam sido pré-planejadas e foram dadas discretamente aos duzentos soldados passando pelo estreito nos treze navios normandos. Todos foram instruídos a permanecer quietos, e eles contariam com o vento os levando para perto da cidade para que o bater dos remos na água não alertasse os muçulmanos de sua aproximação.

Antes dos galos acordarem, a frota normanda chegou na praia. Secretamente, eles subiram pelos flancos da fortaleza e foram capazes de subir os muros da cidade antes do alarme soar entre os muçulmanos. Um soldado do islã foi despachado para acordar Ahmed, mas quando ele se juntou à batalha, ela já estava quase no fim. E quando ele entrou no pátio do forte, os normandos já estavam matando os soldados que emergiam, sonolentos, dos quartéis.

Ahmed passou a espada nos atacantes de elmo, mas ele não fora capaz de vestir sua proteção e logo foi cercado por um conjunto de três inimigos. Batalhando ferozmente com habilidosos golpes de sua arma, ele aguentou o desafio por dez minutos que pareceram uma hora, mas então os três atacantes se dispuseram num círculo ao redor do comandante muçulmano, um conseguiu pular sobre ele pela retaguarda e afundou a espada nas costas do homem, chegando até as costelas.

Ahmed sobreviveu à estocada e se virou, tirando a espada do normando, ainda sobressaindo das costas e do peito do muçulmano, mas a rápida perda de sangue enfraqueceu Ahmed, e seu braço de combate caiu sobre sua lateral. Tentando levantar a espada mais uma vez, outro soldado normando desceu sobre o braço direito de Ahmed com um golpe brutal que cortou o antebraço do homem para fora do corpo. A mão e o braço ensanguentado caíram nas pedras abaixo, e, com uma elevação do seu peito, o bravo jovem soldado caiu por cima de seu membro quebrado e morreu.

Enquanto isso, o caos reinava sobre o pátio e o parapeito do forte à medida que os normandos tomavam vantagem do ataque surpresa para conquistar os muçulmanos. Enquanto o sol subia no horizonte, a luz da alvorada revelava a carnificina da batalha. Dos duzentos normandos chamados para a ação naquele dia, a maioria sobreviveu. Do número maior de soldados do islã que defenderam o forte, a maior parte foi morta e o resto foi acorrentado e levado para as celas das prisões que, até o momento, haviam sido usadas para colocar seus inimigos.

Messina havia caído tão rapidamente que os próprios Rogério e Roberto estavam surpresos, mas contentes.

- Eu disse que um dia você reinaria sobre o mundo, irmão, - disse Roberto. - Hoje é o primeiro dia desse novo reinado, e, com isso, eu o entrego o título de Conde da Sicília.

1146 E.C.

PALERMO

O rei Rogério da Sicília sentou-se no imponente trono de granito que encarava o grande salão do palácio que ele havia herdado de seu pai, o Conde Rogério I. Fiel aos costumes da família Altavila, o rei energicamente buscou a grandeza de seu país, assim como ele buscava o esplendor e as riquezas para ele próprio. Esse palácio, que ascendia das fundações de uma villa fenícia e em paredes erguidas por muçulmanos, era agora o mais grandioso realce de seu reino.

Como rei da Sicília, ele controlava toda a ilha, e sua província incluía as regiões continentais do sul da Itália, do "dedão" da Calábria até o "calcanhar" da Apúlia. Já que essas regiões eram separadas por outra região, Lucânia - no peito do pé da bota - Rogério comandava aquela área também, então ele controlava tudo desde Trapani e Palermo, no oeste da Sicília, cruzando a ilha e esticando por todo o caminho até a parte sul da península e à costa do Adriático. Seu reino tinha o controle de todas as terras ao sul de Roma.

Havia uma característica importante que o distinguia de seu aguerrido pai, no entanto. O conde Rogério conquistou as terras pela força, derrotando os então muçulmanos reinantes na Sicília, e estabeleceu novas leis de governo. Mas o primeiro Rei Rogério respeitava o povo que habitava a ilha e os permitia manter suas práticas religiosas, sua arte e cultura e mesmo as suas leis, contanto que não interferissem com o que a tradição Altavila esperava deles.

O rei respeitava tanto a arte, a ciência, a cultura e o conhecimento matemático dos muçulmanos em Palermo que ele se cercou deles, e pôs muitos dos mais sábios e realizados muçulmanos na tarefa de criar seu filho, que se tornaria Rogério II, o Rei da Sicília.

Por causa da influência cultural muçulmana, seu filho cresceu com um respeito maior pelas instituições árabes do que pelas tradições cristãs nas quais ele nasceu. Como adulto, ele ficou conhecido por se vestir com os mantos esvoaçantes comuns aos homens islâmicos, e ele estudava e discutia os ensinamentos do islã com sua corte e sua família. Como rei, Rogério II convidou artistas, eruditos e cientistas para suas terras, os sustentou financeiramente e, em troca, esperava governar um reino que rivalizasse economicamente com toda a Europa, e que fosse o centro cultural do mundo.

Agora que ele se aproximava dos cinquenta anos de idade, a vida de Rogério era uma crônica ao sucesso e ao progresso que ele havia planejado. Enquanto se sentava em seu trono, ponderando sobre o que havia sido realizado, sua mente perambulou ao seu pai e sua mãe, e à cultura normanda que a família Altavila havia trazido para essa nação insular.

Adelaide fora a terceira esposa de seu pai, o Conde Rogério da Sicília, da família Altavila dos Normandos. Ela se casou com o Conde Rogério, o velho, quando ele já tinha quatro filhas por Judite d'Évreux e oito por Eremburga - todas meninas. Adelaide o havia dado herdeiros masculinos, primeiro Simão e então Rogério.

Quando o Conde Rogério faleceu, em junho do ano de 1101, Simão o sucedeu ao poder, mas tinha apenas oito anos de idade - e Rogério apenas cinco - então Adelaide serviu como regente. Simão, por sua vez, faleceu em 1105, deixando a posição de conde para seu irmão mais novo. Mas, mais uma vez por conta da juventude do rapaz, sua mãe tomou o papel de regente até que Rogério tivesse idade para governar.

Depois da morte do Conde Rogério I, Adelaide contou com o aconselhamento de Chrisodulus, o emir grego de Palermo, e ela se casou mais tarde com Balduíno I de Jerusalém. O casamento logo foi abandonado por ela quando descobriu que seu novo marido já era casado, então Adelaide voltou para Palermo.

O Rei Rogério II, portanto, tinha duas razões sólidas para não se juntar às Cruzadas iniciadas pelo Papa Urbano II para tomar a Terra Santa dos muçulmanos. Ele estava ofendido pelo tratamento que sua mãe recebeu nas mãos de Balduíno e não tinha interesse em garantir terras daquela região. E ele havia sido criado sob uma forte tradição islâmica, e não se objetava a essa cultura tão vigorosamente quanto a Igreja Latina de Roma o fazia.

Seu reino era ali, na Sicília e no sul da Itália, e ele estava satisfeito em reinar sobre ela, usando Palermo como base para a expansão da ciência, literatura e arte do mundo. Os papas que dirigiram a igreja romana enquanto Rogério II sentava no trono queriam mais dele, esperando que ele pressionasse mais a conversão dos pagãos muçulmanos ao cristianismo, mas ele não os dava atenção.

No ano de 1117, ele se casou com Elvira, filha de Afonso VI de Castela. Juntos, eles tiveram quatro filhos, e viveram felizes em sua união. Foram os melhores anos de sua vida adulta, mas ela faleceu em 1135, quando ainda era jovem.

Enquanto todos esses pensamentos traziam sua família de volta de sua memória, Rogério se levantou do trono e perambulou em direção às portas altas esculpidas que se abriam ao passeio do lado de fora e davam para a praça abaixo. *Al-Qasr,* sua residência real, foi originalmente desenhada na tradição árabe, com cômodos angulares, corredores retos e nenhum pátio. Os entalhes ornados que decoravam as paredes e o teto criavam a sensação de opulência - o que atraiu seu pai, o Conde Rogério, até o local, de início - mas os Altavila transformaram o edifício retangular numa série de corredores e construções que cercavam uma área aberta e levantavam ameias no castelo para criar o desenho de uma fortaleza.

Era para esse passeio a céu aberto que o Rei Rogério ia agora, com sua mente cheia de pensamentos sobre a família, seus filhos, sua esposa perdida e o futuro da linha Altavila. Ele ficou sozinho com seus devaneios enquanto subia pelos degraus de pedra que levavam até a passarela dos guardas, no topo da fortaleza. Uma vez lá, ele se recostou na pedra fria e inspecionou o cenário abaixo dele.

Al-Qasr ficava empoleirada no alto do aclive, e ele olhou para a cidade e o porto abaixo que haviam crescido ao longo dos séculos, e ele considerou os prospectos para uma nova esposa. Rogério sabia que seu papel como soberano não combinava com a paternidade, mas ele tinha de encontrar a parceira ideal para completar a arquitetura familiar.

Ele andou pela passarela, recebendo continências intermitentes dos guardas normandos que protegiam a ele e a seu castelo. Eles estavam de prontidão, como sempre, mas muito disso era cerimonial. Não haviam ocorrido conflitos na ilha durante o reinado normando, e eles não ocorreriam hoje. Mas os guardas eram mantidos ali, e Rogério II retornava sua continência de maneira bem formal, como se os guardas estivessem se preparando para serem chamados a qualquer momento.

Após circundar o castelo, Rogério desceu pelas escadas e fez seu caminho em direção à capela, onde pensava mais do que em qualquer lugar. A *Cappella Palatina* havia sido construída sob o seu comando e de acordo com seu design, partes dela no topo de construções árabes prévias, e ele fez dela uma mistura esplêndida dos estilos árabe, normando e bizantino. Mosaicos cobriam as paredes, a abóbada era um remanescente de uma catedral bizantina e a arte que adornava as paredes e arcos imponentes carregava clara influência da arquitetura normando-cristã.

Na entrada da igreja, Rogério encontrou Hanislaw, o capitão de sua guarda, e Pedro, seu banqueiro. Ambos os homens prosperavam com o sucesso de seu rei numa relação simbiótica com a qual ambos os homens contavam para o seu sucesso também.

- Senhor, - disse Pedro quando Rogério reconheceu sua presença. Os três homens estavam no degrau mais alto, recém fora da capela, o sol do fim da tarde brilhando em seus olhos.

- É questão de planejamento - continuou Pedro, o banqueiro. Ele não mencionava dinheiro ou finanças em público e usou essa abordagem indireta para ganhar a atenção de Rogério. O rei não permitiria que o dinheiro fosse discutido dentro da igreja, então ele os guiou para o vestíbulo que ficava fora do calor do sol.

- O que é? - perguntou Rogério.

Ele estava bem informado sobre todos os assuntos em seu reino, então não esperava um anúncio súbito, mas ele deixou que o banqueiro escolhesse a direção da conversa.

- Seu exército tomou Trípoli, - começou Pedro, embora fosse apenas um prólogo – Rogério sabia dessa conquista, que fora mais cedo naquele ano. - E agora você precisa considerar sua próxima campanha.

Rogério mantinha sua atenção no banqueiro, mesmo que estivesse discutindo questões militares na presença de seu capitão. As guerras eram ganhas com dinheiro, ele sabia, porque a logística e os suprimentos deixavam seus soldados mais corajosos e mais bem-sucedidos.

- O que sugere? - perguntou ele, direcionando a pergunta a ambos os homens, já que Pedro teria de financiar a operação, mas Hanislaw teria de executá-la.

- Vossa santidade, o Papa Eugênio III, decidiu começar uma nova cruzada, uma campanha contra os infiéis no leste - disse Pedro.

- É uma campanha à qual vale a pena se juntar - adicionou Hanislaw. Ele sabia que o rei havia sido relutante em guerrear contra o leste, ou se juntar aos decretos papais para fazê-lo, então Rogério deveria ser convencido a fazer isso.

- Porque? - foi o curto desafio do soberano.

Rogério conhecia a história por trás disso. Imad ad-Din Zengi, um poderoso emir muçulmano, havia arrasado Homs, Baarin, Baalbek e Aleppo, na Síria, e ameaçava controlar todo o Levante. Ele já havia lutado contra o imperador bizantino João II e prevalecido, tomando o controle completo de Homs ao se casar com Zumurrud, e então conquistado

Damasco. Ele planejava um ataque a Jerusalém, mas precisou recuar por conta de uma aliança entre Muin ad-Din Unur e o povo de Jerusalém.

Houve apenas um curto período de calmaria - o tanto quanto possível - antes de Zengi atacar novamente. Dessa vez, era direcionado a Edessa, um local de poder Cruzado, mas mal defendido e sem chances de resistir a um militar formidável como Zengi. A cidade caiu, e a reputação de Zengi cresceu.

Rogério havia ouvido falar de Zengi pela primeira vez em meio à campanha muçulmana contra a igreja cristã e os cruzados. Desde que a primeira notícia chegou até ele, há um punhado de anos atrás, o homem havia se tornado uma figura mitológica, e Rogério percebeu que Zengi poderia ser aquele que suplantaria o império cristão. Foram apenas dois anos antes que a queda de Edessa houvera provado a habilidade do exército muçulmano de ameaçar o coração das terras cristãs.

"É uma campanha à qual vale a pena se juntar." As palavras de Hanislaw voltaram a Rogério.

- Sua santidade, o Papa, chama todos os reis da Europa para repelir os infiéis, - sugeriu Pedro, - e você é o mais poderoso de todos os reis.

Rogério tendia a acreditar no julgamento de seu banqueiro, mas ele também sabia que os outros reis podiam não estar preparados para dividir o poder ou o controle dessa nova cruzada. Ele havia lido o pronunciamento do papa, *Quantum praedecessors,* mas não estava impressionado com o raciocínio de Eugênio III para a nova cruzada. Independente disso, ele sentia que precisava participar dessa.

- Do que precisamos? Essa pergunta foi feita diretamente ao seu conselheiro militar, Hanislaw.

- Dois mil homens, com armas e armaduras. Quinhentos cavalos, vagões para levar a provisões junto com a marcha, suporte de...

- Mulheres? - interrompeu Rogério.

Hanislaw olhou para ele com um sorriso.

- Sim, senhor, mas não é nisso que eu estava pensando. Precisaremos de suporte nas vestimentas, remédios, comida e uma boa ajuda dos deuses.

Rogério se virou para Pedro, mas não teve de perguntar nada.

- Sim, temos tudo isso, - declarou o banqueiro. - Mas será melhor se aumentarmos um pouco o imposto que pedimos da população. Para que o tesouro não seque enquanto essa cruzada é travada.

Rogério assentiu. Era tudo o que era necessário nesse trio de detentores do poder. Se o soberano tinha os conselhos e o consentimento de seu especialista militar e seu banqueiro, e todos eles concordavam, não havia mais nada que fosse necessário para ir à guerra em um país distante.

Quando Pedro e Hanislaw partiram, Rogério continuou seu caminho para dentro da igreja em si. Ninguém usava essa capela além dele, e ele apreciava a quieta privacidade do interior dela. Era o lugar onde ele podia conversar com Deus e esperar pelas suas orientações quanto aos próximos passos do império Altavila.

Enquanto caminhava até o altar dourado no transepto, o padre Miguel entrou, da nave, e o interceptou. Miguel havia se juntado à corte de Rogério cinco anos antes, vindo de uma abadia em Cefalù, e era o confessor e conselheiro religioso de Rogério. Ele não se metia em decisões militares, nem aconselhava o rei no desenvolvimento de seu reino; sua única responsabilidade era guiar o soberano em direção à sua esperada entrada no paraíso.

- Bom dia, Rogério. Todos os seus súditos chamavam o rei de "senhor", exceto Miguel. O padre respondia primeiramente a Deus - uma liberdade permitida a ele por Rogério - e segundamente ao império Altavila, então ele não usava o título honorífico quando se dirigia a esse súdito do Senhor.

- Como está o seu dia? - perguntou Miguel.

- Estou bem, e a terra está segura e calma.

- Vi que estava conferenciando com Hanislaw e Pedro. Há eventos em movimento?

- Sim - respondeu o rei, simplesmente, sem maiores explicações. As questões do estado não eram província desse homem de Deus, e Rogério não se engajaria numa conversa sobre tais assuntos com ele.

- Está aqui para confessar os seus pecados?

Era uma pergunta natural o suficiente para o padre fazer, sem sugerir pecado da parte do rei. Mas Rogério apenas sorriu.

- Tenho pecado o suficiente para todos os meus súditos, - começou ele, com uma risada resignada, - mas nenhum para confessar hoje, padre. O que sabe de Sua Santidade estar chamando por uma nova cruzada?

- Cruzadas são mais sobre soldados do que sobre almas - respondeu Miguel, evitando a pergunta.

- Mas seu papa pensa diferente, ou então ele não diria que a Igreja deve retomar a Terra Santa?

Miguel olhou para o rei atentamente, o encarando por um momento com a cabeça inclinada para o lado, pensativo. Ele queria um momento para organizar suas palavras com cuidado.

- A Terra Santa é onde Nosso Senhor começou sua igreja e onde iniciou seus ensinamentos. É santa porque é o local onde sua mui santa mãe Maria viveu, e nos deu o Filho de Deus.

Rogério olhou de volta para Miguel e se perguntou quando seu monólogo chegaria perto de responder à pergunta.

- E é santa porque lá Ele foi crucificado, enterrado e retornou dos mortos para salvar nossas almas. Mas a graça reside em nós, e não no solo de Jerusalém, ou nas águas do rio Jordão.

- Então, - intercedeu Rogério, - você não se importaria se retomássemos a Terra Santa.

Miguel havia passado seus anos em Palermo, aprendendo sobre a religião muçulmana e vindo a entender seu modo de vida, suas crenças e sua justificativa para ter suas diferenças com a Igreja de Roma. Ele respeitava seus irmãos do islã mais do que imaginava que iria quando chegou em Palermo, em grande parte graças à equanimidade mostrada a eles pelo homem que estava à sua frente naquele momento, e ele tinha grande tolerância para com eles também.

- Nossos amigos muçulmanos acreditam que Maomé subiu aos céus de uma pedra em Jerusalém, e esse lugar é sagrado para eles também.

O padre parou para pensar um pouco, então continuou.

- Devemos tê-la – e eles não – ou devem eles tê-la, e nós não?

Rogério tomou o comentário mais como uma charada indecifrável do que uma pergunta. Em resposta, ele apenas sorriu de leve e se virou para continuar seu caminho até o altar, onde ele se ajoelhou no degrau de pedra fria e abaixou a cabeça em oração.

AGOSTO DE 2018

CAFETERIA AMADEO

- A ERA ALTAVILA TROUXE ESTABILIDADE, - DISSE Vito, após se acomodar na cadeira. Ele pausou momentaneamente, esperando para que o barista trouxesse seu café, que estava chegando. Eu conhecia a rotina e fiquei sentado, em silêncio, até que o professor estivesse pronto.

- Rogério I – na verdade, ele não era chamado de "primeiro", já que isso geralmente significa realeza e ele era – de acordo com a decisão de seu irmão, Roberto, apenas um conde – mas, de qualquer forma, Rogério era um homem sábio e paciente. Ele tinha trinta anos de idade, o que era considerada meia-idade na época em que conquistou Messina, se casou com uma mulher normanda de alta classe, Judite – a primeira de diversas esposas – então continuou para tomar o controle da ilha e reinar de Palermo. Ele percebeu que, para cristianizar a mistura das populações bizantina, muçulmana e judaica espalhadas pelo território, precisaria de uma mão ágil.

O Papa Nicolau II esperava uma conversão rápida do povo da Sicília, mas Rogério achou melhor deixar que todos praticassem a religião de sua escolha. Algumas das casas de adoração já haviam sido convertidas de templos gregos para igrejas cristãs, então para templos judaicos e, depois, para mesquitas muçulmanas. Rogério re-cristianizou algumas delas quando tomou controle do meu país, mas ele deixou muitas das estruturas em paz, para que seus súditos vivessem juntos, pacificamente.

- Funcionou? - perguntei.

- Sim. Na verdade, funcionou. Rogério trouxe ordem e estruturação. Ah, não quero dizer que não era bom antes, mas, - continuou Vito, com uma piscadela, - tivemos nossos tempos tumultuosos também! Ele tinha de trabalhar com delicadeza, no entanto. Por exemplo, embora ele permitisse que os muçulmanos permanecessem na Sicília, ele removeu os emires. Eles representavam um poder anterior e um retorno ao passado árabe, e sua presença poderia conjurar noções de um retorno ao exercício de poder islâmico.

- Mas, como... - eu parei para clarear meus pensamentos antes de começar novamente. - Se Rogério expeliu os emires e imãs...

- Eu não disse que ele expeliu os imãs, - disse Vito, interrompendo meu raciocínio e requerendo outro ajuste à minha pergunta.

- Ok, então ele expeliu os emires porque eles representavam poder. Mas ele permitiu que os imãs permanecessem porque representavam religião.

Vito assentiu em aprovação e bebericou de seu espresso.

- Presumo que também havia rabinos e o clero cristão.

- Todos, - foi sua resposta. - Na verdade, ele permitiu que a comunidade de cada religião continuasse vivendo de acordo com sua cultura.

- Como isso funcionou? - perguntei, ceticamente. - Religião e lei são separadas, eu sei, mas...

- Falando como um verdadeiro estadunidense.

Aqui me trouxe um sorriso aos lábios.

- Bem, é, eu sou estadunidense.

- *Sì,* Luca, você é. Mas a maior parte do mundo, especialmente o velho mundo, não manteve a igreja e o estado tão separados.

O barista voltou com duas novas xícaras de espresso e um prato de tâmaras.

- Usemos a comunidade árabe de exemplo, - comecei. - Como isso funcionaria?

- Primeiro de tudo, Rogério acreditava no poder da lei. Ele não governava por seus próprios instintos ou caprichos, como muitos monarcas fizeram. Isso permitia que ele mantivesse suas emoções longe da aplicação da lei. Então ele podia deixar os imãs aplicarem suas leis, os rabinos as suas, os bizantinos as suas e por aí vai. Contanto que as aplicações religiosas não desafiassem sua autoridade ou negassem a ele – o Conde da Sicília – suas próprias prerrogativas, Rogério sentia que tal magnanimidade garantiria a paz.

Seu reinado também pavimentou o caminho para talvez a maior mudança na história cultural da Sicília. Por quase dois séculos, o mundo árabe houvera governado a ilha, e, assim, pensava-se que ela pertencia ao norte da África. A época do reinado de Rogério trouxe a Sicília de volta à esfera da Europa, deixando a ilha mais europeia e – não acidentalmente – mais italiana.

Ele morreu em 1101 D.C., e, seu filho, Rogério II...

- Espere, - implorei, levantando a mão esquerda e fazendo anotações com a mão direita. - Deixe-me confirmar algo. Rogério "primeiro" não era chamado assim.

Vito assentiu.

- Mas seu filho era chamado de "segundo"?

- *Sì,* - respondeu ele. - Rogério II foi feito Rei da Sicília e ele adotou "segundo" para... como é a palavra... "reescrever?"

- Quer dizer revisar, como a história revisionista?

Vito sorriu largamente àquilo, então assentiu.

- É claro, ele não teria se referenciado àquilo dessa forma, mas sim, ele estava revisando a história para sugerir que seu pai também havia sido da realeza.

Então, de qualquer forma, a esposa de Rogério II, Elvira, morreu após lhe dar quatro filhos, incluindo Guilherme I, que mais tarde sucederia o pai ao trono, como rei. Sua segunda esposa foi Sibila, mas, após dar à luz um rapaz adoentado que morreu cedo, ela morreu num segundo parto.

- Por quanto tempo eles ficaram juntos? - perguntei.

- Menos de dois anos.

- E então?

- Ele logo encontrou outra, Beatriz de Rethel...

- Ele. Rogério II, certo?

- *Sì*, Rogério II. Ele se casou com Beatriz, uma francesa de nascimento nobre. Ela tinha apenas dezesseis anos quando se casou com Rogério, e ele já tinha cinquenta e seis anos de idade. Ele morreu três anos depois, mas, nesse meio-tempo, teve uma filha, Constança. E ESSE, - disse ele, enfaticamente, - é um nome para se lembrar. Ela teve um papel significativo na história do meu país.

- Como assim?

- Ok, fica um pouco confuso, mas... - começou ele.

- Um pouco - ri. Toda essa cronologia era um labirinto de cultura, países e nomes.

- Seu pai morreu em fevereiro de 1154, e ela nasceu em novembro de 1154. Vito pausou enquanto eu escrevia as datas.

- Espere - disse eu. - São nove meses.

- Mais especificamente, Rogério II morreu em 26 de fevereiro e sua filha, Constança, nasceu em 2 de novembro. Menos do que nove meses, - respondeu Vito, levantando a xícara de espresso para tomar um gole. - Porque pergunta?

- Só me perguntei se Beatriz havia concebido depois da morte dele.

Vito bebeu da xícara e não respondeu. Quando ele a pousou, se virou para mim e passou direto pela pergunta.

- Com sua morte, Rogério II foi sucedido no trono por Guilherme I, seu filho, que morreu em 1166. Acompanhe isso, - disse ele, batendo o dedo em uma página do meu diário para sugerir que eu escrevesse o que estava dizendo. - Àquela época, no ano de 1166, Constança tinha apenas doze anos de idade. Agora, lembre-se, Guilherme I e Constança eram primos. Com sua morte, Guilherme I foi sucedido por ser filho, Guilherme II, e porque ele só tinha doze anos de idade na época...

- A mesma idade de Constança.

- Exatamente, - respondeu Vito. - Por conta de sua idade, sua mãe, Margarida de Navarra – esposa de Guilherme I e, portanto, Rainha da Sicília – serviu como regente até que Guilherme II chegasse à maturidade. Ele serviu por vinte anos, tempo durante o qual Constança também atingiu a maturidade. Quando Guilherme II morreu, em 1189, ele foi sucedido por seu primo, Tancredo, dubiamente certificado como filho ilegítimo de Rogério III, duque de Apúlia.

- O que tudo isso tem a ver com Constança?

- Estou chegando lá, - disse Vito, com um único aceno de cabeça. - Tancredo serviu como rei até 1194, quando foi sucedido por Guilherme III, um Altavila. Na verdade, ele foi o último dos Altavilas e o último rei normando da Sicília.

- E Constança?

- Impaciente, não é? - cutucou Vito. - Durante essa época, Constança se casou com Henrique VI, o Sacro Imperador Romano...

- Uau! Sério? - disse eu, - Uma mulher siciliana casada com o Sacro Imperador Romano.

Vito sorriu.

- Não somos apenas... como você diz, "zé ruelas!" - adicionou ele, com um sorriso alegre.

- De qualquer forma, sim, ele era "só" o Rei da Alemanha quando se casaram, e se tornou o Sacro Imperador Romano cinco anos depois. Ele era da casa de Staufer, conhecida como a família Hohenstaufen, e é por isso que a vida de Constança importava tanto para a Sicília. Ela era uma normanda, e já que a realeza da Sicília não daria as boas-vindas a um alemão como Henrique tomando o poder aqui, foi oferecido a Constança – uma normanda – um compromisso de soberania.

- É uma forma esquisita de contornar isso - ofertei.

- Sim, mas funcionou. Depois de muitos anos e diversos conflitos, incluindo várias tentativas de incursões militares para a Sicília, Henrique VI e Constança asseguraram a Sicília para si. Adicionalmente a seus outros títulos, Henrique VI podia se chamar Rei da Sicília. Mas Constança foi a primeira rainha cujo sangue verdadeiramente vinha do meu país. Foi uma quebra nos séculos de sucessão patriarcal, mas uma necessidade para gerenciar a transição da coroa, um feito que manteve a família Normando-Altavila, mas que também introduziu a linha Hohenstaufen, da Alemanha, ao meu país.

1194 E.C. - 1266 E.C.

SUÁBIOS

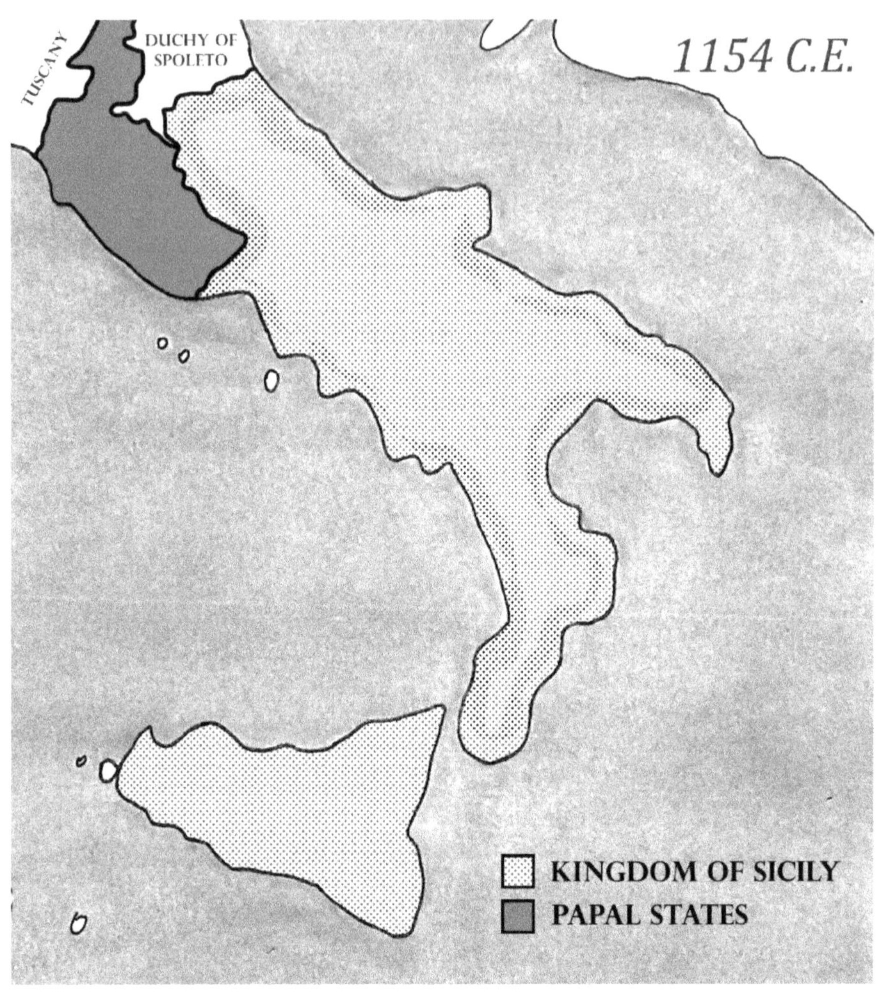
1154 C.E.
TUSCANY
DUCHY OF SPOLETO
KINGDOM OF SICILY
PAPAL STATES

1204 E.C.

SIRACUSA

Gaspardo se inclinou para o vento, empoleirado na proa do *Carrocia* enquanto ele navegava para sul, saindo de Gênova e indo para o Estreito de Messina. Já havia sido um longo dia e a noite havia caído, mas com os cordames aprimorados dessa embarcação, ele sabia que alinhavar do oeste para o leste e de volta seria fácil. Nos meses desde que ele havia recebido o comando do navio, ele havia começado a admirar sua agilidade e velocidade. Ele sabia que chegariam na ponta nordeste da Sicília pela alvorada.

Alamanno da Costa veio de trás e passou pelo capitão, andando até os gurupés do barco. Ele se inclinou para o vento assim como Gaspardo havia feito, enquanto o giro anti-horário do vento empurrava as velas. Seu navio alinhavava para a frente e para trás, ziguezagueando pelas águas ao sul de Gênova, singrando as ondas baixas. Ele estava com o olhar voltado para Siracusa, uma cidade que havia sido habitada pela primeira vez por uma tribo primitiva chama siculi, havia crescido sobre a administração dos gregos do Egeu, sido ocupada por séculos pelos romanos e atacada pelos atenienses. Ele sabia que a cidade havia passado para as mãos árabes e então sido libertada pelos normandos. Sua posição no mar fazia com que fosse um objetivo principal para qualquer expedição de comércio, então ele estava impressionado, mas não surpreso, pela série de conquistas.

Da Costa havia nascido e crescido numa família mercante, mas seus sonhos de riqueza global o tiravam do escritório para as águas do Mediterrâneo. Então ele agora era o proprietário desse poderoso navio de guerra indo de encontro com o *Leopardo,* um corsário de Pisa cuja mera presença interferia com seu comando daquela parte do Mediterrâneo. Os pisanos estavam competindo pelo mesmo troféu que ele, o domínio sobre os cantos orientais da Sicília, e haviam, nos anos recentes, tomado a cidade de Siracusa como refém. Da Costa planejava libertar aqueles reféns; ou, mais especificamente, tomá-los para si. Ao fazer isso, o mercador que agora era aventureiro pretendia acabar com a competição entre sua terra natal de Gênova e o povo de Pisa de uma vez por todas. Foi um confronto que ele escolheu, e também escolheu quando e onde.

Da Costa havia seguido os eventos na Sicília de perto através dos reportes de seus agentes, que enchiam as águas do Mar Mediterrâneo, e através dos mercantes que comercializavam na dúzia de ilhas que se aglomeravam ao redor dessa joia especial no meio do mar. Ele foi atraído a Siracusa porque foi ali que os navios mercantes do leste atracaram, e onde os mercantes siracusanos se lançaram ao mar em busca de mercados, para lugares tão ocidentais quanto Valência, na Ibéria, e Tânger, até mesmo para lá das Colunas de Hércules, em direção ao grande oceano desconhecido. Da Costa sabia que Siracusa - mais do que Messina - era um eixo para o império comercial do Mediterrâneo, e ele o queria para si.

Apesar de sua herança mercante, da Costa sabia que conquistas como as que desejava não poderiam ser alcançadas com as grandes galés desajeitadas utilizadas para transportar bens. Ao invés disso, ele escolheu um navio feito para a batalha, uma embarcação equipada com uma vela latina de formato triangular para velocidade e eficiência, uma embarcação que poderia cortar os ventos marinhos para singrar as ondas e atacar outros navios.

Mas, antes que ele pudesse realizar seus sonhos de conquistar Siracusa, ele tinha de eliminar os navios da marinha pisana como os protegidos pelo *Leopardo,* então os afundar ou adotá-los para si. A missão para a qual ele zarpou deveria ser fácil, ele concluiu. Sua tripulação de quinhentos homens excedia bastante os cerca de duzentos do navio rival, e seu *Carroccia* era considerado mais rápido do que a embarcação inimiga. A batalha, se é que ocorreria uma, seria rápida e certeira.

- É um bom vento - disse Gaspardo, se dirigindo ao seu comandante sem olhar para ele.

Da Costa reconheceu o comentário com um aceno de cabeça, mas não se preocupou em manter contato visual. Ele havia encontrado o capitão em uma taverna decadente em Gênova, um mês antes. Em um ambiente mal iluminado e fumacento, cheio de marinheiros bêbados em sua breve liberdade na costa, Gaspardo sentou-se sozinho, tragando profundamente do cachimbo de madeira e bebericando ocasionalmente da caneca de vinho na mesa. Da Costa nunca havia visto o capitão, mas com o nome e uma descrição vaga, ele sabia que ele era Gaspardo no momento em que passou pelo portal e abaixou a cabeça pelo batente. A descrição incluía mais palavras sobre a presença de espírito e obstinação do capitão do que sua aparência externa, e o homem que da Costa viu naquela noite se encaixava com a descrição perfeitamente.

- Meu nome é Alamanno da Costa, - começou se apresentando após se aproximar da mesa do capitão. - Eu sou... - mas Gaspardo o interrompeu. Educadamente, mas com uma voz firme que comunicava respeito, mas também impaciência.

- Você é o mercante que está procurando alguém para pilotar o seu barco.

- Sim, - respondeu da Costa, - mas há mais. Eu quero que me ajude a tomar Siracusa dos pisanos, mas, no processo, os tirá-los do mar e acabar com as reivindicações de Pisa a essa região.

Gaspardo riu um pouco do grande plano de da Costa.

- Devo também mover as ilhas ao norte da Sicília que possam estar em seu caminho, senhor?

- Isso não será necessário, - respondeu da Costa. - Reivindicaremos elas também.

E, naquele fim de tarde, seu vínculo foi estabelecido.

Ferdinando Renata era o titular da comissão enviada pelo governador de Pisa para manter a paz uma vez que haviam estabelecido uma rota marítima até a Sicília e tomado o controle de Siracusa. Ele não era uma figura imponente; ele não teria sido escolhido para um papel militar nessa arena. Renata era um político e um administrador, um homem que sabia como fazer acordos e gerar conformidade. O povo de Siracusa não estava feliz de ver outro império como Pisa tomar as rédeas de sua cidade, mas se os novos invasores deixassem a maior parte da cidade e suas tradições intactas, eles seriam tolerados. Então a calma presença e a mão leve de alguém como Renata eram críticos para manter a harmonia.

Seu título era o de governador, mas Renata não se importava em governar. Ele preferia permanecer no castelo empoleirado no topo das colinas que cercavam o porto de Siracusa e pedia que seus emissários supervisionassem as atividades da cidade. Aquilo incluía o comércio, bem como o comportamento dos cidadãos e, quando a necessidade surgisse, o silenciamento e a punição de comportamentos perturbantes. Renata havia apontado dois juízes - um de Siracusa e outro que ele trouxe consigo de Pisa - para julgar questões e manter a paz. Não havia força policial; aquela função era cumprida pelos homens armados que haviam sido usados para capturar a cidade no início.

Foi num fim de tarde quieto, com o sol ainda se pondo atrás das muralhas ocidentais da cidade, que a esposa de Renata, Abulafe - uma filha da minguante população árabe de Siracusa - veio sentar-se com ele.

- Você irá comer mais tarde hoje? - ela perguntou a ele enquanto se sentava na cadeira esculpida de madeira à sua frente, na mesa. Ela vivia a vida de uma mulher moderna na maioria dos aspectos, mas mantinha elementos de sua criação muçulmana, incluindo não se sentar próxima de um homem, mesmo que fosse o seu marido. Ela tomou o lugar mais respeitável, de frente para ele, no outro lado dessa mesa que era grande o suficiente para que seus pés não se tocassem embaixo dela.

- Sim, isso seria bom. Talvez *coniglio* esta noite? - perguntou ele, se referindo à carne macia dos coelhos que eram criados em cativeiro precisamente para esse prazer alimentício.

- Se é o que quer, meu marido. Pedirei aos criados que o preparem para logo que o sol se pôr - adicionou ela, então se levantou e deixou a sala.

Renata voltou o olhar para fora do cômodo, pela janela que dava para a maior piazza da cidade e para o porto além. Ele não era um homem inquieto, então sentar por longos períodos de tempo não o incomodava. Ele foi enviado para controlar as atividades da cidade e havia se cercado de pessoas capazes, incluindo soldados, então ele podia simplesmente residir ali. Uma tarefa fácil, e uma com a qual seus superiores em Pisa sabiam que o homem podia lidar. Renata era um administrador considerado e tinha a visão para enxergar além das disputas mesquinhas e motivações egoístas dos que o cercavam. Ele não tinha de ameaçar com punições ou retribuições para tratar dos assuntos de Siracusa. E ele preferia muito mais a plácida ordem da cidade.

O *Carroccia* subia as ondas e caía levemente sobre as valas entre elas. Era um sobe e desce gentil, e tanto da Costa quando Gaspardo sentiam o ritmo da embarcação em seus ossos e tendões. O capitão havia nascido para o mar e, embora seu comandante houvesse vindo até ele mais tarde na vida, ambos os homens sabiam que esse era o estilo de vida feito para eles.

Quando a luz saiu do céu e o *Carroccia* continuou à frente, Gaspardo ficou em pé no convés, direcionando o caminho do navio. Ele sabia que encontraria o *Leopardo* antes de ver o porto de Siracusa, e ele queria que seus batedores ficassem alertas para qualquer sinal da embarcação pisana. Ele não queria encarar o inimigo no escuro, mas ele não se acovardaria perante ao embate quando quer que ocorresse. Então ele instruiu o piloto a se manter próximo da costa da península italiana, onde os ventos estavam mais calmos naquela noite. Ao ficar à vista da terra à mercê de brisas mais fracas, eles diminuiriam a velocidade do *Carroccia* e preservariam a possibilidade de trombar com o *Leopardo* à luz do dia. E isso é precisamente o que aconteceu, bem como Gaspardo havia planejado.

Foi no primeiro sinal do nascer do sol a estibordo que Gaspardo viu o mastro e a vela de um navio indo para o norte. Como o *Carroccia,* ele alinhavava no vento, mas desviava para mais longe da costa, uma dica que o capitão rapidamente interpretou como uma tática para adicionar velocidade ao invés de atrasar o caminho da embarcação. Da Costa foi chamado ao convés e Gaspardo apontou para a imagem que estava subindo pelas ondas, na distância, ao sul.

- É o *Leopardo?* - perguntou ele. O mar era enorme e haveria muitas embarcações sobre ele, mas nenhuma deles deveria ser temida - ou antecipada - tanto quanto essa, então da Costa só se importaria caso a galé que balançava em direção a eles nas ondas fosse o navio inimigo.

No curto período de tempo em que rastreavam a embarcação que se aproximava, a imagem havia crescido o suficiente com a proximidade e Gaspardo podia identificar melhor o perfil e as velas. Ao fazer isso, ele estava preparado para afirmar que esse era, de fato, o *Leopardo,* pelo formato de suas velas e a largura de seu casco.

- Senhor, sim, acredito que esse seja o navio de guerra pisano.

Gaspardo e da Costa mantiveram um olhar atento na embarcação que se aproximava, bem como o capitão daquele navio sem dúvida mantinha um olhar atento neles. Era apenas uma questão de cerca de uma hora até que os dois navios estivessem perto o suficiente para estimar o tamanho das tripulações e das armas a bordo. Gaspardo sabia que seu comandante havia insistido numa grande força militar, grande o suficiente para ameaçar a estabilidade do *Carroccia,* mas também grande o suficiente para superar a tripulação de qualquer navio comum do tamanho do que se aproximava. Ele estudou a posição e a elevação da embarcação, dicas acerca do peso que ela carregava, e decidiu que estava galgando as ondas de forma leve demais para estar equipada com armas tanto quanto o *Carroccia.* Enquanto a estudava, ele pôde confirmar que era o *Leopardo.*

- Os alcançaremos em alguns momentos, senhor, - disse ele a da Costa. - E cairemos com toda nossa força neles imediatamente.

- Quero que essa batalha termine rapidamente - disse o comandante, olhando para Gaspardo para a confirmação.

O capitão devolveu o olhar a da Costa e assentiu.

———

Renata acordou tarde na manhã seguinte. Ele havia tido uma refeição longa e satisfatória, compartilhada com Abulafe, e havia tomado vinho demais. Ele nem sempre bebia tanto, mas era um fim de tarde agradável e o governador tinha pouco trabalho de verdade para fazer. Ao acordar tarde, ele foi ajudado a se vestir pelo criado, e tomou sua posição na grande cadeira em frente à janela. Ele foi ter um longo café da manhã com pão fresco, frutas das pereiras e figueiras que cresciam em seu pomar pessoal, e um pedaço generoso de porco grelhado que ele comia todas as manhãs.

- Está bem nesta manhã, senhor? - perguntou sua esposa ao entrar no cômodo.

Renata apenas assentiu.

- Você se encontrará com Don Filippe hoje? - perguntou ela, se referindo ao homem que cuidava das questões bancárias para a casa mercantil de Renata.

- Sim, eu o verei esta tarde - respondeu ele, um horário não muito distante, considerando o despertar tardio do governador naquela manhã.

Abulafe cuidava da agenda de seu marido. Ele não era um homem ambicioso e ela sabia que seus compromissos se perderiam caso ele fosse deixado a sós com eles. Ela não estava interessada em controlá-lo ou tomar qualquer coisa de suas propriedades; Abulafe apenas queria que eles continuassem a ter uma vida confortável e sabia que isso seria posto a risco caso os afazeres de Renata não fossem gerenciados adequadamente.

- Cuidarei para que ele esteja aqui nesta tarde - disse ela, e então deixou o cômodo.

Naquela mesma manhã, o *Carroccia* e o *Leopardo* estavam em batalha nos mares logo ao norte da ilha da Sicília. Bem como da Costa havia pedido e Gaspardo prometido, a batalha foi travada furiosamente, com dúzias de soldados do *Carroccia* enviados à abordagem da embarcação menor do inimigo logo que a luta começou. Os pisanos não podiam encarar o poderio do navio genovês nem as táticas de seu capitão, e logo se renderam.

Era comum que os marinheiros fossem recrutados para as forças do exército conquistador. Os marinheiros eram frequentemente combatentes relutantes de qualquer forma, e era sabido que eles trocavam de lado de acordo com o comando do novo capitão. Foi isso o que aconteceu naquela manhã, com os marinheiros do

Leopardo recebendo uma oferta de trabalho fixo pelos genoveses ao invés de serem atirados ao mar. Dessa forma, da Costa obteve um novo navio - logo sendo adicionados outros dois a navegar sob a bandeira de Gênova - e continuou seu curso até Siracusa.

Renata se encontrou com Don Filippe, que não só o aconselhou nas questões proprietárias dos negócios familiares, mas também trouxe a notícia de que seu navio de guerra, o *Leopardo*, havia sido tomado pelo mercador genovês Alammano da Costa. O governador recebeu as notícias com ceticismo, de início, mas então perguntou ao banqueiro o que essas notícias significavam para ele.

- Os genoveses planejam tomar a cidade de você, de Pisa, - respondeu ele. - Isso vinha sendo um rumor por algum tempo, e agora parece que eles estão vindo para cá.

- O quer dizer, "vindo para cá"?

- O navio deles, o *Carroccia,* foi equipado com quinhentos soldados e armas pesadas. Agora eles têm o *Leopardo*, que foi tomado para a marinha deles. E em seu curso para essa ilha, mais dois navios de guerra se juntaram a eles, aumentando a frota e os assegurando de que eles podem superar qualquer um que os intercepte.

- Então não tentaremos interceptá-los - disse o governador. Ele tinha pouca experiência com combates e não sabia nada de táticas de mar aberto.

- Sim, senhor, esse seria um curso sábio, - continuou Don Filippe. - Mas qual é o plano para quando eles entrarem em nosso porto?

Renata olhou para a mesa e disse: - Chame Telio del Stanno. Ele estava chamando o capitão de sua guarda.

Quando o oficial comandante chegou, vários minutos depois, Renata o informou do estado da aproximação da frota genovesa. Del Stanno já estava ciente de todas as ações e sabia mais do que Renata, principalmente porque ele entendia melhor do assunto.

- O que aconselha? - pediu o governador.

- Reforçaremos a guarda no porto, faremos o inimigo lutar contra ela antes de chegar às docas e então os encararemos das alturas desse castelo.

- Isso será o suficiente?

- Combateremos com o que temos, senhor.

Dois dias depois, os navios de da Costa entraram no porto siracusano. Houve uma leve resistência, mas os soldados que guardavam Siracusa estavam cientes de que enfrentavam uma marinha poderosa e muitos deles desistiram antes de chegar à linha de frente. A conquista foi terminada rapidamente, e os pisanos se renderam em terra assim como haviam feito no mar.

Foi permitido que Renata deixasse a cidade com sua esposa e conselheiros próximos, enviado de volta a Pisa no único navio que da Costa permitiu partir de Siracusa. Gênova agora controlava as cidades costeiras do leste siciliano e logo iria para o interior para tomar outras, e Alamanno da Costa foi reconhecido como o novo Conde de Siracusa.

1239 E.C.

PALERMO E MAZARA DEL VALLO

O Rei Henrique VI havia chegado à Sicília em 1194 E.C. e, durante o trajeto vindo da Alemanha, a esposa do rei, a dama normanda Constança, deu à luz a Frederico, que seguiria seu pai na nobreza e se tornaria o Sacro Imperador Romano no ano 1220.

Frederico foi criado ouvindo histórias de sua família, como ela havia conquistado a Sicília e todo o folclore que o povo da ilha havia ligado a eles. Sua mãe era uma normanda da família Altavila e seu pai era um alemão da família Hohenstaufen, então a Sicília já havia sido comandada por estrangeiros antes de Frederico ascender ao trono. Sua família havia redefinido a Sicília, a tomado dos árabes, e ele sabia desde pequeno que eles eram destinados a muitas gerações de liderança nessa ilha no Mar Médio.

Mas nem tudo era fácil assim. Eu seus anos de crescimento até ter responsabilidades, Frederico prestou muita atenção às coisas que sua família havia feito de maneira correta e às coisas que haviam feito errado. Tolerar a fé muçulmana juntamente com a cristã - para não mencionar a teologia e práticas judaicas - era a coisa certa e mantinha um nível de paz na comunidade.

Mas os muçulmanos estavam mostrando sinais de reversão aos ensinamentos do islã, o que incluía a ordem de converter ou escravizar os que rejeitavam sua teologia. Os "infiéis" deveriam cair aos seus pés, pensavam eles, mesmo os cristãos dominantes, mas com um cristão como chefe de governo, atingir o objetivo muçulmano era difícil, senão absolutamente impossível.

Frederico foi apresentado a um desafio nada invejável. Como soberano, ele não tinha de pedir permissão de ninguém, mas como um homem representando uma única fé em uma comunidade plural, ele não queria alienar os outros grupos. Mas ele também havia começado a temer os protestos e a maneira franca como os muçulmanos que ainda estavam na ilha se comportavam. Frederico sentiu que chegaria o momento - se já não houvesse chegado

- em que ele teria de remover os muçulmanos e seus ensinamentos islâmicos da Sicília para garantir a sobrevivência da ilha.

Ele foi nomeado rei quando tinha apenas quatro anos de idade, embora sua mãe houvesse governado em seu lugar por muitos anos. Essa época incluiu conflitos múltiplos e contínuos entre as raízes sicilianas de Constança e a linhagem alemã de seu marido, inclusive discordâncias frequentes com o Vaticano. Frederico foi trazido à Sicília, então voltou apressadamente à Alemanha por segurança, para voltar à Sicília de novo e de novo. Na juventude, ele era tanto um peão quanto um governante declarado desse vasto império. Em dado momento, Marcovaldo de Annweiler se juntou com uma força de Gênova e invadiu a Sicília, tomou Frederico como refém e reivindicou o território para si.

O jovem rei foi mantido sequestrado no palácio real de Palermo por um tempo, durante o qual chegou à maturidade e, uma vez ali, afirmou-se e exerceu seu poder sobre as regiões da Sicília que vinham sendo comandadas por um grupo de barões que agiam sem um poder centralizado a ser temido. Reinando frequentemente à distância, incluindo viagens para seu outro reino na Alemanha e em Cruzadas, Frederico retornou à Sicília em 1237 E.C. para avaliar como o lugar havia experienciado mais divergências entre as várias tribos religiosas da ilha.

Em 1239, Frederico estava com sua terceira esposa - Isabella, que era tanto a Rainha da Sicília como a Sacra Imperatriz Romana, de acordo com sua associação com Frederico - mas, ainda assim, ele encontrava tempo para se entreter com Bianca Lancia, que lhe deu três filhos, e com mais outras diversas concubinas ao longo de seus casamentos. Ele era um cético religioso, uma posição que resultou em sua excomunhão não uma, mas duas vezes, e mesmo assim ele ainda se alinhava com a sociedade cristã.

Se esforçando para manter a paz na Sicília, Frederico considerou reprimir algumas facções e banir suas práticas religiosas, mas ele não estava preparado para reverter as políticas de seus ancestrais. Ele separou as cortes religiosas e minimizou os modos tolerantes de seus predecessores. Ele até mesmo considerou dividir a ilha de leste a oeste, mas decidiu que isso não seria prático, já que reinar sobre uma Sicília sem divisões já era uma tarefa formidável.

- Senhor, - disse seu conselheiro, Mateo D'Amato, - me conceda um momento, sim?

Frederico apontou para a cadeira acolchoada próxima de onde estava, em sua biblioteca. A paixão do rei por aprender era bem conhecida, e ele se cercava de professores e filósofos bem como de um rico suprimento de volumes de tratados famosos encapados em couro, que preenchia as paredes de sua grande sala.

- Quer lidar com os muçulmanos, não? - perguntou D'Amato.

O rei assentiu.

- Tenho uma ideia. - Gostaria de ouvi-la?

Nesse exato momento, Isabella entrou no cômodo, seguida de sua corte de três damas de companhia. D'Amato segurou a língua e Frederico olhou para sua esposa, sorrindo. Ele era apaixonado por ela tanto quanto era por aprender, e sempre gostava de estar com ela. Ele não se importava em falar sobre coisas sérias em sua presença, como seu conselheiro parecia estar a ponto de fazer, mas ele não queria que as jovens damas de companhia ouvissem.

- Minha senhora, pode ficar? - ele perguntou a Isabella, mas ao apontar para a outra cadeira na sala, ele deixou aparente que suas damas não eram bem-vindas.

- Não, meu senhor, não posso. Eu vim apenas para lhe informar de que há visitantes de Mazara del Vallo lhe esperando na sala do trono.

Frederico olhou para D'Amato, que sorria, provando que ele também sabia dos visitantes e que seu aconselhamento e a visita podiam estar conectados.

- Quem são, se me permite a pergunta?

- O Barão Sirico Laurentiis de Mazara, o Barão Dante Cremia de Agrigento e o Barão Adolfo Triponte de Gela.

-Eles disseram quais são seus assuntos ou suas razões para virem a Palermo neste dia?

- Não, meu senhor, - respondeu Isabella, então sorriu modestamente. - Eles não creem que uma mulher deva estar incluída em conversas de negócios...

- Mas eu sim, - disse Frederico, adicionando uma frase que ele sabia que sua esposa pensaria, mas não falaria.

- De qualquer maneira, obrigado, Isabella. Por favor, os informe de que estou contente com a presença deles aqui e que os verei em breve.

Isabella deixou a sala, seguida de perto pelas jovens damas. O Rei Frederico prestou particular atenção à última delas, observando sua cintura rebolar sob o fino algodão de seu vestido. Ele conhecia sua forma muito bem sem as coberturas, e apreciou a silhueta torneada enquanto saía da sala.

- Então, quais são os negócios de hoje? - perguntou ele a D'Amato. - Ou devo dizer, quais são os negócios deles e os seus, presumindo que você, Mateo, me chamou pela mesma razão que trouxe nossos barões.

- A comunidade muçulmana está fazendo mais barulho e parece preparada para lhe opor, senhor.

- Me opor? - Como?

D'Amato se conteve por um momento, olhando para as próprias mãos antes de levantar o olhar para fazer contato visual direto com o rei.

- Eles podem ser um problema, podem começar protestos nas ruas. Eles podem insistir por mais liberdade para sua religião.

- E o que isso significaria? - perguntou Frederico. - Eu já os permiti praticar o islã sem interferência.

- Eles querem construir mais mesquitas pela Sicília...

- Mas é por um decreto de longa data, desde os tempos de meu avô, que eles podem praticar o islã e até mesmo aplicar suas próprias leis em sua comunidade. Mas não teremos mesquitas abobadadas sendo construídas em espaços sobrando nas cidades.

- Eles podem demandar que a lei da *sharia* seja aplicada.

- Eu deixei que fizessem isso em sua própria comunidade, desde que não contradigam as leis do Sacro Império Romano ou os ensinamentos cristãos.

- Eles querem forçar a *sharia* aos não-muçulmanos também.

Frederico ficou em pé rapidamente com essa afronta, começou a falar, mas segurou a língua. Essa sugestão era ultrajante, e ele sabia que não podia deixar que isso crescesse até se tornar uma revolta declarada.

- E como isso está conectado com a visita de meus súditos de Mazara, Agrigento e Gela?

- Laurentiis tem uma ideia.

- Laurentiis. De Mazara del Vallo?

- Sim, senhor.

- E você já descobriu qual é essa ideia?

- Laurentiis – e, se me permite dizer, os outros também – acredita que você deve transportar os muçulmanos para fora da ilha da Sicília, para fora de nosso reino e de volta para o Oriente.

Frederico riu pela primeira vez nessa discussão.

- Meu reino é vasto. Eu não sei para onde os mandaria se fosse para fora de meu reino.

- Seu reino, senhor, é de fato vasto. Se estica desde aqui, em Palermo, para o leste por todo o país da Sicília, pelas terras ao sul de Roma por todo o caminho até o Mar Adriático.

Frederico assentiu em aprovação, reconhecendo a declamação respeitosa de D'Amato das terras sob o seu controle.

- E você está aqui, em Palermo.

Novamente, Frederico assentiu, mas se perguntou onde o conselheiro queria chegar com isso.

- A cidade mais distante daqui é, eu acho, algo como Lucera, na província da Foggia, não é?

O rei olhou para D'Amato com atenção. Ele sabia que o homem era um ouvinte astuto com uma habilidade apurada de ler a intenção das pessoas.

- E é isso que esses homens do sul querem discutir?

D'Amato apenas assentiu.

- Vamos ver Laurentiis e seus amigos - disse o rei, já andando em direção à porta com propósito.

Principe DeLoro estava sentado na cadeira do barão, em Mazara del Vallo. Ele estava intitulado a fazer isso na ausência do barão, já que seu papel de comandante militar na cidade incluía assumir os deveres de Laurentiis quando ele não estava. Mas os onze homens que o circundavam na mesa também sabiam que DeLoro gostava do poder um pouco demais, e que sua rápida tomada do poder do barão poderia lhe causar problemas um dia.

- Nós os mandaremos para longe, - disse ele, diretamente. - Os muçulmanos precisam ser reunidos.

- Mas o barão está pleiteando nosso caso com o rei agora, - comentou Gino Stefano. - Precisamos esperar para saber o resultado.

- Não vamos esperar. - É a minha ordem, - respondeu DeLoro, levantando a mão para evitar mais discussões. - Começaremos hoje.

- E como faremos isso?

- Chame os homens - e, com isso, era claro que DeLoro queria dizer a sua guarnição de soldados. - Iremos até a mesquita durante as orações da tarde. Quando os muçulmanos deixarem a construção, nós os traremos até a paliçada. Ele parou para pensar nos próximos passos. - Nós só diremos que estão sendo realocados, e que já cuidamos de suas famílias; isso os deixará relutantes em resistir. Então nós esperaremos pela palavra do Barão Laurentiis.

- E se ele nos disser que o rei recusou sua sugestão de realocar os muçulmanos?

DeLoro considerou aquela possibilidade antes de responder.

- Então faremos isso nós mesmos.

O Rei Frederico entrou na sala do lado leste do Castello Normanni, o assento de seu poder em Palermo. Os barões que visitavam já estavam no cômodo, em pé ao brilho do sol nascente sobre a cidade e seu porto. Mateo D'Amato estava logo atrás, como geralmente estava, particularmente quando se esperava que o rei discutisse assuntos importantes de estado.

- Bom dia, - disse o monarca, rapidamente.

- Sim, senhor, bom dia. Era o Barão Sirico Laurentiis, que falava pelo grupo. - Esperamos que esteja bem.

- Sim, o rei está bem, - disse Frederico, falando em terceira pessoa, como normalmente fazia quando se dirigia a pessoas de menor posição social. A tática linguística ajudava a elevar a posição do rei acima do homem comum e demandava que a audiência aceitasse isso como uma verdade trazida por deus.

- O que os traz a Palermo? - perguntou Frederico. Seus súditos frequentemente seguiam protocolos de etiqueta e faziam um pouco de conversa fiada no início das reuniões, mas o rei queria seguir com o assunto.

- Trazemos notícias de levantes muçulmanos em nossas cidades - disse Laurentiis.

Frederico olhou de rosto em rosto, analisando os barões diante dele e procurando por sinais de suas intenções e propósitos.

- Eles já se engajaram em uma revolta? É violenta?

- Bem, não, senhor, não começou e também não é violenta, - disse Cremia, de Agrigento. - É claro, nós nunca toleraríamos um protesto violento em seu reino.

- E então? Esse foi D'Amato, que com certa frequência guiava o soberano fazendo perguntas e demandando respostas.

- Há conversas de que eles planejam se rebelar contra seu reinado, - respondeu Laurentiis, mas ele direcionou a resposta a Frederico, não a seu conselheiro, que havia feito a pergunta.

- Quais conversas? - perguntou Frederico.

- Nas ruas, ouvimos o que eles têm falado em suas casas de oração. Eles querem que sua religião seja livre e dizem que foram chamados para nos converter ao islã, - explicou Cremia.

- Mas, é claro, isso não é possível, - disse D'Amato. - Eles deveriam apreciar o fato de que vossa liderança lhes dá o direito de rezar.

- Eles dizem que a Sicília já foi outrora muçulmana e que querem retornar a isso - explicou Adolfo

Triponte, mas ele se arrependeu do comentário logo após tê-lo feito.

- A Sicília é cristã, - disse Frederico, enfaticamente, - e permanecerá cristã.

- Lucera, senhor, - insinuou D'Amato.

O rei olhou para o conselheiro pensativamente, então deu as costas aos visitantes.

- O rei considerará suas notícias, - ele os disse, - e nos falaremos novamente dentro de dois dias.

Naquele fim de tarde em Mazara del Vallo os homens muçulmanos foram chamados às orações. As mulheres e crianças eram excluídas desse ritual, então permaneceram em suas casas. Quando as portas da mesquita foram fechadas, DeLoro trouxe seus homens e formou um esquadrão armado cercando cada uma das três portas. Eles esperaram silenciosamente enquanto o som de preces murmuradas preenchia o ar. Quando os sons se acalmaram e o soldados souberam que os muçulmanos haviam completado seus deveres religiosos, DeLoro instruiu seus homens a fechar as fileiras ao redor das portas.

Uma porta se abriu em frente a DeLoro, e um homem saiu. Ele se assustou ao ver os homens armados em prontidão, piques segurados firmemente em ambas as mãos, e ele procurou por um rosto familiar na multidão. DeLoro andou à frente, afastando vários de seus homens para se dirigir aos suplicantes que saíam da mesquita.

- Quem são esses homens? - perguntou Kaabir, o homem que ficava à frente da congregação muçulmana.

- Eles são meus homens - respondeu DeLoro.

- E o que eles estão fazendo aqui?

- Viemos escoltá-los até suas famílias.

- O quê? - Nossas famílias estão em nossas casas, - disse Kaabir. - Não precisamos de uma escolta para nossos lares.

- Elas não estão em seus lares, - disse DeLoro. Na verdade, ele estava revertendo a ordem das coisas. Ele sabia que podia induzir os homens a irem até a paliçada se fossem à procura de suas famílias. E quando estivessem presos lá, ele poderia perambular pelas ruas do bairro muçulmano e coletar todas as esposas e filhos que prefeririam estar com eles do que sozinhos em casa.

- Estão no forte do lado leste da cidade, - DeLoro adicionou.

- Porque estão lá?

- Não é um problema. - Apenas estamos tentando garantir que estão a salvo e livres de ameaça.

Kaabir olhou para o comandante com desconfiança e mais do que um leve medo. Ele sabia que resistir às ordens de DeLoro seria inútil, mas ele também sabia que, uma vez dentro do forte, escapar seria quase impossível.

Os homens de DeLoro permitiram que os muçulmanos saíssem da mesquita, mas mantiveram um círculo apertado ao redor deles. Então eles os fizeram marchar até o forte e os prenderam dentro de um conjunto de salas em seu interior.

- Onde estão nossas famílias? - clamou Kaabir aos soldados, enquanto andavam para longe. Ninguém respondeu a essa pergunta, e ele soube que eles haviam sido traídos.

Dentro das próximas horas, todos os muçulmanos em Mazara del Vallo foram reunidos e colocados dentro do forte. Foi dito aos homens que suas esposas e filhos estavam sendo detidos, mas, para impedir que os homens se rebelassem, foram deixados separados de suas famílias.

- Como saberemos que vocês os têm dessa vez? - gritou Kaabir a DeLoro, enquanto o comendante andava por ali.

DeLoro esperava ser desafiado, então ele carregou consigo o véu do manto da esposa de Kaabir e o levantou para que Kaabir o visse. O muçulmano ficou chocado que esse infiel segurasse uma peça das roupas de sua esposa, mas ele não podia fazer nada em relação a isso de trás das barras da cela.

Dois dias depois, o mercado de Palermo, ainda chamado de *kasbah* desde os seus dias árabes, estava alvoroçado com atividade. O Rei Frederico II andava em meio à multidão, atendido por D'Amato e muitos outros. Ninguém havia ouvido falar das notícias de Mazara del Vallo ainda, então não havia sinal de preocupação entre os muçulmanos que trabalhavam nas barracas do *kasbah*, vendendo vegetais, peixes e miçangas ornamentais. À medida que ele chegava no canto da praça e saía da multidão, Frederico foi abordado por três visitantes do sul.

DeLoro havia despachado cavaleiros para Palermo, Agrigento e Gela os informando das notícias de que haviam encarcerado todos os muçulmanos de Mazara del Vallo. Os cavaleiros haviam recém-chegado a Palermo naquela manhã, depois de uma viagem frenética de dois dias, e contado ao Barão Sirico Laurentiis dos eventos em sua terra natal e sobre o envio de mensageiros a Agrigento e Gela com as mesmas notícias.

- É hora de trazer os muçulmanos para a paliçada - disse o cavaleiro a ele, repetindo as palavras que DeLoro lhe havia dado antes de partir de Mazara del Vallo.

Laurentiis se dirigiu a Frederico primeiro.

- Senhor, posso falar contigo, - disse ele, adicionando num sussurro de palco, - em privado?

Frederico apenas assentiu e se virou em direção ao castelo, seguido de perto por D'Amato e os barões do sul da Sicília.

Quando eles chegaram e estavam na biblioteca do rei, as portas foram fechadas sob ordens e as notícias foram relatadas ao soberano.

- Eles estão onde? - perguntou Frederico, surpreso demais com as notícias para formular uma pergunta mais detalhada em relação ao porquê.

- Eles estão encarcerados. Famílias inteiras - disse Laurentiis.

- Porque estão encarcerados?

- Eles estavam ameaçando se rebelar contra a coroa. Mensageiros também foram enviados às outras cidades, - contou ele, apontando para seus companheiros barões, Cremia e Triponte. - Para os alertar a ficar de guarda e agir antes que os muçulmanos se rebelem.

- Mas agora, - Frederico começou, com um pouco de raiva, - você forçou minha mão. As notícias chegarão lá fora e certamente haverá uma rebelião declarada.

- Sim, senhor, mas não é melhor sufocar a revolta antes que haja problemas do que deixar os muçulmanos forçarem-se sobre nós? - disse Cremia.

Frederico o encarou furiosamente, e também a Laurentiis e Triponte, sem dizer nada.

- Diga a Verelli para que venha até aqui, - disse ele a D'Amato, se referindo ao capitão do exército de Palermo. - Diga-lhe que preciso falar com ele imediatamente.

A sorte estava lançada e tempo algum poderia ser perdido. Se havia qualquer ameaça de rebelião no coração dos muçulmanos sicilianos, esse ato claramente havia alimentado as chamas. Frederico ordenou a captura e aprisionamento da população muçulmana de Palermo e mandou que mensageiros fossem enviados com sua proclamação assinada de que todos os muçulmanos na Sicília deveriam ser reunidos.

Logo acima das espirais elegantes da assinatura do rei, D'Amato havia adicionado uma única linha, que concluía a proclamação.

- Todos os muçulmanos da Sicília devem ser deportados e enviados para Lucera, na província de Foggia, e eles lá permanecerão até que recebam permissão para viajar até outros lugares.

1266 E.C. - 1282 E.C.

FRANCESES ANGEVINOS

1282 E.C.

PALERMO E ALCOI

Pelo ano de 1268, a linhagem normanda de reis na Sicília havia acabado, o que ficou abundantemente claro com a decapitação do último deles, o jovem Rei Conradino, na praça do mercado de Nápoles. A disputa entre a antiga linhagem de governantes e a linhagem invasora dos franceses de Anjou - os Angevinos - foi vencida por Carlos I. Ele tinha o suporte de seus súditos por toda a França e o norte da Itália, mas, mais importante, pelo Papa Urbano IV, cujo poder frequentemente excedia o campo religioso e se estendia aos assuntos de estado.

Carlos não era da Sicília e nem vivia na Sicília, mas ele financiou várias expedições militares com os impostos que coletava do povo da ilha. Os sicilianos passaram a pensar em si mesmos como nada mais do que um tesouro remoto a ser invadido pelo rei quando quer que ele quisesse fazer alguma guerra em outro lugar, sem qualquer benefício chegando ao povo da ilha.

O rei também extraía outros valores e benefícios dos sicilianos, tudo do comércio de especiarias e grãos para forçar os habitantes da ilha a trocar a moeda estrangeira pela que ele controlava. Adicionando à pressão econômica nos sicilianos locais, Carlos isentava muitos súditos franceses da Sicília desses impostos, jogando o fardo ao povo natural da ilha para satisfazer sua avareza.

O Papa Clemente, que sucedeu Urbano IV, se cansou das excentricidades de Carlos e tomou decisões contra ele diversas vezes, mas a relação incerta entre o papado e as famílias reais da Europa permitia aos reis e condes muitos caminhos livres para ignorar comandos papais, assim como Carlos fez, repetidas vezes, com a Sicília.

O Reino da Sicília incluía não apenas a ilha inteira, mas também as províncias continentais da Itália ao sul de Roma, então Carlos sequer foi à Sicília depois de 1217 D.C. Para fazer com que sua ausência na ilha ficasse ainda mais fácil, ele transferiu a capital de seu reino de Palermo a Nápoles, colocando uma distância entre ele e seus súditos e o isolando das crescentes reclamações acerca de seu reinado.

O dia 30 de março de 1282 estava tendo um quieto fim de tarde de primavera enquanto as multidões se reuniam para um festival do lado de fora da Igreja do Espírito Santo nos arredores de Palermo. As festividades na Sicília, à época, combinavam homenagens religiosas a bebidas e comidas, mas quando os soldados franceses de Carlos se juntaram aos sicilianos nativos, problemas surgiram. Os soldados tomaram liberdades com algumas das mulheres, às vezes justificando toques íntimos nelas como sendo importantes revistas para procurar armas, enquanto acariciavam seios. Um homem siciliano puxou uma faca e atacou um sargento francês, o esfaqueando nas costas por assediar sua mulher. Quando os soldados franceses lutaram de volta, a violência estourou.

- *Moranu li Francisi,* - pôde ser ouvido como um cântico - "morte aos franceses" - e os sicilianos que há muito guardavam ressentimento para com as forças de Carlos I recorreram a uma orgia de violência desorganizada. Naquele exato momento, os sinos da igreja começaram a tocar para as Vésperas, as preces da tarde, mas, ao invés de sinalizar um momento de oração, o bater dos sinos sinalizava à cidade que uma revolta estava acontecendo.

Os franceses que levavam armas foram mortos primeiro, mas a raiva se espalhou sem limites, e as mulheres e filhos desses homens também foram esfaqueados e mutilados no frenesi. Mas as mulheres sicilianas cujas escolhas conjugais as haviam posto em casas francesas foram sumariamente executadas pelas hordas rebeldes. A confusão reinou, separando os sicilianos dos franceses e pondo ambos em risco.

Como a multidão decidiria quem era francês, quem era siciliano e quem era simpático a qualquer dos lados?

Um teste simples foi rapidamente instaurado. Os cativos eram forçados a pronunciar a palavra siciliana para grão-de-bico - *ciciri* - um trava-línguas que os franceses não conseguiam dominar. Aqueles que falavam com a pronúncia errada eram despachados pela espada.

Pela manhã do 31 de março, milhares de homens e mulheres franceses haviam sido chacinados, e os sicilianos locais haviam tomado o controle de Palermo.

A revolta que começou nessa cidade do oeste, chamada de *Levante da Véspera,* se espalhou rapidamente para outras regiões da Sicília. Dentro de dias, as hordas rebeldes haviam matado ou capturado milhares de franceses e procurado tomar o controle de toda a ilha. A exceção proeminente era Messina, mas mesmo aquela cidade só conseguiu resistir até 28 de abril. Sob o comando de Alaimo da Lentini, que trouxe a revolta até os franceses daquela cidade,

Messina caiu num arroubo flamejante, o que incluiu atear fogo em toda a frota francesa de Carlos no porto de Messina.

Carlos I e sua família, que estavam na ilha àquela época, procuraram refúgio em Matagrifone, um castelo fortificado nos arredores de Messina, e permaneceram lá até que conseguissem negociar uma retirada segura. Conseguindo salvo-conduto sob a condição de que nunca retornariam, Carlos deixou a Sicília. Então iniciou-se um conflito internacional para manter o controle sobre a ilha, com Carlos mantendo sua reivindicação ao poder real enquanto outros cujos posicionamentos geográficos eram mais propícios desafiavam-no. Carlos continuou a emitir decretos de seu novo lar em Nápoles, presumindo que ainda pudesse manter sua suserania sobre a Sicília de seu exílio.

Enquanto isso, as aspirações de Pedro, Rei de Aragão e Valência, pareceram vir à tona. Ele havia se casado com Constança da Sicília, a filha única do Rei Manfredo da Sicília com sua primeira esposa, Beatriz. Então Pedro, através de sua conexão com Constança, acreditava que tinha uma reivindicação ao reino da Sicília, do qual Carlos parecia estar perdendo o controle.

- Senhor, - começou uma interrupção sussurrada por Franken, o burguês de Palermo. Ele convocava Pedro na residência do rei em Alcoi, Espanha, e trazia notícias da uma-vez-capital da ilha.

Pedro estava em uma conferência com diversos comandantes militares, mas se virou para dar atenção à intrusão de Franken.

- Senhor, como sabe, estamos sofrendo sob pesados impostos e abusos nas mãos de Carlos.

Era significativo que Franken se aventurasse numa crítica tão direta de outro soberano, significando que acreditava que Pedro já estaria do lado palermitano dessa disputa.

Nós pagamos os impostos dele, demos nosso celeiro, trocamos nossa moeda pela dele e até mesmo arriscamos a segurança de nossas mulheres às mãos de seus soldados. Mas não suportamos mais.

- O que quer que eu faça? - perguntou Pedro, embora ele já formulasse planos para depor Carlos.

- Gostaríamos de convidar o senhor e nossa Rainha Constança à Sicília, para nos libertar jugo da opressão de Carlos.

Pedro sorriu à menção de sua esposa. “Esse povo de Palermo”, pensou ele, “ainda a considera como sendo sua rainha. E, portanto, já devem me considerar como sendo seu rei."

- Porque eu deveria fazer isso? Novamente, Pedro manteve silêncio acerca de suas intenções para extrair favores do burguês antes de se comprometer com a empreitada.

- És nosso rei, senhor, - disse Franken, enquanto baixava o olhar. - Já mereces o que é nosso. Tomar o papel de suplicante jogava Franken e Pedro num relacionamento que o burguês achava que apelaria ao ego do rei.

- Sim, eu sou, mas se salvá-los de Carlos, me ungiriam apropriadamente? Sabes que outros podem se opor a mim, talvez até mesmo o papa. Ele foi claro com seu mensageiro de que precisava da ajuda do povo de Palermo - deveras, de todo o povo da Sicília - para vir ao seu lado da disputa rapidamente. Ao fazer isso, Pedro esperava ganhar a ilha por decisão unânime, o que suavizaria o caminho para fazer novas leis e impostos.

- Senhor, se vier à Sicília e remover o infame Carlos do poder, o povo de Palermo anunciará ao mundo que és o nosso rei, e que nossa rainha finalmente retornou.

Pedro sorriu, então se virou para seus conselheiros militares.

- Essa é a decisão correta, - declarou Rogério de Lauria, o almirante da frota de Pedro e, não por acaso, de nascimento italiano. Rogério havia servido ao Rei de Aragão por muitos anos e tinha sentimentos pessoais fortes sobre a recaptura da Sicília do rei francês Carlos.

- Carlos é uma mancha no império italiano que precisa ser removida - continuou Rogério, enquanto Pedro ouvia atentamente. O pedido do burguês e a concessão de soberania, mais a confiança de Rogério em executar a missão encorajaram Pedro e aumentaram sua determinação em seguir com seu plano de invadir a Sicília.

- E como faremos isso? - ele perguntou a Rogério. A essa altura da conversa, Franken havia se tornado irrelevante. A promessa palermitana de realeza era tudo o que Pedro precisava dele; a esse ponto, havia se tornado um exercício militar.

- Senhor, tens a marinha mais forte do Mediterrâneo. Reuniremos nossa frota, traremos os soldados ao seu serviço na Catalunha e incluiremos nossos combatentes de elite, os *almogávares,* que despacharão o inimigo rapidamente, - ao que ele pausou e passou um dedo pela garganta, - e de forma limpa.

Rogério era um estrategista mestre e sabia não só como puxar o inimigo até uma posição de batalha enfraquecida, mas também quando e como utilizar os *almogávares*. Esses combatentes tinham vestimentas leves, para garantir a velocidade, mas carregavam duas azagaias e uma adaga cada. Em combate próximo, eles podiam atacar o inimigo e chacinar soldados mais fortemente equipados que eram inibidos pelo peso da armadura. E os *almogávares* podiam se mover de escaramuça em escaramuça, escolhendo suas vítimas rapidamente enquanto costuravam seu caminho pelas fileiras do inimigo, cortando pelas camados dos regimentos e deixando a resistência organizada impossível.

- Devíamos desembarcar em Trapani - continuou Rogério, falando com tanto conhecimento e confiança que mesmo Franken percebeu que essa invasão já vinha sendo planejada há um longo tempo.

- Porque Trapani? - perguntou Pedro.

- Palermo é a joia da ilha, e fica a três dias de marcha de Trapani. Desembarcaremos lá, organizaremos nossas forças...

- E declararemos abertamente nossas intenções a Carlos, - insistiu Guillem Galceran de Cartellà, o comandante catalão que comandaria as tropas terrestres. - Devemos informá-lo de que chegamos e de que ele logo será deposto... ou enforcado.

- E se ele resistir? - perguntou Pedro, mas ele queria apenas ser tranquilizado. Sua opinião sobre Carlos era de que o homem de Anjou era um covarde e que se acovardaria perante um confronto com as forças de Pedro.

- Ele não irá - disse Rogério, peremptoriamente.

Franken estava dispensado do salão, mas, antes de partir, Pedro descansou sua mão incrustada de joias no ombro do burguês.

- Aceitamos sua coroa, - ele disse ao homem mais baixo, - e nós removeremos a mancha de Carlos da ilha da Sicília. Com um pequeno empurrãozinho nas cotas de Franken, ele o apressou porta afora, e retornou aos seus conselheiros militares para planejar a aventura.

AGOSTO DE 2018

CAFETERIA AMADEO

- Vésperas, - disse Vito quando o vi na manhã seguinte. Eu conhecia o termo e seu significado histórico, então não tive de incitar meu mentor ao começar a lição do dia.

O barista já havia servido o espresso e o *cantucci* de Vito quando cheguei, então ele voltou à mesa para trazer meu café da manhã também.

- O que começou como uma devoção silenciosa na Igreja do Espírito Santo rapidamente espiralou numa chacina dos franceses e na invasão dos aragoneses. Estou certo de que Carlos não acordou naquela manhã de 30 de março de 1282 preparado para esses eventos.

- Bem, é claro, todas essas coisas não acontecem de um dia para o outro, - comentei, embora eu soubesse da linha clara que conectava todos os pontos.

- Pedro estava conspirando para tomar a Sicília de Carlos por um bom tempo...

- Espere. Pedro quem? - eu sabia a resposta, mas tinha de desacelerar Vito para que pudesse encontrar a página em meu caderno.

- Pedro de Aragão, - respondeu ele, mas sorriu ao meu estratagema transparente.

- Ele – assim como muitos outros monarcas pela Europa – via meu país como uma joia no meio de seu mundo, e era quase impossível para as forças gananciosas que cercavam o Mediterrâneo reter seus punhos, evitar tentar tomar a Sicília para si. Tem sido a nossa sina por milhares de anos, e Pedro era apenas mais um rei em uma longa fila deles que não podia resistir em tomar a terra para si.

- Você não aprova Pedro ou suas ações contra Carlos?

- Essa não é a pergunta certa. Deveria estar perguntando se eu aprovo que qualquer um de fora da Sicília a tome para si.

- Ok, - disse eu, - mas Constança era uma de suas... - mas ele levantou a mão para me parar.

- Como conhece Constança? Fingiu não conhecer Pedro?

Eu posso ter corado um pouquinho, mas apenas sorri de volta para Vito.

- Ok, de volta a Constança - disse eu, após me recuperar. - Embora ela tivesse se casado fora da Sicília, tinha o direito de se considerar herdeira do trono.

- Uma mera conveniência para Pedro. Ele teria invadido a Sicília de qualquer maneira. Mas, sim, ter Constança como sua rainha o dava uma reivindicação legítima. Ele expulsou Carlos da ilha, o forçando a se aposentar em Nápoles...

- Carlos não se aposentou de verdade, não é?

- Não, - riu Vito. - Reis não se aposentam. Digamos que, uma vez expulso de nossas praias, Carlos se contentou em reivindicar o manto de Rei de Nápoles, um reino separado do reino da Sicília.

- E como seu país se deu sobre Pedro? - perguntei.

Vito parou por um momento, então suspirou.

- Ele viveu por apenas mais três anos, sucumbindo em 1285 e legando a Sicília ao seu segundo filho, Jaime, passou o trono para o terceiro filho de Pedro, Frederico. Mas a invasão de Pedro em meu país começou dois séculos de reinado pela família real de

Aragão, transicionando facilmente para três séculos de reinado pelos Espanhóis. Mas, mais importante, ele terminou a campanha dos franceses para dominar a Sicília.

- E esse reinado era melhor do que o dos franceses?

A isso, Vito sorriu e bebeu do espresso.

- É claro - disse ele.

Outro dia se passou e eu estava perambulando por Mazara del Vallo. O ruído das vozes e do tilintar dos copos na Trattoria Bettina sempre me fazia sorrir. Era um contraste grande com a calmaria meio sonolenta da Cafeteria Amadeo. Mas era o lugar favorito de Vito à noite, e já que eu não o havia visto pela manhã, o procurei ali no início da noite, onde ele sempre parecia estar.

- Vou embora mais cedo, - ele havia me dito na noite anterior. - Tenho umas consultas médicas.

Isso me preocupou um pouco, e meu cenho cerrado trouxe um sorriso ao rosto dele.

- Porque? - perguntei.

Talvez minha curiosidade não fosse bem-vinda. Vito havia se tornado meu melhor amigo e uma companhia constante, mas ele ainda tinha um tempo de vida três vezes maior do que o meu, e me intrometer talvez não houvesse sido apropriado.

- Ah, não se preocupe, - disse ele, dando um tapinha em meu braço. - Só vou lhes dar uma lição em geriatria.

Então a noite chegou, e, depois de passar o dia andando por Mazara - "Ainda tenho que ver o resto da Sicília", pensei em silêncio - eu sabia que o jantar nessa trattoria ocorreria.

Na Bettina, você não passava por uma porta, mas sim pelo toldo que se estendia acima da calçada. Pequenas luzes brancas ficavam penduradas em traves do pátio e as mesas e cadeiras preenchiam o espaço, então os garçons tinham que ficar de lado para atender os clientes. Enquanto entrava pelo labirinto de metal brilhante e ruídos e chegava mais perto do bar, a densidade de humanos aumentava, bem como o barulho. Havia um jogo de futebol local passando na televisão, e os festeiros estavam alternadamente urrando em aprovação ou em desânimo, balançando os braços em desgosto com a última falta do árbitro.

Fiquei em pé por um tempo na periferia da multidão que via o futebol, e sorri ao quão italiano tudo aquilo era. Futebol. O que era mais italiano do que isso?

- Azzurri, - veio uma voz que imediatamente reconheci como sendo a de Vito. - A Azzurri. Não jogou.

Aquilo era óbvio para mim. A Azzurri - o apelido da seleção italiana - não estaria jogando nessa partida local.

- Não acredito que a Azzurri não está na Copa, - continuou ele, e então minha ficha caiu. Era agosto de 2018 e a Copa do Mundo havia recém terminado. O time italiano, pela primeira vez desde que se é lembrado, não era uma das trinta e duas equipes qualificadas. Para um país que amava tanto o esporte, um país que havia ganhado tantas Copas quanto qualquer outro, não estar sequer competindo era chocante e desestabilizador ao mesmo tempo.

- Ah, bem, - disse Vito, balançando a mão. - Mas não diga aquilo.

- Não diga o quê? - perguntei.

- Que é só um jogo.

Eu tinha essa noção. Eu havia crescido como um ítalo-americano – bem, siciliano-americano – e, apesar do sangue que corria em minhas veias, eu não tinha a paixão requerida pelo esporte. Pelo menos não aos olhos dessas pessoas, embora eu soubesse o bastante para não deixar transparecer esse fato.

Vito me guiou até a mesma mesa de canto que ocupamos na última vez em que estive ali com ele. Na massa de pessoas aglomeradas na Trattoria Bettina, eu me espantava em como até mesmo uma única mesa estaria livre quando quer que ele quisesse. Mas então pensei melhor em minha surpresa.

- Aragão - disse ele, enquanto sentava na cadeira que encarava o lugar.

- Pedro - respondi, me juntando ao hábito de começar com palavras únicas de Vito.

Vito me olhou com aprovação.

- *Sì, sì.* Sei que vem estudando. Mas era inevitável que alguém viesse e tirasse Carlos de meu país. O rei francês nunca deveria ter sido soberano na Sicília. Tudo que ele queria era terra, poder e dinheiro... e, bem, dinheiro. Ele visitava de vez em quando, mas sempre preferia retornar a Nápoles ou a França ou quem sabe onde.

Você perguntou ontem de manhã se o reinado de Pedro foi melhor do que o dos franceses, de Carlos - continuou ele.

- E você não respondeu.

Ele ignorou minha retrucada gentil.

- Assim como a maioria dos monarcas, o objetivo de Pedro era a expansão de seu império pela tomada de territórios. E com Constança ao seu lado, que dá para se dizer que era a herdeira do trono siciliano, meu país parecia ser o local óbvio a ser alcançado.

- Mas ele era espanhol - rebati.

- *Sì*, mas as pessoas modernas colocam muito peso nas fronteiras políticas que desenhamos pelo continente. Exceto por alguns reinos insulares cercados por fronteiras naturais, você acha que as tribos viam linhas pintadas nas colinas dizendo onde suas terras terminavam? Não. Pedro, Carlos, todos eles viam um grande continente se estendendo que pertencia à pessoa cujo exército formava sua própria linha impenetrável.

- Mas a Sicília é um desses reinos insulares, não é? - disse eu, Eu tinha certeza de que tinha tocado uma nota vencedora.

- Ah, é claro que é. Imagine um tabuleiro de xadrez com exércitos poderosos em ambos os lados. No canto norte do tabuleiro há as populações crescentes da Europa, e ao sul os povos da Ásia e da África com suas culturas ancestrais. Cada um olha para o centro do tabuleiro como um lugar para batalhar, o lugar onde a Sicília encara ameaças de ambos os lados. Enquanto um peão vai à frente e é retirado do jogo, um bispo segue, então uma torre, cada um sendo desafiado e às vezes substituído pelas forças do outro lado.

É claro, meu país pode ser considerado um reino insular com fronteiras naturais, mas cada cultura por milhares de anos tem pensado nele como um tesouro que pode ser tomado pelo competidor mais feroz. O espaço aberto no centro do tabuleiro. Pedro era o próximo da fila para fazê-lo, mas ele não tinha ilusões quanto à sua graça ou equanimidade.

Vito falava do Rei Pedro de Aragão como se o conhecesse pessoalmente.

- Mas muito mudou depois que ele assumiu o poder. Talvez fosse a influência de uma esposa siciliana, talvez Pedro fosse apenas mais sábio do que Carlos e aqueles que o precederam. Mas, em retrospecto, podemos montar uma fascinante evolução da sociedade na Sicília.

- Como assim? - perguntei.

- Durante o período dos aragoneses, podemos olhar para trás e ter os primeiros vislumbres de uma cultura siciliana emergindo. Ah, ainda era uma grande mistura de genes, linhagens sanguíneas e sotaques de todo o mundo ocidental, mas parcialmente por causa de Pedro e parcialmente por conta de tantas influências externas, uma noção de "*Sicilianità*" podia ser vista.

- O que quer dizer? Ainda haviam resquícios dos árabes e gregos, ainda alguns judeus, para não mencionar os aborígenes sicanos, sículos e elímios. Sei que os franceses haviam sido expulsos, mas...

- Não completamente, - disse Vito, com um dedo em riste. - Pense maior.

- O que quer dizer?

- Pense fora da Sicília. E pense longitudinalmente. Você fala das primeiras tribos, mas seu sangue havia se misturado com o dos invasores ao ponto da população siciliana se tornar um crisol de raças. E fora da Sicília, pense sobre as constantes ameaças e a vigilância de uma nação se protegendo contra os romanos, gregos, púnicos, muçulmanos e por aí vai. Sobreviver a essas invasões podia criar um senso de força interior, um senso de que o siciliano verdadeiro emergiria e seria o último homem de pé.

Havia um sotaque distintamente espanhol, ou aragonês – catalão era a língua da corte real – mas

mais importante, Pedro introduziu o cumprimento de algumas leis. Falando de forma geral, ele evitou os caprichos egoístas de monarcas anteriores – Carlos estava entre os piores – que frequentemente cobravam impostos ou lutavam guerras para resolver suas próprias vendetas pessoais. O reinado de Pedro, e o reinado de seus filhos em seguida, foi mais consistente e previsível, então o povo da Sicília pôde começar a se acostumar com um estilo de vida confortável.

Outros eventos externos moldaram o curso da Sicília, no entanto.

- Como quais? - perguntei.

- O fim da Idade Média e os primeiros vislumbres da Era do Iluminismo. A padronização do comércio e a redução dos corsários e piratas no mar. A emergência de estruturas parlamentares de governo. O reconhecimento das prerrogativas de outros governos soberanos. E mais.

- E como a Sicília entrou nessa fase da história?

- Com o tratado assinado em Caltabellotta.

1282 E.C. – 1492 E.C.

ARAGONESES

1302 E.C.

CALTABELLOTTA

- Porque eu iria para lá? - reclamou Carlos II. Esse herdeiro do reino de Anjou estava bem confortável em suas cercanias em Valois, no norte da França. Aos trinta e dois anos de idade, ele já havia viajado pela maior parte de seu reino, e tinha pouco interesse em ver mais dele.

- Senhor, - disse Panguin, seu agente, - não é para ver Caltabellotta, mas para chegar a um acordo com os espanhóis para acabar com a guerra.

- Bem, é uma coisa boa - disse o monarca, enquanto gotas de suor apareciam em sua testa. Ele estava a caminho da cidade siciliana ao sul, acompanhado de seu conselheiro Panguin. Carlos II estava apenas interessado em resolver a questão da guerra que havia entrado em erupção vinte anos antes. Aqueles camponeses sicilianos haviam tido a audácia de atacar seus soldados quando eles estavam meramente fazendo seu trabalho. Carlos não podia entender como aquela ilha quente e úmida podia ser do interesse de qualquer pessoa, esquecendo o orgulho que seu pai havia posto no controle de metade das rotas comerciais do Mediterrâneo.

Sua contraparte na Espanha, Frederico II, que havia reivindicado o trono da Sicília - "só por causa de sua esposa", Carlos gostava de dizer - passava a maior parte de seu tempo em Barcelona, mas estava indo para a Sicília com mais frequência agora, especificamente Palermo, para supervisionar seu reino na ilha. Ele já estava na ilha em junho de 1302 quando os planos para seu encontro histórico foram feitos.

- Quando temos de ir até essa "Caltabellotta", afinal? Porque eles não podem simplesmente me enviar o documento para assinar?

- Não é tão fácil arranjar para que uma pessoa importante como o senhor se encontre com outro rei de status inferior - disse Panguin, habilmente massageando o ego de seu senhorio.

Carlos gostou daquela descrição, mas, embora seu espalhafato e relutância em participar dessa reunião, ele se interessava pela política de sua era. Ele havia sido convidado por Frederico II para discutir e, com sorte, assinar um tratado que terminasse a Guerra das Vésperas, um conflito entre os regentes dos dois países que começara na Sicília, mas havia se espalhado para outras terras, e - caso continuasse - ameaçava incluir outras monarquias que não tinham interesses envolvidos na batalha. Carlos havia visto as perdas e a carnificina, ele havia feito parte daquilo, e ele queria um tratado que faria ambas as partes recuarem e resolver as coisas pacificamente.

A longa jornada de Carlos península abaixo, cruzando o estreito de Messina e a fronteira sul da Sicília até Caltabellotta, era um desafio para um homem tão impaciente. Ele queria paz, mas não queria ter de aguentar esse processo por muito mais tempo.

Caltabellotta ficava a um dia a cavalo para o interior, vindo do mar, cerca de cinco dias de viagem de Messina. Eles teriam de passar em torno do Monti Sicani ao norte e ir por uma trilha a norte de Sciacca para chegar até Caltebellotta. O clima estava típico dessa estação na Sicília, mas quente demais para o sangue desse monarca mimado.

- Viajaremos de carruagem, - disse Panguin, - e vossa senhoria poderá parar a qualquer momento. A questão de Caltabellotta irá esperar, se quiser tomar uma rota mais moderada.

Carlos afastou essa ideia.

- Cheguemos lá, assinemos os papéis e vamos embora.

Panguin sabia que isso não seria tão fácil. E, ainda assim, ele também sabia que a elevação de Caltabellotta proveria algum alívio do calor. O castelo escolhido para o encontro foi construído na lateral de uma montanha por lá. Carlos poderia até mesmo gostar do lugar, o agente esperava.

Enquanto isso, Frederico havia deixado sua residência em Palermo e cavalgava pela distância relativamente curta por terra até o mesmo destino. Sua rota o levou ao sul, em direção à Sciacca, felizmente logo a oeste de Monti Sicani, e ele esperava chegar após uma cavalgada despreocupada de três dias, mesmo a cavalo. Ele era mais siciliano do que Carlos e conhecia o campo, o povo e os costumes. Ele se sentia muito em casa nessa terra que estava sendo chamada de Trinácria pela primeira vez.

- Trinácria, - devaneou seu agente, Giuseppe. - De onde veio isso, afinal de contas?

Era um termo que havia sido cunhado recentemente, se referindo aos três cabos da Sicília, no noroeste, nordeste e sul, e havia feito parte de lendas ao longo dos séculos. No conflito entre os reis, cada um que reivindicava reinar sobre todas as províncias, de

Apúlia, no leste, a Trapani, no oeste, Trinácria havia começado a se referir à ilha em si, com a porção ocidental sendo o que era propriamente chamado de Reino da Sicília.

- É um nome ancestral, - explicou Frederico enquanto se inclinava à frente na sela da robusta égua que montava. - O nome se refere às três pontas da ilha e agora é usado para definir uma parte do império que pretendo reivindicar em Caltabellotta.

- Quer dizer o Reino da Sicília, por inteiro? - perguntou Giuseppe.

- É claro.

- Mas, senhor, poucos tratados são feitos onde um lado fica com tudo.

Frederico balançou na sela no ritmo dos passos do equino, mas não disse nada.

Frederico calculara sua chegada ao castelo com perfeição. Ele tinha menos quilômetros para percorrer do que Carlos, mas pretendia chegar por último, forçando seu oponente nessa contenda a esperar por sua chegada e a de sua comitiva. E ele escolheu chegar montado a cavalo, sentando-se com imponência no alto da sela sobre o povo da cidade ao invés de se sentar no acolchoado de uma carruagem enfeitada com fitas, tudo para dar a impressão de um conquistador vitorioso.

Caltabellotta era um lugar estranho para se escolher para a assinatura. Ela tinha suas origens ancestrais, assim como a maior parte do sul da Sicília, e o padrão gasto das ruas sinuosas era testemunha dos eventos e guerras que foram travadas nessa parte da ilha. Ainda assim, a cidade em si tinha pouca história por si só - ou contribuía com pouca história para a ilha milenar - então porque se reunir ali?

Panguin e Giuseppe vinham mantendo contato por diversos meses através de emissários, e o francês, Panguin, havia originalmente circulado a ideia de Caltabellotta.

- Não pertence nem ao Rei Carlos e nem ao Rei Frederico - afirmou ele, erroneamente. Caltabellotta era parte da Sicília, e, portanto, certamente pertencia a um dos requerentes. Mas ele pretendia comunicar uma premissa antiga, dos tempos medievais: Uma cidade que não havia sido disputada em décadas ou séculos anteriores seria o local mais pacífico para trazer as partes em guerra para fazer um acordo.

Ele também sabia que Frederico já estaria na Sicília, então escolher um lugar como Palermo teria dado a vantagem ao rival espanhol. Se seu rei fosse viajar, ele queria que o rei espanhol tivesse de viajar. Sua última razão para escolher Caltabellotta era que ele havia sido informado, incorretamente, que as montanhas ficavam entre Palermo e as cidades no caminho. Panguin queria que a jornada de Frederico fosse pelo menos um pouco desgastante para balancear o efeito que teria em seu próprio rei, mas ele havia sido mal informado. Uma curva no oeste em torno das montanhas aliviava o trajeto de Frederico, o mantinha em terreno plano e só adicionava um dia à viagem.

Bem como havia planejado, Frederico entrou pelo portão da cidade sendo ovacionado pela população local. Quaisquer aplausos que houvessem sido ouvidos durante a chegada de Carlos já haviam morrido, e agora Frederico era o herói.

Ele desmontou de seu cavalo e deu as rédeas a um jovem cavalariço, então perscrutou o perímetro da praça, procurando por sinais da delegação francesa. Ele podia ver a carruagem onde Carlos viajara, e presumiu que os cavalos do rei estariam no estábulo onde o seu ficaria.

- Giuseppe, onde nos alojamos? - perguntou ele.

- Casa d'Elymi, senhor. Era uma construção grande que assomava sobre a Piazza del Conte, a maior estrutura do centro da cidade, e ficava a apenas alguns passos do Castello del'Ormi, onde a paz de Caltebellotta seria negociada.

- E onde está o grande príncipe da França? - ele perguntou a Giuseppe. Era comum que reis rivais se referissem a suas contrapartes como príncipes ao invés de reis.

- O rei Carlos está na Villa Bastiana - respondeu ele, apontando para uma estrutura oposta à Casa d'Elymi. Era meio dia e o sol estava alto no céu. Giuseppe conhecia Caltabellotta melhor do que o oponente francês, que estava provavelmente desinformado nas ruas urbanas como ele estivera sobre Monti Sicani. Giuseppe sabia que a residência de seu rei ficava na porção oriental da Piazza del Conte, e que a de Carlos ficava no ocidente. Então ele sabia que a Casa d'Elymi de Frederico era mais alta do que a Villa Bastiana e jogaria sua sombra na estrutura mais diminuta por toda a manhã.

Eles se retiraram aos seus alojamentos sem planejar se encontrar com Carlos pelo restante do dia. Reis visitantes não se encontravam com urgência; eles só se reuniriam no dia seguinte para começar as discussões, e eles o fariam entrando no Castello del'Ormi separadamente.

Na hora marcada, Carlos e Frederico se encontraram na piazza em frente ao Castello del'Ormi. Sorrisos e saudações foram trocados, mas o Rei da Espanha não deixou dúvidas de que ele estava seriamente focado na questão do dia. Enquanto isso, Carlos pareceu considerar toda a negociação uma tarefa necessária, porém desconfortável. Ele conhecia o contorno das discussões já travadas entre seus duques e os de Frederico, e ele havia lido o que Panguin tinha a dizer sobre a divisão da terra. Então, assentindo ao seu adversário de colete de couro, Carlos se virou para o portão de ferro no portal do castelo e andou por ele até os cômodos frescos em seu interior.

Frederico estava de fato mais focado do que Carlos. Ele pretendia tomar toda a Sicília se ela não fosse concedida a ele, e ele havia alertado Giuseppe a não ceder muito rápido, nem ceder muita coisa. Ele assentiu de volta para Carlos e o seguiu pelos degraus de pedra para dentro do castelo.

Em uma sala sem janelas no coração do castelo, uma mesa longa de madeira havia sido arranjada com mapas, documentos e velas acesas. Havia apenas duas cadeiras, uma de cada lado, para os reis. Carlos caminhou levemente até a sua, e, levantando a cauda de seu casaco, se acomodou no acolchoado. Frederico assistiu, entretido, à afetação de sua contraparte francesa, mas escolheu ficar ao lado de sua cadeira, melhor para poder se reclinar sobre a mesa e impor uma presença maior com sua altura.

Percebendo que Frederico não ficaria sentado, Carlos ficou em pé rapidamente, seu movimento parecendo um pouco desajeitado, mais um movimento defensivo do que qualquer outra coisa.

A ausência de luz natural nesse cômodo interno fez com que fosse necessário trazer mais velas, o que os pagens fizeram, trazendo candelabros de braços longos para o chão ao redor da mesa e instrumentos menores, de várias ramificações, para serem colocados na mesa próximos aos mapas.

Panguin e Giuseppe começaram a discussão, apontando para os contornos rústicos do acordo feito até o momento. Cada um dos reis demandava um pouco de terra, então ela seria ou dividida de alguma forma, ou a questão seria resolvida na base da luta. Os agentes haviam trabalhado por semanas para formular uma tese para a divisão da terra, usando áreas territoriais aproximadas, reivindicações ancestrais, proximidade com o mar, produtividade do terreno e níveis de cooperação dos oficiais municipais e cidadãos.

- É claro, toda a Trinácria é demais para um reino - começou Panguin, mas Giuseppe o interrompeu.

- E, é claro, toda a terra ao sul de Roma é demais para um reino.

Eles falaram em tomar metade para cada rei, então reverteram para área territorial bruta ou extensão de linha costeira. Panguin levantou o assunto do sucesso na taxação, voltando ao Império Romano, para argumentar que Trinácria era mais abundante do que as províncias sulistas da península. Giuseppe contra-argumentou lembrando sua contraparte de que o comércio com as províncias italianas da Calábria, Lucânia e Apúlia permitiam o transporte por terra e que o comércio com a Trinácria sempre requeria a viagem marítima.

O debate prosseguiu dessa forma por horas, mas foi um debate cuidadosamente ensaiado. Ambos os homens haviam praticado suas investidas e contra-ataques e sabiam antes de vir à Caltabellota pelo que o outro lado lutaria, e o que recusaria. Após um longo diálogo entre os agentes, eles caíram em silêncio e voltaram às cadeiras na periferia do cômodo. Eles haviam aberto a conversa, a injetado com ideias já examinadas, e era hora de esperar que seus soberanos tivessem sua discussão.

- Isso mal é suficiente - disse Carlos, apontando para a Apúlia e o leste da Trinácria.

- Mas você corre seu dedo pela maior parte do sul da Itália, e então passa da metade da ilha, longe da parte central - disse Frederico. - E assim? - perguntou ele, empurrando a linha norte-sul de Carlos na ilha para mais longe no leste, para que ele, Frederico, pudesse também ficar com Agrigento e Gela. Então ele passou o dedo pela parte mais ao sul da península, incorporando todas as três províncias sem pronunciar uma só palavra, silenciosamente reivindicando a Calábria, a Lucânia e a Apúlia com um só movimento.

O gesto não passou despercebido por Carlos, que apenas riu do ato audacioso.

- Ficarei com essas, - disse ele a Frederico, usando a mão aberta para cobrir todo o sul da península, - e... - adicionou, mas Frederico o interrompeu.

- Sim, e eu ficarei com isto - passou a mão pela ilha de Trinácria, de Trapani no oeste à Catânia no leste, de Messina no norte a Mazara del Vallo no sul.

A conversa continuou, no geral, dessa mesma maneira por outra hora, embora a divisão apenas sugerida por ambos os homens - Carlos na Itália e Frederico na Trinácria - parecesse estar se estabelecendo. Cada reino tinha algo a perder, mas cada um ganharia terras num acordo e sem conflitos.

Àquela altura, criadas haviam surgido trazendo taças de vinho para os agentes e seus reis. Carlos e Frederico continuaram a discutir, mas o resultado ia se dirigindo à divisão de terra que Panguin e Giuseppe haviam planejado e orquestrado.

A Paz de Caltabellotta foi assinada naquele dia, 31 de agosto de 1302, e estabeleceu um novo Reino da Trinácria sob Frederico, agora Frederico II ao assumir o trono e o Reino da Sicília, que existia apenas na península em si e não incluía nada da ilha antes conhecida por aquele nome. Foi sancionada por Carlos II. Terminou com os vinte anos de guerra entre as casas reais da Espanha e da França e transferiu o controle total da ilha aos interesses espanhóis.

1347 E.C.

MESSINA

O CASCO DO NAVIO EMITIU UM BAQUE retumbante enquanto se dirigia às docas. Uma onda desgarrada o afastou do contato, mas o navio balançou de volta, enviando vibrações pelas tábuas e uma sacudidela na espinha do homem sob o convés. Ele estava isolado de seus colegas marinheiros, as manchas marrons em sua face sinalizando a todos para que ficassem longe dele.

O segundo baque no casco também balançou a carga que dividia espaço com o homem solitário. Os fardos de algodão do norte da África e as especiarias do Levante se chocaram, e, com o movimento, ejetaram um enxame de ratos negros que haviam entrado clandestinamente no navio genovês que singrava o Mediterrâneo oriental em busca de bens comercializáveis. Os ratos deslizaram pelo convés inferior, pulando sobre obstáculos pequenos e circundando a haste do mastro principal, plantado em seu colar de carvalho no espaço escuro do compartimento de carga.

Maserato Imbolati estava em seu convés de capitão acima, ordenando aos marinheiros que atassem o barco enquanto atiravam cordas aos estivadores e amarravam o pesado navio no atracadouro com firmeza. Ele descendia dos marinheiros genoveses, e - graças à sua fértil esposa - era o responsável por outra geração deles. Era seu dever entregar e receber cargas da Ibéria à Tunísia ao Egito, utilizando pontos de parada como esse, na costa leste da Trinácria, para reabastecer seus suprimentos.

Mas não era apenas seu dever; a vida no mar também era sua paixão. Apesar do carinho e amor que sentia por Regina, a esposa que ele deixou em Gênova, Imbolati nunca estava tão satisfeito quanto quando suas pernas estavam absorvendo o balanço rítmico das ondas do mar. E nunca tão energizado quanto quando se deitava ao lado de sua outra esposa no Cairo. Aquela cidade havia sido seu último desembarque, e ele se lembrou do sorriso sonolento de Olabisi enquanto ele se levantava da cama dela para embarcar em outra jornada.

Foi no Cairo que ele pegou seu maior frete, bens altamente comercializáveis cobiçados pelos norte-europeus perto de Gênova, para onde ele estava indo. Mas também foi no Cairo que, no ano de 1347, ele embarcou seus outros passageiros, uma horda de ratos negros escondidos nos fardos de algodão e que levavam pulgas infectadas pela Peste Negra. Ele entregaria tanto os bens quanto os ratos, depositando alguns em portos pelo caminho, como este em Messina, e apresentando à Trinácria a doença mais virulenta que já visitara a Europa desde a época bíblica de Moisés.

Imbolati desceu pela prancha de desembarque até as docas abaixo enquanto seus homens continuavam a amarrar o navio.

- Estamos com os compartimentos cheios, - disse ele ao agente nas docas. - Mas apenas um pouco para comercializar aqui.

O agente, um homem local que havia trabalhado nas docas desde o seu décimo aniversário, chamava-se simplesmente Berio. Conhecido de todos que visitavam esse porto, ele raramente deixava a beira d'água, vivendo sua vida de até então quarenta anos em uma choupana de madeira na borda de uma das docas. Era dito que seu pai havia ido para o mar e nunca retornara, e que sua mãe se atirou sobre as ondas em sua dor. Mas Berio não confirmava essas histórias; ele apenas ficava quieto quando lhe perguntavam.

- O que traz? - perguntou ele a Imbolati.

- Algumas especiarias, um pouco de madeira africana de qualidade. Mas a maior parte já foi comprada e paga, em Gênova, - disse ele. - Mas também temos um homem doente conosco. Eu gostaria de trazê-lo para cá, para que possa tomar um ar fresco e ver um médico.

Berio considerou a "oferta" de ar fresco um pouco estranha, já que o sopro do vento nos mares era tão fresco quanto possível. Mas seu status não lhe permitia questionar Imbolati. Ao invés disso, ele decidiu consultar o capitão do porto, Stario d'Esta, e receber seu conselho quanto à questão.

- *Sì, maestro,* - respondeu ele a Imbolati, - pedirei a permissão do Signor d'Esta. Ele sabia que o capitão do porto apenas o dispensaria, atendendo ao pedido do capitão visitante só porque ele não queria ser incomodado com tais decisões. Mas ao menos Berio deixaria que outra pessoa tomasse a decisão acerca de um homem doente sendo solto em meio ao povo de Messina.

A doença era uma companheira constante do povo da Europa, e a Trinácria não estava imune destes problemas. As mortes entre os jovens mantinham a média de vida não muito maior do que os anos reprodutivos, e eram causadas não só pelo espalhamento de doenças em si, mas também pelo conhecimento médico insuficiente da época. Berio não tinha educação, pelo menos não no sentido formal, mas ele sabia que cada pessoa doente que entrava nessa cidade trazia consigo a possibilidade de uma doença mortal que poderia tirar a sua vida e a de mais um punhado de pessoas ao seu redor.

Berio se retirou e deixou o capitão nas docas para supervisionar o arranjo do navio. Como ele disse, não havia muito para ser comercializado, e nada seria removido do navio até que um contrato fosse assinado. Mas ele notou alguns ratos descendo pelas cordas que amarravam o navio à doca. Era a última de diversas invasões da ilha, mas Berio não fazia ideia do flagelo dessa invasão em particular.

Com a permissão provisória de d'Esta, no entanto, o homem doente foi levado ao convés por um marinheiro que ficou a dez passos de distância - e foi indicado a sair do navio. Ele havia estado longe do sol, nos compartimentos interiores, sua compleição havia empalidecido e sua tosse ficado pior. Imbolati agora podia ver as manchas marrons que cobriam o rosto e as mãos do homem, e observou enquanto o rapaz acometido mancava pela passarela até as docas, onde os trabalhadores sabiam que era melhor se afastar e deixá-lo passar.

O caminho do homem não o trouxe para perto do capitão, então Imbolati apenas ficou parado o vendo ir, então se virou para observar enquanto o homem fazia seu caminho até as ruas de Messina. Naquele momento, um rato imundo passou pela bota de Imbolati e ele o chutou por reflexo, enviando o animal daninho para o mar.

Uma hora depois, Berio encontrou Imbolati sentado em uma mesa do lado de fora de uma cafeteria próxima às docas.

- Senhor, Stario d'Esta, o capitão do porto, decidiu que o homem pode vir à costa, - começou ele, - mas ele deve ser enviado diretamente ao hospital, - ele adicionou, apontando para uma cabana tosca próxima ao porto, - antes de entrar na cidade.

- Obrigado, - respondeu Imbolati, bebendo seu vinho, - eu o informarei disto. O capitão decidiu não contar a esse estivador insignificante que ele já havia liberado o homem para a cidade e que ele partira havia tempo.

1392 E.C.

PALAZZO CHIARAMONTE, PALERMO

Do diário de Matilda Ludovica d'Stefano:

- Oggi è 15 Luglio, nel'anno 1392. Sono seduto con la mia signora, Constanza Chiaramonte nel prigioni di Palazzo Chiaramonte, qui, in Palermo.

Hoje é dia 15 de julho do ano de 1392. Sento-me com minha senhora, Costanza Chiaramonte, na prisão do Palazzo Chiaramonte, aqui, em Palermo.

A honorável senhora Chiaramonte está sendo mantida prisioneira pelos barões que controlam a Sicília, e não é permitido que ela se comunique com ninguém. Ela também não pode escrever nada, então eu secretamente a trouxe papel, uma pena e tinta para que eu possa escrever isto para ela.

- Tem de estar em suas mãos, - disse ela. - Você não está proibida, mas se for percebido que a escrita é minha, eu serei executada junto com meu irmão.

O irmão de minha senhora, Andrea, foi levado no mês passado pelos aragoneses de Martim I. Ele foi mantido aqui, também, aprisionado junto com outros membros da família Chiaramonte, e ele foi levado à praça do lado de fora deste palazzo e decapitado. Minha senhora olhou pela janela deste cômodo e viu o que estava acontecendo. O senhor Chiaramonte não gritou ou lutou com seus captores, mas submeteu sua cabeça ao bloco, onde um poderoso homem desceu o machado sobre seu pescoço.

Minha senhora vacilou quando a cabeça de seu irmão pulou da madeira, e novamente quando ela atingiu o chão. Mas fora essa reação, ela não chorou. Ao invés disso, ela voltou à cadeira na qual ela sempre se senta – e à vezes dorme –, esperando pela decisão de seu destino.

Ela pediu que eu escrevesse a história de sua família, aqui neste diário, e essa é a tarefa que cumprirei para ela. Conheço muito dos Chiaramontes, mesmo na minha idade de treze anos, porque tenho estado com minha senhora desde que eu tinha seis anos.

Costanza Chiaramonte se casou com Ladislau de Aragão quando ela tinha doze anos, e eu, dez. Àquela altura, seu pai, Manfredo III, me trouxe ao castelo para ser a companhia de sua filha, e tenho vivido na corte com ela e seu irmão, Andrea, e o resto da família pelos últimos sete anos. Ela me tratou como uma irmã, ou pelo menos uma prima, mas eu nunca fingi sê-la. Houve momentos em que ela teve de me ignorar, tomar o papel da realeza siciliana, e ela não podia ser vista sendo amigável demais com uma serva. Mas quando estávamos sozinhas, brincávamos juntas e, quando ela se casou, conversávamos baixinho à noite sobre seu marido, Ladislau, e sobre as muitas famílias que circundavam os tronos da Sicília, Aragão, Nápoles e outros.

A história dos Chiaramonte começou a cerca de cem anos atrás, quando Manfredo I veio até aqui, vindo da França. É dito que seu nome pode ter sido Clermont, mas foi mudado para Chiaramonte quando Manfredo pôs seus olhos nesta ilha. Ele era um homem poderoso e construiu suas riquezas junto com seus castelos. A família Chiaramonte se tornou conhecida como uma das mais abastadas do mundo, e eles investiram seu dinheiro na construção de mais castelos ainda pelo país, na costa e no interior. Com a fama veio o poder, e com o poder veio mais dinheiro, e com mais dinheiro, os Chiaramontes podiam realizar seu sonho de reinar sobre a ilha da Sicília.

Ao longo das sucessivas gerações, eles construíram castelos em Palma di Montechiaro e Naro, perto do mar e não distante de Licata. Então havia um castelo em Módica, no sudeste siciliano, que foi celebrado pelos filhos e netos de Manfredo na forma de gerações de condes de Módica. Eles até mesmo cruzaram a água e construíram um castelo na ilha de Malta, ao sul.

No ponto em que Manfredo III tomou controle da fortuna da família, ele reinava em Trapani, Agrigento, Licata e Messina. Os Chiaramontes haviam cumprido com o sonho de Manfredo I: Eles reinavam sobre a ilha. Eles eram tão poderosos que era natural que disputassem com o Rei de Nápoles. O desafio correu bem, e Manfredo III poderia ter tomado o controle não só do reino da Sicília, mas também do Reino de Nápoles, mas ele morreu no ano passado antes da conquista ser completada, e seu filho, Andrea – o irmão de minha senhora – assumiu o trono.

Ele não era forte ou sábio como seu pai ou o pai de seu pai. A batalha contra Nápoles foi mal concebida, mas os Chiaramontes poderiam ter sobrevivido sob Manfredo III. Sob a mão de Andrea, eles esmoreceram. Ele havia se juntado aos Franceses Angevinos por suporte, então os outros barões da Sicília se revoltaram contra ele, apoiando Martim I de Aragão num cerco a Palermo.

A esposa de Martim era a honorável Maria da Sicília, e, como aquela que a maior parte das pessoas imaginava merecer o trono da Sicília, ela foi a escolha dos barões. Martim escolheu usar as conexões e o suporte de Maria, e ele acreditava que as mentiras rudes que havia inventado sobre a família Chiaramonte fariam com que a atenção popular tomasse o seu lado.

Os aragoneses enviaram todo o peso de sua enorme marinha para Palermo, despacharam rapidamente os soldados que guardavam o porto e montaram uma carga contra a própria cidade. Numa noite há dois meses, eles sitiaram o Palazzo Chiaramonte em si, e fomos deixadas cativas dentro deste lugar daquele momento em diante, com medo de sair para fora das muralhas e sermos tomadas como reféns pelos aragoneses.

Alguns dos criados escaparam na escuridão. Eles me disseram que esperavam encontrar conforto e abrigo entre os soldados armados lá fora. Porque sua escapada foi feita à noite, não pude ver o que teria acontecido. Não tenho informações sobre seu paradeiro.

Outros criados ficaram, mas viveram com medo. Andrea e Costanza mantiveram seus papéis como família real no palazzo, mas houve uma perda óbvia do orgulho e confiança à medida que as semanas passavam.

Um dia, os oficiais do exército de Martim ordenaram que os soldados invadissem o palazzo. Àquela altura, a maior parte dos criados já havia partido, e os soldados que haviam protegido o Conde haviam sido postados lá fora, para guardá-lo. Eles provavelmente foram presos ou mortos, mas não estavam aqui para nos proteger contra a investida dos aragoneses e das forças de três poderosos barões que procuravam a coroa que Andrea usava. Fomos rapidamente vencidos.

Me foi concedida clemência e me permitiram ficar para atendar à minha senhora. Nossos captores respeitavam qualquer um que usasse a coroa e queriam que Costanza fosse cuidada, por isso meu serviço pôde continuar, pelo menos até decidirem como irão se livrar dela. O irmão dela também foi bem tratado, mas ele foi preso em seus aposentos e lhe negaram todos os pedidos para perambular pelo castelo.

Numa manhã, vieram pegá-lo. Eu andei até a janela com minha senhora e escutamos enquanto as acusações contra ele foram lidas. Um homem em um manto esvoaçante negro e escarlate segurava um pergaminho aberto e falava numa voz alta para que todos vissem. A multidão que havia se reunido na praça era composta majoritariamente por soldados do exército adversário; a maior parte dos palermitanos estava amedrontada demais para comparecer.

- É julgamento do Rei de Nápoles, Conde de Módica, *- declarou ele, e ao dizer isso, já nos informou de que Andrea havia sido substituído em seu papel de Conde,*

- que este homem cometeu ofensas contra a coroa e usurpou poderes que não eram seus para serem tomados.

O decreto era mais longo, mas as lágrimas preencheram meus olhos, e meus ouvidos começaram a zumbir de medo, então eu não ouvi muito mais. Depois que as palavras terminaram, o homem de manto abaixou o pergaminho e acenou com a cabeça para um homem grande vestido apenas com uma túnica negra. O carrasco andou em direção ao meu senhor, que já estava forçosamente de joelhos próximo ao bloco. O carrasco balançou o machado para a frente e para trás como se testasse o peso e seus músculos, enquanto outro homem, menor em estatura, mas obviamente orgulhoso de seu papel nesse assassinato, se abaixou sobre Andrea e o dobrou pela cintura para posicionar sua cabeça no bloco.

A face de Andrea estava sendo empurrada na superfície de madeira, mas, num movimento quase de reflexo para amortecer a posição, ele virou o queixo para o lado, ficando com a bochecha direita no bloco. Ele sabia que o seu destino havia chegado, mas seu estilo de vida e o conforto ainda comandavam suas ações enquanto ele buscava uma posição mais cômoda.

Andrea ficou parado, sua face apontando para a janela que ocupávamos, e seus olhos olharam na direção de sua irmã. Eu também vi; seu rosto estava frio como pedra. Naquele instante, um rosto que sempre houvera tido tanta leveza e alegria não mostrava emoção alguma. Seus olhos pareciam estar ocos e vazios, pontos negros em uma face que era uma superfície carnuda, narinas desprovidas de sentimentos, esperanças ou futuro.

O carrasco levantou o machado, o girou uma vez para trás dele para sentir a arma, então o trouxe para a frente antes de voltar a arqueá-lo para trás, acima de sua cabeça, segurando com as duas mãos e o trazendo então para baixo, com força, sobre o pescoço de Andrea.

As costas de Costanza se arrepiaram quando o sangue espirrou do pescoço do irmão e se arrepiaram novamente quando a cabeça caiu para a frente e bateu contra o chão. Não havia cesto para recebê-la como seria o padrão em uma decapitação – outro insulto ao homem que os barões odiavam – então o rosto impassível com olhos vazios quicou uma vez e então descansou no chão, aos pés do carrasco.

Levou vários dias para que minha senhora dormisse, sentada em sua cadeira à noite, mas de olhos abertos. Eu acordava ocasionalmente e via que ela ainda não havia cedido à força do sono. Eu me sentava com ela com frequência, segurando sua mão e esperando poder confortá-la, mas ela continuava perturbada.

Depois de algumas semanas, Costanza pareceu voltar a si, e então comeu e dormiu com certo sucesso.

Há dois dias, a porta de nosso cômodo se abriu de súbito, e o mesmo homem de manto negro e escarlate entrou. Ele disse a Costanza para que ficasse em pé e recebesse sua sentença. Eu pude ver que seu rosto ficou branco de terror, mas ela obedeceu ao comando. Uma vez de pé, o homem levantou um pergaminho que parecia assustador como o que enviou seu irmão ao patíbulo.

- É o julgamento de Sua Santidade, o Papa que o que se chamou de casamento entre Costanza, filha do criminoso Manfredo III e Ladislau de Aragão foi uma abominação. Ele tomou Costanza como consorte e ela esperou que isso constituísse um casamento. De acordo com a proclamação de Sua Santidade, este relacionamento está removido, terminado e anulado, como se nunca houvesse acontecido.

Os ombros de minha senhora caíram, mas isso me pareceu estranho. Eu esperaria que ele ficasse devastada em ter sido usada dessa maneira, de ter sido explorada por Ladislau e pelos barões, mas ela pareceu aliviada. Ela não estava mais casada – embora ela houvesse se entregado àquele homem – mas ela viveria. Talvez, após testemunhar a execução de seu irmão, ela tivesse se sentido sortuda.

Hoje, recebemos nossas instruções. Temos de deixar este lugar, o Palazzo Chiaramonte – que me disseram que será renomeado como Palazzo Steri – e tomar nosso caminho até Messina e então até Roma. Eu seguirei minha senhora, e descobriremos o que os deuses têm para nós.

AGOSTO DE 2018

CAFETERIA AMADEO

O BARISTA AFUNDOU-SE NA CADEIRA À FRENTE DE mim. Vito não estava lá, então suponho que eu era uma audiência cativa.

- *Bon giornu* - disse ele, com um sorriso. Suas mangas estavam enroladas casualmente até os cotovelos, os dois primeiros botões da camisa abertos. Seu espesso cabelo negro estava desgrenhado em uma bagunça encaracolada que desfaleceria qualquer mulher. E seus olhos, brilhando de juventude e energia, me prenderam num abraço apertado. Depois de duas batidas, ele se recostou como se estivesse numa espreguiçadeira, um braço por trás do encosto da cadeira e o outro espalhado preguiçosamente na mesa.

- Vito. Ele é incomparável, - começou ele.

- O que quer dizer? Eu sabia que o ancião era único, mas parecia que o barista tinha mais coisas a dizer.

- Vito. Tem tantos anos, e lembra de tanta coisa.

- Isso é bom ou ruim? - perguntei, procurando mais informações sobre se Vito havia vivido uma vida dura ou feliz. O barista deu de ombros.

- *Lo stessu,* - respondeu ele – "dá no mesmo". Era o tipo de resposta lacônica que eu sabia fazer parte da misteriosa psiquê siciliana. Mas então ele sorriu novamente.

- A Sicília e Mazara del Vallo não seriam as mesmas sem o Vito.

- Como assim?

- Ele nos lembra de quem somos, mesmo quando esquecemos. Ele conta histórias dos povos antigos, mas soa como se fosse eu, ou você, ou... - então apontou para as pessoas sentadas na cafeteria - ou eles. O modo como Vito conta a história da Sicília é como se ele tivesse vivido ela, de um século ao outro, como se ele fosse a história.

Eu estava prestes a responder, mas então o próprio Vito passou pela porta. Eu ainda estava focado na descrição bem clara de meu mentor pelo barista, e então olhei para Vito. Por um breve momento, o tempo se retardou o suficiente para que eu pudesse vê-lo mais claramente. Ele não vacilava, embora o peso dos muitos anos claramente houvesse cobrado o seu preço. Ele andava curvado, e eu sabia que essas não eram as costas de um jovem. Mas seus olhos ainda brilhavam, não eram anuviados pela catarata da terceira idade, embora eles houvessem visto guerra e pestilência, saúde, felicidade e morte.

Foi só quando Vito se sentou na cadeira próxima à minha e cutucou meu antebraço que eu percebi como o tempo estava mais devagar e que os sons da cafeteria haviam desaparecido. Com o a batida de seu dedo, tudo voltou à ordem, o movimento do local voltou ao passo regular e o tilintar de xícaras e pires voltou, enquanto eu também voltava ao presente. O barista já havia se retirado, e batia no recipiente com alça da máquina de espresso para soltar as partículas velhas e prepará-lo para uma nova troca.

- Inquisição, - disse Vito.

Eu respirei fundo, não para me preparar, mas mais como um sinal de reentrada no presente.

- A Inquisição Espanhola foi muito difícil para o meu país. Começou no início do Século XV e envolveu a cadeia padrão de julgamento-tortura-confissão-execução que a prática tinha em outros países europeus. Na época em que se firmou, os árabes da Sicília haviam sido expelidos, mas ainda havia pequenos bolsões de judeus aqui, vivendo pacificamente e cuidando de seus próprios assuntos, mas suas vidas eram um desafio constante ao poder que o Inquisidor Geral tinha, Tomás de Torquemada.

Já ouviu falar da palavra *neofiti?*

Eu balancei a cabeça.

- Os judeus foram perseguidos através dos séculos, particularmente durante a Inquisição Espanhola, - continuou Vito, enquanto eu pensava nos apuros do povo judeu ao longo da história.

- Em muitos lugares, os judeus que foram convertidos ao cristianismo à força eram chamados de *anusim,* mas na Sicília e na maior parte do sul da Itália, o termo era *neofiti.*

- Não tenho certeza se entendo como isso funciona, - interrompi. - Você pode batizar alguém, mas como o converte à sua crença "à força"?

Vito deu um sorriso fraco.

- *Sì,* - respondeu ele. - Essa é exatamente a técnica que o Inquisidor Geral usava quando precisava. O governo espanhol, através de seu braço religioso do Escritório da Inquisição, impôs um novo grupo de regras ao povo da Sicília. De início, parecia um pouco tolerante; aqueles que quisessem partir poderiam fazê-lo, e eles deveriam se quisessem escapar da perseguição. Mas muitos judeus decidiram não deixar o que havia se tornado seu lar, então concordaram em se converter ao cristianismo.

- De que maneira?

- Como você disse. Eles concordavam em ser batizados, mas não aceitavam a nova religião em seus corações. Muitos dos *neofiti* adotavam estilos de vestimenta que estavam de acordo com essa nova religião, cortavam seus cabelos de forma consistente com o que se espera e abandonavam acessórios como o xale de oração para que não se destacassem. Muitos iam às missas nas igrejas cristãs, mas também continuavam a praticar tradições judaicas e cerimônias religiosas em privado.

- Isso soa como algo que os colocava em risco.

Vito assentiu solenemente.

- E os colocava, assim como os primeiros cristãos em Roma arriscavam suas vidas e sustentos praticando sua religião nos locais de encontro subterrâneos. Os *neofiti* eram frequentemente postos sob suspeita, e então trazidos perante o Inquisidor. A tortura era o regime de questionamento, e muitos quebravam sob o doloroso processo, ou confessando que ainda praticavam o judaísmo ou mesmo inventando coisas que não eram verdadeiras, apenas para acabar aprisionados. E eles eram frequentemente executados pelas coisas que confessavam.

- Às vezes, judeus ou outros sicilianos eram trazidos diante do Inquisidor não por conta de suas próprias práticas, mas porque a elite espanhola que mandava no país à época desejava algo que pertencia ao criminoso alegado.

- Como quais? - o pensamento me incitou medos.

- Geralmente casas ou terras que o Inquisidor ou seus ajudantes queriam para si. Depois de uma pausa, Vito continuou. - Mas havia outras coisas que eles cobiçavam... às vezes as esposas dos homens presos, às vezes suas riquezas e às vezes seus filhos. Foi uma época feia.

- A Inquisição Espanhola foi uma praga por toda a Europa - eu ofereci, como forma de sugerir que a Sicília não era um alvo específico.

- *Sì*, isso é verdade, - respondeu Vito, com a voz baixa, - muitas pessoas sofreram nas mãos de fanáticos religiosos. Mas o coração da Inquisição não era a religião.

Isso me surpreendeu, então pedi que esclarecesse.

- Assim como muitos movimentos fanáticos para quebrar pequenos grupos dentro de uma população, os espanhóis que apoiavam a Inquisição tinham outras motivações, e usavam o propósito divino de Deus como justificativa para perseguir essas outras motivações.

- Quer dizer, como confisco de propriedade?

- Isso e mais. Frequentemente as sementes para movimentos assim começam com as pregações de um extremista – pense em Rasputin ou Savonarola – cujos discursos inflamam o ódio popular e tomam ímpeto. Então outras pessoas que veem como podem satisfazer seus próprios desejos egoístas se aliam com esses videntes autoproclamados. A união dos dois – o fanático religioso e os esfomeados parasitas de poder – catalisam o movimento e o empurram para além da razão.

- Gosto da palavra catalisar, - disse eu, mas me arrependi de ter interrompido Vito. - Parece que os dois elementos se combinam para criar uma sinergia que não poderia ser atingida pelos elementos individualmente.

- *Esattumentu,* - comentou ele. - E cada um termina com o que queria no início. O fanático que acredita estar inspirado por Deus toma mais poder civil para si, e os tipos gananciosos que se aliam com ele e se ligam a essa mensagem conseguem o peso da inspiração divina para justificar suas terríveis ações. Mas a sinergia entre os dois cria uma mistura explosiva. Ambos acreditam que seus objetivos são os mais importantes, e com o tempo começam a lutar entre si pela primazia no movimento.

- Por quanto tempo durou a Inquisição Espanhola?

- Tempo demais, - mas então Vito riu. - Bem, todos os períodos assim duram demais, mas a Inquisição durou por séculos. Tempo demais mesmo.

Ele parou, como se puxasse uma memória distante de suas lembranças.

- Se lembra do *mikveh* em Ortígia?

- Sim, me lembro. Os banhos sagrados. O que tem eles?

- Era muito importante para os judeus daquela cidade, e assim eram os *mikvehs* e templos pela Sicília. Para esconder sua apostasia...

- Quer dizer seu abandono do judaísmo? - perguntei, mas Vito riu de uma forma alegre.

- Não. Os cristãos teriam considerado as práticas judaicas como sendo apostáticas, mas os judeus ainda tinham de esconder elas das autoridades. De qualquer forma, para esconder suas orações e práticas – sua apostasia do dogma cristão, se quiser – os judeus deixaram que os templos e *mikvehs* fossem esquecidos, às vezes até mesmo permitindo que fossem enterrados ou escondidos sobre novas paredes.

- E como isso se aplicou ao *mikveh* em Ortígia?

- Pelo Século XV, uma nova estrutura havia sido construída naquele lugar, uma igreja cristã que escondia o fato de que um *mikveh* judeu se escondia por baixo.

- Ainda está aqui? -

- *Sì,* está. Em Via Alagona. Foi encontrado e escavado. Você deveria ir ver quando for à Ortígia. Outro cutucão gentil de meu mentor para sair e ver a ilha.

- Se lembra dos *kanats* em Palermo? - perguntou ele.

- O sistema de irrigação subterrâneo construído pelos árabes, certo? Você o chamou de um dos maiores feitos de engenharia da história europeia.

- Ou mundial, - adicionou ele com orgulho, então riu. - Outro *mikveh* que escapou de ser detectado até a sua descoberta recente está em Palermo, e é alimentado pelas nascentes naturais trazidas pelo suprimento de água dos árabes.

Vito pausou para apreciar essa ironia.

- Acho que isso é perfeito - disse ele em sua xícara de espresso, mal escondendo o sorriso em seus lábios.

1492 E.C. - 1713 E.C.

ESPANHÓIS

AGOSTO DE 2018

CAFETERIA AMADEO

- Espanhóis - disse Vito quando entrei pela porta da Cafeteria Amadeo na manhã seguinte.

Estava muito úmido do lado de fora e o fraco ar-condicionado dentro do ambiente deixava uma camada de condensação nas janelas. Nenhum estadunidense diria que o lugar estava "condicionado pelo ar", mas comparado com o modo de vida siciliano, estava positivamente fresco.

- *Sì*, espanhóis - ecoei.

- Mil quatrocentos e noventa e dois foi um ano muito importante, - continuou ele. - Por séculos, o império espanhol vinha ficando mais forte, mas foi só naquele ano que os governantes, Fernando II de Aragão e Isabela I de Castela, capturaram o Emirado de

Granada. Ao fazer isso, eles expulsaram os muçulmanos de seu país – da maior parte da Europa Ocidental – e acabaram com oito séculos de reinado islâmico.

- Engraçado, pensei que iria dizer que 1492 era importante porque a coroa espanhola financiou as expedições de Cristóvão Colombo para a América do Norte.

- *Sì, sì,* - ele respondeu, dispensando isso com um aceno de mão. - Isso também aconteceu, mas não era tão importante. Pelo menos à época. E, aliás, Colombo não velejou às Américas...

- Eu sei, ele velejou para a China, mas acabou encalhando nas ilhas da América do Norte antes de chegar lá. O modo como falei foi propositalmente retorcido para injetar ironia nisso tudo.

- De qualquer forma, o rei e a rainha da Espanha haviam recentemente fundido seus reinos – de Aragão e Castela –, os fazendo mais poderosos na união do que separadamente.

- O que isso tem a ver com a Sicília? - perguntei.

- Lembre-se de que esse era o ápice da Inquisição, e 1492 foi o ano em que a Inquisição forçou os não-cristãos a se converterem por toda a Espanha e a Sicília. Muçulmanos, judeus, quem fosse. Então, esse ano em particular marca a linha divisória na história do Mediterrâneo.

Sinalizava que a Espanha se tornaria o primeiro poder realmente mundial, e as expedições de Colombo em busca de especiarias e riquezas só adicionavam à mística.

Mas para nós, na Sicília, houve pouco engajamento com os espanhóis, e poucas visitas, se é que houve alguma, da realeza continental. Isso resultou em muita desconfiança do povo siciliano e sua família real espanhola. Mais uma vez, meu país estava sendo governado por forasteiros à distância, e apenas existíamos para enviá-los dinheiro, grãos e bens. Ao invés de ter nosso próprio rei aqui em Palermo, ou Trapani, ou Siracusa, tudo que tivemos foram declarações e leis de alguma capital distante na Europa, e mais impostos para encher seus tesouros. Nossa terra era governada por vice-reis, o que não era diferente dos antigos governadores provincianos, mas – no novo formato – eles agora eram forasteiros apontados pelo rei.

Eu percebi o frequente uso de Vito das palavras "meu país" ou "nosso país" e me diverti com a maneira com que isso o conectava de forma tão vital à terra. Mas ele também frequentemente usava "agora" ao descrever uma era passada, como se ele também fosse vitalmente conectado àquela época. Ou talvez ainda vivesse nela, como se fosse o presente.

- Essa distância entre os governantes e o povo pode ter contribuído para uma nova força em jogo na Sicília – uma explosão populacional.

Eu ri, mas tive de perguntar: - Qual é a conexão? Pensei sobre as explosões demográficas que geralmente se seguem às guerras, quando os soldados voltam para casa às suas esposas "famintas" e imediatamente se põe a fazer bebês.

- Paz, - respondeu Vito. - Veja, um longo período de paz contribui para uma sensação de bem-estar, quando o medo do futuro dá lugar à esperança. Conscientemente ou inconscientemente, isso é um incentivo para que os casais tenham filhos.

Além disso, a ausência de guerra quer dizer que as taxas de mortalidade abaixam, deixando mais pessoas para a conta e mais pessoas para procriarem.

Uma sombra subitamente se espalhou pelo rosto de Vito e seu sorriso abaixou.

- Há um outro lado dos tempos espanhóis. Era um bom lado, mas a luz que brilhou sobre nós também iluminou a forma como éramos maltratados antes, e quão mal fomos tratados desde então.

- Espere, - pedi. - A maior parte do que descreveu do domínio espanhol foi decepcionante, certamente nada inspirador. Reis estrangeiros, impostos altos, vice-reis forasteiros. Porque parece sentir falta deste tempo?

- Não sinto, na verdade. Mas desde aquela época, quando a Espanha reinava sobre nosso país, entramos sob os reinados de Savóia, dos austríacos, bourbons, hapsburgos, fascistas. Em tempos recentes, fomos dominados pelos alemães, britânicos, estadunidenses e a máfia.

Há muito tempo, a Sicília foi a terra dos filósofos gregos, dos homens sábios e eruditos do islã, dos exploradores da Escandinávia e dos governantes da Suábia. Nem tudo foi bom, mas sentíamos como se a Sicília estivesse evoluindo até ser um dos grandes impérios do mundo. E se você medir pelas frotas mercantes, a produção da terra e a economia crescente de lugares como Messina, Siracusa, Palermo e Agrigento, fomos um grande império.

Era atrás disso que os governantes da Espanha estavam. Mas quando foi dada a Vítor Amadeu II de Savóia, foi como se o relógio tivesse voltado na Sicília, retornando essa cultura crescente à época em que a ilha era apenas um recurso a ser pilhado.

1535 E.C.

CASTELA, PALERMO E MESSINA

Lutero estava dolorosamente ciente da política da situação.

Seu senhorio, o Rei Carlos da Espanha e Itália e também Sacro Imperador Romano, era a pessoa que reinava sobre um império que agora se espalhava pela maior parte da Europa e do Mediterrâneo. E o rei tinha apreço pelo Bispo Bernardus. Ele gostava do seu aconselhamento - particularmente em matéria de política - ele gostava do comportamento jovial do bispo e ria com sinceridade das piadas irreverentes do homem.

Mas a Rainha Isabela não era tão tolerante para com o clérigo. Ela tinha um ressentimento em particular com seu comportamento indizível com as mulheres - incluindo moças da própria corte da rainha. Ela só expressava suas preocupações em privado com seu marido, o rei, mas seu tratamento frio com o bispo não deixava dúvidas de como ela se sentia em relação a ele.

E então Lutero, como agente de Carlos e o principal conselheiro da corte, tinha de lidar com os dias difíceis da visita esperada do Bispo Bernardus à residência real em Castela. Os eventos formais podiam ser os locais mais perigosos, mas, na verdade, Lutero achava essas ocasiões ensaiadas como sendo as mais fáceis de se lidar. A rainha sempre estaria sentada à esquerda do rei, e Bernardus, como o dignatário visitante mais proeminente, ficaria à direta do governante. Ao menos isso garantiria que a rainha e o bispo sempre estivessem separados pelo próprio rei.

Lutero sorriu ao pensamento. Era exatamente o mesmo arranjo no antigo jogo persa, o *shatranj,* que havia se tornado tão popular na Europa. Naquele jogo, os oficiais da corte se moviam pelos quadrados de um tabuleiro com o rei e a rainha dominando, mas com bispos e cavaleiros para ajudá-los. Todos eram cercados por súditos menores - ou peões. No *shatranj,* o rei sempre ficava entre a rainha e o bispo. Encarando seu próprio desafio de política doméstica, Lutero subitamente percebeu porque era assim.

Para que os eventos formais possam tomar conta de si mesmos. Os eventos informais se provariam ser mais delicados para Lutero. Caminhadas lentas pelos passeios arqueados da residência real ou pelos jardins podiam significar encontros acidentais entre o bispo e a rainha, perguntas não-solicitadas do clérigo no meio do dia podiam pegar o rei em companhia de sua esposa. Mesmo as vezes em que Carlos subia os degraus até as ameias acima dos muros do castelo podiam significar um encontro casual com Bernardus. Se a rainha estivesse em companhia de seu marido - o que acontecia com frequência, para que ela pudesse monitorar a atração de seu marido por garotas jovens - Isabela não podia evitar o contato com Bernardus.

A tarde anterior ao embarque para Palermo foi uma dessas ocasiões. O bispo havia sugerido uma audiência da corte com o rei e indicou que gostaria de ouvir os líderes militares de Carlos. Era um pouco presunçoso, pensou Lutero, que esse homem da batina quisesse ser informado pelos oficiais do rei, mas ele sabia que Carlos consentiria e que cairia nas mãos dele, como agente, prosseguir com isso.

Carlos havia lutado muitas batalhas ao longo dos anos, ataques de forasteiros para pegar porções do império e ataques por aqueles sob o seu domínio que desafiavam a supremacia do rei. Ele reinava sobre um reino que ultrapassava qualquer coisa na história do mundo, então sempre haveria dissidentes nas bordas, conspirando para tomar um pedaço do território. Havia guerras contínuas contra os príncipes da Germânia e os barões da Itália. O Império Otomano ameaçava seu reinado assim como o faziam uma série de papas que queriam impor limites na expansão de seu império e prevenir Carlos de reinar até mesmo sobre os Estados Papais.

O exército que Carlos juntou para lutar as guerras em todas essas frontes era um milagre da inovação e invenção. Financiado por um grande tesouro construído com os recursos dos territórios que ele controlava, Carlos encorajou o desenvolvimento das ferramentas de guerra. Lanças foram melhoradas e piques foram distribuídos para batalhões inteiros. Os cavalos agora eram lugar-comum e as unidades de cavalaria acompanhavam qualquer conflito militar.

O canhão havia se tornado uma característica padrão do combate ao longo do século anterior, fazendo com que fosse possível a invenção da pólvora negra. Descoberta primeiro pelos chineses, a substância inflamável era, no início, instável e dada a explosões não intencionais, mas quando misturada com um pouco de enxofre, a combinação de carvão e nitrato de potássio era fácil de se manipular. A pólvora negra podia ser usada para enviar grandes pedras ou bolas arredondadas de metal por longas distâncias, contanto que o cano de ferro forjado do canhão em si não explodisse.

Engenheiros da cidade de Pistoia, na Itália, levaram a invenção um pouco além. Com medições precisas e uma miniaturização cuidadosa de materiais, eles inventaram um pequeno dispositivo que parecia e operava como um canhão, mas que podia ser levado nas mãos. Sem as rodas e a carreta que absorvia o chute do canhão, o homem segurando a *pistola* teria de segurar o instrumento com firmeza, então forjaram um cabo dobrado ou com nervuras na parte traseira da arma para que os dedos dos soldados pudessem se fechar em torno da ferramenta para segurá-la bem.

Um capitão a serviço de Carlos havia retornado de uma campanha na Itália com um desses instrumentos.

- É de Pistoia, senhor - disse ele, apresentando a *pistola* ao soberano com uma mesura.

Carlos olhou para a arma com uma curiosidade oriunda de seu interesse na ciência, mas ainda não conseguia conectar a coisa metálica em sua mão ao grande canhão.

- Pode atirar uma bola de metal, assim como um canhão, mas menor - disse o capitão.

O soldado estava impressionado com a nova arma e podia ver que o rei também estava. Nenhum dos homens pensou muito sobre o fato de que a trajetória instável da bola iria requerer um combate de proximidade; mas o soldado ainda assim sabia que era melhor disparar uma arma contra um inimigo do que ter que entrar em combate corpo-a-corpo com ele.

Lutero estava presente naquela exibição e na demonstração que ocorreu na mesma tarde. Carlos raramente mostrava animação quando em companhia de seus súditos, mas a *pistola* o roubou de sua reserva habitual.

- É magnífica, - disse ele, após ver o dano que a bola causara a uma peça de couro pendurada para a demonstração. - Posso adquiri-las para os meus soldados?

A pergunta soava pitoresca vinda do homem que era o Sacro Imperador Romano, mas ele ainda estava atônito pela descoberta.

- Ora, certamente - respondeu Lutero, sem esperar o assentimento do capitão. E então foi feito. A *pistola* se tornou um instrumento de guerra comum às batalhas de Carlos contra a invasão de seus domínios. Os primeiros a serem equipados foram os *tercie* - isto é, os esquadrões de piqueiros - e os espadachins, e mais esses novos soldados chamados de *pistolese* - que podiam entrar em batalha com armas de fogo longas e pistolas que cuspiam fogo e atiravam bolas de metal nos inimigos.

E foi na tarde anterior à viagem para Palermo para a inspeção do *Tercio de Sicilia* que Bernardus quis ouvir os planos de Carlos para a batalha naquela ilha.

O teatro, ou como era chamado o cômodo do palácio onde Carlos tratava com um grande número de pessoas, foi arrumado para o rei e a rainha, o bispo, especialistas militares selecionados, ajudantes da corte e outros que poderiam ser chamados para descrever o plano para a Sicília. Era uma tarde quente com um vento fraco, então Lutero esperava que as circunstâncias desconfortáveis pudessem deixar a reunião curta. Ele queria limitar o tempo em que Bernardus poderia lançar suas ideias para a campanha. Diferente de Carlos, Lutero não tinha tanto apreço pelo homem da batina e sabia que Isabela frequentemente interrompia os procedimentos se Bernardus insistisse em filosofar muito.

Por quase uma hora, várias pessoas apresentaram suas informações sobre a Sicília, a história do povo de lá, a natureza de Palermo e a expulsão dos muçulmanos, não tão distante para ter sido esquecida. Depois de uma descrição das campanhas conduzidas na Espanha, Itália e outros lugares, a parte militar da reunião estava chegando à sua conclusão.

- O *Tercio de Sicilia* está posicionado em certos postos ao redor da ilha, - disse Candido d'Andrea, o estrategista militar de Carlos. - O povo da ilha não tem sido um problema, senhor...

- É uma pena que não tenhamos situações tão pacíficas no resto do império - murmurou Bernardus. Seu uso presunçoso do "tenhamos" da realeza irritou Isabela, e ela ajeitou os quadris no trono de mármore como uma mostra sutil de protesto.

- O povo da Sicília tem estado quieto, - repetiu d'Andrea, - e não tivemos de utilizar nosso exército para acalmá-lo. Isso é um tributo à sua liderança, vossa alteza.

Carlos coçou o queixo com as costas da mão e considerou o comentário de Bernardus.

- Se podemos ter paz na Sicília, o que estamos fazendo lá que não estamos fazendo em outros lugares? - perguntou ele.

Andrea parou para considerar a melhor forma de formular sua resposta. Ele queria creditar Carlos com a atmosfera de sucesso na Sicília, mas havia chegado à sua própria conclusão há um bom tempo. Ele sabia que as tribos daquela ilha haviam sido invadidas e subjugadas por tanto tempo e por tantas nações diferentes que eles haviam desistido de resistir.

- Pode ser, senhor, - começou ele, hesitante, ainda tentando formular a resposta, - que o apelo à natureza deles e a bondade de seu reinado tenham feito toda a diferença.

Lutero não foi mais enganado por essa resposta do que Carlos fora, cujo sorriso torcido revelava suas próprias dúvidas.

- Então, devemos ir à Sicília e ver por nós mesmos sua natureza e a bondade de meu reino, - Concluiu Carlos. - Não é?

Todos na reunião fizeram uma mesura à pergunta retórica do rei.

A flotilha trazendo o grupo real zarpou da Ibéria em direção à Sicília. Ela navegaria até Trapani primeiro, para inspecionar o *tercio* de lá, mas, mais importante, atracar nesse porto mais a oeste e a sul de Palermo permitiria que as notícias da chegada do Rei Carlos chegassem a Palermo apropriadamente, então arranjos poderiam ser feitos de antemão para sua chegada à cidade.

Era o meio do verão e o calor era opressivo.

- Serás o hóspede de Gugliemo Aiutamicristo, senhor, - disse Lutero. - enquanto estiver em Palermo. Ele é o barão de Misilmeri e Calatafini.

- Mas porque não ficar no palácio real da cidade? - perguntou Carlos.

- O Palácio Steri é muito bonito, meu senhor, - respondeu Lutero, cadenciando as palavras para tomar a atenção do rei. Ele sabia que Carlos nunca havia estado na Sicília. - Mas a família do Senhor Aiutamicristo é muito abastada, e eles gastaram livremente em seu próprio palazzo. Os palermitanos agora crêem que o Palazzo Aiutamicristo é mais bonito do que qualquer coisa em sua cidade.

- Mais bonito do que meu próprio palácio? - perguntou o rei, mostrando uma combinação de incômodo e embaraço.

- Senhor, - continuou Lutero, - o Palazzo Steri foi construído pela família Chiaramonte, - jogando o nome de uma família desacreditada de tempos antigos. - Mas os Aiutamicristos são súditos leais e têm contribuído de boa vontade para seus esforços de guerra.

Lutero sabia que pouca coisa precisava ser dita. Carlos e Isabela - e, infelizmente, também Bernardus - ficariam ali enquanto estivessem em Palermo. Ele, Lutero, também ficaria na residência Aiutamicristo, com alguns soldados para a segurança, mas o resto dos viajantes ficaria alojado na cidade.

Quando chegaram em Palermo, dois dias depois, um garoto esguio de mais ou menos treze anos guiou a pequena equipe de cavalariços que levaria as rédeas do grupo real. Ele se chamava Antonio, o filho do ferrador que cuidava dos cavalos no Palazzo Aiutamicristo. Ele fez uma mesura quando o rei desceu de sua carruagem, e se abaixou ainda mais quando a rainha seguiu-se a ele, para evitar fazer contato visual sequer com a bainha de seu vestido. Mas ele já havia visto os arreios e cordas trançadas que controlavam os cavalos quando o grupo estava se aproximando. Ele sorriu à armadura colorida que cobria a mandíbula e as narinas dos cavalos; o *crinet* vermelho, azul e amarelo que cobria o pescoço; e a *cilha* de couro polido que prendia a sela à barriga do animal.

Ele também havia notado os botões brilhantes de prata e as fivelas de bronze que adornavam a carruagem, e as bordas de prata que cobriam todas as extremidades expostas do veículo.

"É um veículo incrível", pensou Antonio consigo mesmo, e ele foi incapaz de controlar o impulso de observá-lo novamente. Para sua sorte, era apenas Lutero quem estava descendo da carruagem, e o agente era tolerante o suficiente para não repreender o cavalariço por olhar fixamente para o veículo. Lutero apenas desceu e passou por Antonio.

Mas Bernardus estava descendo de sua carruagem ao mesmo tempo, e ele era arrogante demais para perder uma oportunidade de censurar a juventude. Com uma chicoteada da tira de couro que ele carregava que atingiu Antonio em seu antebraço, ele bradou:

- Não olhe para mim, seu bastardinho, - disse ele, secamente. - Abaixe os olhos.

O gesto de reverência era uma obrigação apenas para com o rei e a rainha, e não para com o bispo, mas o chicote ainda fez Antonio obedecer.

- É a coisa mais linda que eu já vi - disse ele a Nicolà no fim da tarde. A garota, que tinha mais ou menos a mesma idade de Antonio, havia vindo morar com ele e seu pai quando tinha dez anos, quando seus pais morreram de uma doença suspeita. Antonio e Nicolà eram colegas de brincadeiras no início, mas havia apenas duas camas na pequena casa, então eles compartilhavam a que não era usada pelo pai de Antonio. Em pouco tempo, seu contato físico noturno superou a noção de uma simples amizade.

- Me fale sobre isso - disse Nicolà, com uma animação igual à de Antonio. Ele descreveu os arreios dos cavalos e o design da carruagem com muitos detalhes. Ele se alongou nas expressões artísticas que faziam o veículo do rei tão diferente de qualquer coisa que ele houvesse visto ou usado em Palermo. Então ele descreveu a altura e a força dos animais.

- Eles poderiam ganhar uma guerra com ginetes, - exclamou ele, embora àquela altura Nicolà tivesse de se perguntar como aquilo funcionaria.

- Eu gostaria de trabalhar para o rei e cuidar daqueles animais magníficos - disse ele.

O pai de Antonio estava sentado em um canto da sala, mas, com isso, ele sorriu. Ele também amava os cavalos desde a infância, e sonhava em cuidar dos melhores. Quando o Barão Aiutamicristo viu como o ferrador havia cuidado de uma égua até ela ficar boa, ele o contratou para cuidar de seu estábulo. Agora, pensou o homem, ele conquistou o que havia sonhado, e ele sabia como seu filho se sentia naquele momento.

Três semanas depois, Carlos chamou seus barões e outros oficiais à corte, para uma assembleia em Palermo. A paz reinava sobre a Sicília, como d'Andrea o havia informado, e trazer esses oficiais de classe mais baixa para uma reunião seria um sinal de que toda aquela paz e justiça podiam prosperar juntas.

Ao longo dos séculos de domínio estrangeiro, houve poucos deles de Aragão ou da Espanha que se preocuparam em visitar o lugar. Então haviam festividades ocorrendo para celebrar essa visita, bem como um conclave de barões e notáveis. Foi na metade de setembro que todos chegaram, então o calor intenso do verão Mediterrâneo havia dissipado, permitindo que desfiles e marchas do *tercio* começassem enquanto o sol ainda brilhava.

Sessões de, às vezes, dias inteiros com especialistas legais e políticos visionários eram interrompidas apenas pelos sinos que sinalizavam as refeições, mas elas eram longas e satisfaziam bem. Carlos queria que todos seguissem suas decisões legais, então Lutero o aconselhou a alimentar bem os barões e guardar a maior parte das questões controversas para o fim da tarde, quando o vinho já havia sido usado para amaciar quaisquer objeções que eles pudessem ter.

A assembleia correu bem, como Lutero planejara, o que significa que Carlos teve sucesso em se mostrar como um governante sábio e forte; Isabela teve sucesso em provar aos sicilianos que ela era uma esposa apropriada para seu soberano, e Lutero foi bem-sucedido em manter o Bispo Bernardus nas bordas dos debates.

O rei decidiu deixar Palermo e visitar algumas outras regiões da ilha. A visita o ensinou bastante sobre o povo e a terra, embora as histórias que chegassem até ele tivessem mais a dizer sobre os barões que mantinham o povo comum sob seu poder. Carlos confidenciou a Lutero em uma tarde que era bom que tivessem vindo à Sicília.

- Viajaremos pela ilha e partiremos de Messina - sugeriu Carlos. Lutero sabia que isso significava que ele enviaria os navios à frente, cruzando a costa norte da Sicília para que Carlos e seu séquito pudessem viajar por terra.

- Sim, senhor - respondeu ele, com uma mesura. Era outono e o clima estaria mais atraente, pensou Lutero, e Bernardus era preguiçoso demais para viajar por terra, então ele navegaria com os outros.

MARÇO DE 1669 E.C.

CATÂNIA

A FUMAÇA SIBILANTE SUBIU PELO CÉU SOBRE O Etna por dias, mas o povo da Catânia já havia visto isso antes. A grande montanha arrotava odores sulfurosos vez ou outra, às vezes acompanhados pelo rugir de explosões em seu interior, e os cataneses haviam se acostumado com isso. O solo vulcânico que sobreviveu às erupções antigas era tão fértil que as planícies ao redor de Catânia, Mascalucia, Misterbianco, Trecastagni, Paterno e outras vilas ao sul do vulcão eram lar de extensos hectares de terra cultivável. Nenhum dos viventes da cidade havia conhecido o tipo de erupção destrutiva que era relatada nos contos folclóricos, então porque partir?

Mesmo os tremores de terra que haviam sido um dia persistentes agora se acalmavam.

Numa noite, os sibilos e as nuvens de fumaça e vapor subitamente silenciaram. Todos presumiram que a grande montanha havia finalmente voltado a adormecer. Por diversas horas, todos na área dormiram sem medo. A Catânia descansava, assim como as outras vilas nas encostas ao sul do Etna.

Então um tremor pôde ser ouvido e sentido. O povo de toda a Catânia acordou com o som e fugiu para as bordas da cidade, onde uma grande muralha havia sido construída por seus ancestrais. Tais barricadas eram uma proteção contra os inimigos nos tempos medievais, embora cada catanês houvesse ouvido as histórias de como essa muralha tinha por objetivo parar um inimigo muito específico: a lava que se derramava do vulcão durante seus piores períodos. O muro na periferia norte da cidade era mais grosso do que o do sul, precisamente porque ele encarava a montanha, mas a maior parte dos aldeões pensava que a barricada fora erigida em resposta ao folclore do deus da montanha. Tudo parecia um conto infantil.

Quando eles correram de suas casas naquela noite, puderam ver as chamas laranjas, amarelas e vermelhas subindo ao céu refulgindo, enquanto nuvens negras eram cuspidas e ondulavam pelo buraco no topo da montanha. Chamas, trovões e fumaça se combinavam para mandar um arrepio coletivo a todos na área; eles sabiam que essa erupção era uma daquelas sobre as quais os anciãos falavam.

Mais trovões, chamas avermelhadas, fumaça e enxofre encheram o céu, e grandes blocos de pedra foram atirados pela boca do vulcão. Rios luminosos e brilhantes de lava escaldante começaram a se derramar pela encosta sul da montanha, ateando fogo a tudo em seu caminho. A lava imunda e doentia brilhava em seu calor na vanguarda, deixando grandes blocos escurecidos na retaguarda, à medida que a rocha derretida esfriava em dutos e túneis que carregavam o líquido quente bem na direção da Catânia.

Diego de Pappalardo era uma das pessoas em pé no pilar da torre do canto norte da Catânia, com as pessoas ao seu redor gritando acerca da verdadeira ira dos deuses.

- É o fim do mundo! - gritou o homem ao seu lado, mas Pappalardo não era tão fatalista. Enquanto ele assistia cada rio fogoso criar seu próprio duto de lava arrefecida no topo e lava derretida nos dutos, ele teve uma ideia.

"Se o caldo vermelho dos deuses pode fazer seu próprio túnel," pensou ele, "porque não podemos fazer túneis para o caldo ir para outra direção?"

Ele pulou da muralha e correu pela multidão de pessoas aglomeradas no centro da piazza. Eles discutiam se iriam ficar na cidade - "Construíram a muralha para nos proteger", alguém gritou para ninguém em particular - ou se apressar em fugir pelo portão sul até a segurança.

- Isso não vai funcionar, não pode funcionar, - disse outro. - Não dá para escapar dos deuses!

- Os deuses não se importam com a gente - disse uma mulher na multidão. Muitos que estavam próximos a ela deram passos cautelosos para longe, como se estivessem se protegendo de um raio divino que perseguiria sua blasfêmia.

- Mas podemos escapar da lava - disse outro homem.

- Eu tenho uma ideia que irá nos salvar e salvar nossa cidade, - disse Pappalardo.

Ninguém havia pensado em salvar a cidade, apenas a eles mesmos, então a ideia soava como uma fantasia inútil.

- Escutem-me, - continuou Pappalardo. - Podemos ir até a montanha e mover a lava para longe de nós.

- *Sei pazzu,* - veio a réplica da multidão, - Você está louco!

- Olhem para a montanha, - disse Pappalardo, apontando para os declives do Etna que estavam visíveis de sua posição na cidade. - O caldo desce a montanha, esfria e endurece.

- E mais desse fogo vem do pico! - respondeu a mulher.

- Mas se o ensinarmos a ir para lá, - disse Pappalardo, apontando o dedo para o oeste, - ou lá, - então apontando para o oeste, - a lava descerá a montanha e irá para longe da Catânia.

- E como pretende fazer isso, pedindo para que os deuses redesenhem a montanha?

- Não, disse ele, simplesmente, - nós é que vamos redesenhá-la.

Céticos discutiram, mas Pappalardo agora estava tomando a atenção de alguns dos homens mais jovens e corajosos da multidão. Eles falaram sobre como executariam o plano, quais ferramentas precisariam para o serviço e como se aproximariam da montanha. Depois de um pouco de discussão, o grupo de apoiadores foi até suas casas para coletar pás, picaretas e outras ferramentas que poderiam usar para cavar canais e mudar o curso da lava que fluía em direção à Catânia.

A lava fluiu por dias enquanto a equipe catanesa subia pela encosta. Pappalardo estava no comando, mas ele dependia de Giorgio, seu primo, para ficar com a multidão de cerca de cinquenta homens e falar com eles enquanto ascendiam pelos aclives do Etna.

O trabalho de Pappalardo era encontrar o melhor lugar para atacar o duto de lava arrefecida; o de Giorgio era continuar a encorajar os homens e impedir que abandonassem a causa.

A cada hora de caminhada em direção ao vulcão, a intensidade do calor aumentava não só no ar em si, mas também no chão, que penetrava os calçados de couro finos que calçavam. Eles carregavam odres de couro com água, mas que logo se esvaziaram, tanto pela evaporação quanto pelo consumo, e ainda assim o calor - e o medo - continuavam a aumentar.

Finalmente, Pappalardo escolheu um lugar para começar o experimento. Os homens se reuniram a ele para as instruções, mas primeiro ele fez com que se virassem em direção à Catânia.

- Aquela é a nossa cidade. É ali que nossas famílias vivem, e onde vivemos por todas as nossas vidas. Precisamos salvar a Catânia.

Esse lembrete serviu para inflar sua determinação, e Giorgio sorriu a Pappalardo por essa inspiração.

A equipe estava reunida na ponte oeste de um duto bulboso que emitia vapor e fumaça, mas que do contrário era de um negro acinzentado e tinha a aparência de uma crosta. Pappalardo segurou sua picareta horizontalmente, à altura da cintura, e a espetou no canto mais baixo desse duto. Com um som seco e oco, a picareta quicou de volta. Então Pappalardo levantou a ferramenta um pouco mais alto e tentou novamente. A ponta afiada da ferramenta perfurou e se prendeu na lateral do muro de lava, mas não causou uma grande impressão.

Giorgio estava ao lado de Pappalardo e tentou a mesma coisa com sua picareta, mas a levantou acima dos ombros e golpeou para baixo no topo do duto. A ferramenta fez uma punção na coroa do túnel encrostado, e uma nuvem de fumaça e gás foi ejetada de lá. O reflexo súbito da lava fez os homens saltarem para trás, mas então perceberam que o nível da lava dentro do duto estava um pouco abaixo do topo, então souberam que podiam trabalhar no topo da curva da lava arrefecida primeiro.

Os homens se alinharam e começaram a estocar as paredes enegrecidas com suas picaretas, pás e varas longas, criando uma bagunça esfarelada de pedra aquecida e pó aos seus pés. Eles eram assaltados frequentemente pelos detritos fogosos da parede de lava aos seus pés e as coberturas de couro logo ficaram chamuscadas e escurecidas com o contato. Mas os homens persistiram.

Depois de criar uma fenda horizontal longa e dentada no duto mais ou menos na altura do peito, a equipe fez uma pausa para considerar o que fazer em seguida. Foi aí que o plano de Pappalardo veio à tona.

Ele havia escolhido uma porção do túnel de lava não baseado no formato do túnel em si, mas na inclinação sobre a qual ficava. Ele pediu que os homens parassem, então apontou para a depressão aos seus pés.

- Esse canal natural, - disse ele, apontando para a trincheira longa e irregular que corria de onde estavam até um ponto baixo no declive oeste da montanha, - irá levar a lava nessa direção, para longe da Catânia.

Enquanto ele direcionava o esforço, os homens voltavam à sua tarefa de cavar a parede do duto de lava numa posição que coincidisse exatamente com a depressão sobre a qual estavam. Essa era uma tarefa mais perigosa do que cortar o teto do tubo que continha a lava. Agora, se a parede subitamente estourasse, os homens ficariam presos no fluxo da lava escaldante e certamente seriam queimados vivos.

Pappalardo ousou escalar no topo do túnel em si, testando cautelosamente os passos para ter certeza de que não despencaria. Dessa posição ele poderia supervisionar o trabalho, apontando para as falhas na parede de lava que os homens precisavam aproveitar, mas ficar preparados para retroceder delas.

Giorgio ficava abaixo, pronto para puxar um homem até a segurança se um vazamento súbito o ameaçasse. A essa altura, os homens podiam sentir uma vitória, então se esqueceram de seus músculos cansados, cabelos chamuscados e respiração arfante.

Depois de algumas horas de trabalho cuidadosamente supervisionado, a picareta de um homem arrebentou a parede abaixo da superfície da lava que fluía, e a mistura quente se derramou pelas bordas da brecha. O calor e o poder da lava tomaram o trabalho que os homens haviam feito, e alargaram e aprofundaram a abertura para eles. A lava vermelha fulgurante escapava pela abertura e começava a correr pela depressão que Pappalardo havia identificado bem no início da operação.

Uma comemoração veio dos homens cansados bem quando outra equipe da Catânia chegava. Vendo o sucesso dos primeiros exploradores, esse time de socorro se pôs a trabalhar em outra brecha que Pappalardo indicou, uma que tinha paredes finas no duto da lava e uma depressão naturalmente existente na lateral da montanha.

Os esforços cataneses continuaram dessa maneira por muitos dias, e eles desviaram a parte mais oriental de um grande campo de lava para fora do fluxo principal com sucesso. Eles sabiam que não havia como desviar todo o fluxo da montanha para longe da Catânia, mas estavam contando com as antigas muralhas para suportar o que escapava de suas técnicas de desvio.

Mais alguns dias de trabalho passaram enquanto as equipes de cataneses se revezavam na montanha. Numa manhã, enquanto as nuvens ainda escondiam o sol e o gás e o calor ainda enchia o ar, uma nova equipe de homens surgiu de outra encosta. Eles eram de Paterno, uma pequena vila abaixo do Etna, mas ao oeste da Catânia. Eles eram liderados por Fantine, um homem musculoso com um olhar feroz em seu rosto, e sua esposa, Mona, a primeira mulher a se atrever a subir o vulcão.

- *Diavolu!* - gritou ele aos cataneses. - vocês estão queimando a nossa cidade!

O esforço de Pappalardo e seus homens teve sucesso em proteger a Catânia, mas eles haviam enviado a lava montanha abaixo para Paterno, que era menos protegida, e nos dias seguintes o rio flamejante chegou aos arredores da vila e destruiu não só suas fazendas, mas agora ameaçava suas casas e oficinas.

- Vocês estão queimando a nossa cidade! - veio o grito novamente. Pappalardo podia ver que os paterninos haviam vindo à montanha com suas picaretas e machados, mas essas armas seriam usadas contra ele e seus homens antes de serem direcionadas à lava.

Uma batalha eclodiu nas encostas infernais do Etna naquele dia, cada grupo defendendo sua cidade com ferocidade. Os cataneses já estavam exaustos dos dias de trabalho tortuoso, e os paterninos foram guiados pelo ódio aos cataneses por suas ações. No combate corpo-a-corpo, mais de cem homens - e mesmo Mona - lutaram por cima dos dutos de lava. Atrás deles, o fogo vermelho-alaranjado cuspido pela montanha fazia a cena parecer algo saído do próprio inferno. Picaretas acertavam cabeças e perfuravam pernas, ossos eram quebrados e gritos eram ouvidos. Eles continuaram a lutar até quase desmaiarem de fadiga; e a lava ainda continuava a fluir.

Os paterninos vieram à montanha com maiores reservas de energia, e expulsaram os cataneses montanha abaixo. Quando eles já haviam partido, Fantine liderou seus homens na reversão do curso da lava em direção à Catânia. Ao longo de vários dias de trabalho, eles tiveram sucesso em redirecionar mais do fluxo, aceitando o rio de calor que já havia chegado à sua vila.

E os cataneses haviam conseguido direcionar lava o suficiente para longe de sua cidade para que houvessem sobrevivido de início. Apesar de seus esforços, a grande muralha da Catânia foi violada em um dado momento, já que o Etna continuava a arrotar sua mistura derretida por semanas, e milhares de aldeões pereceram.

Levou muitas semanas, mas, a seu tempo, o Etna desacelerou suas explosões horríveis e voltou a adormecer. O povo de Catânia e Paterno consertou suas casas e oficinas e jurou que nunca mais atacaria a montanha novamente.

AGOSTO DE 2018

CAFETERIA AMADEO

- Os séculos de domínio espanhol podem ser vistos como os mais pacíficos em nossa longa história - disse Vito, sobre uma garrafa de Nero d'Avola naquele fim de tarde.

- Pacíficos? - perguntei, - ou sem intercorrências?

Vito sorriu. Talvez eu houvesse acertado bem na mosca.

- Ambos, suponho. Houveram menos guerras. Embora os reis que reinaram durante aquele período tomassem recursos de meu país – homens, grãos, dinheiro de impostos – para lutar suas guerras, poucas ocorreram em nossas praias. Acho que é positivo. E sim, o período espanhol foi relativamente sem intercorrências.

- Apesar da ocasional erupção do Etna - adicionei.

- Mesmo os espanhóis não podiam prever isso, - ofereceu ele. - Sabe, aquela coisa que aconteceu em 1669, - então ele pausou para rir. - O rei baniu o que ocorreu depois daquela experiência.

- Ele baniu as erupções? - disse eu, mas não pude conter meu próprio riso.

- Não, - disse ele, com uma gargalhada. - O que os cataneses fizeram. Eles tentaram interferir com a natureza, e, ao fazê-lo, puseram Paterno em perigo. O rei proclamou que essa ação fora uma afronta à natureza e ao seu reinado. A proclamação foi respeitada por lei e permaneceu nos livros por um longo tempo...

- Espere, - interrompi. - Quer dizer que o povo italiano declarou que desviar lava para que ela não destruísse sua cidade era um crime?

Vito balançou um dedo para mim em reprovação.

- Não o povo italiano. Os sicilianos - disse ele, eu me envergonhei instantaneamente ao errar a distinção.

- E, sim, os sicilianos tornaram isso um crime - ele continuou, com um largo sorriso.

- Então, e agora? Ainda é uma lei?

- Ah, eu não sei, - disse Vito. - Pode ainda estar nos livros, mas acho que as autoridades fariam vista grossa se você inventasse alguma maneira de estancar o fluxo de lava derretida indo para a sua casa ou algo do tipo.

- Ok, então voltando ao reinado espanhol - ofereci uma volta aos trilhos.

- Entre as mudanças que eles trouxeram, estava uma concentração de riqueza na classe baronial e o empobrecimento da classe camponesa - começou Vito.

- Pensei que isso vinha ocorrendo por séculos - disse eu.

- Certamente, mas os reis espanhóis permitiram que os barões tivessem mais latitude na maneira com que cuidavam de seus interesses na Sicília, e os barões cuidaram para que pudessem tirar mais da terra. Acho que você chama isso do "esvaziamento da classe média" nos Estados Unidos. Mais pessoas caem na pobreza, perdem suas terras e se mudam para as cidades já apinhadas enquanto as riquezas ficam concentradas em uma classe alta cada vez menor. Para evitar revoltas, no entanto, os reis continuaram a fazer as leis valerem ao invés de governar aos seus próprios caprichos. Mais leis significavam que casos bem defendidos eram viáveis e chegavam a um tratamento justo do povo.

Havia uma certa estrutura nas leis trabalhistas do início do século XIV, e os fazendeiros, servos e pastores às vezes eram ouvidos na corte, defendendo seus direitos. Reis e parlamentares que haviam codificado direitos e privilégios frequentemente acabavam imobilizados na falta de precedentes. Por exemplo, em 1446 D.C. o barão de Calatabiano proibiu pastores locais de pastorear suas ovelhas em terras públicas. Os pastores levaram o caso à corte e o juiz ordenou que o barão rescindisse essa proibição e permitisse a pastagem.

- Eu venho ouvindo atentamente por semanas, - disse eu, - e a maior parte da história da Sicília pareceu ser uma luta atrás da outra. Agora parece que, durante o reinado espanhol, as coisas começaram a se assentar. Essa é uma análise justa?

- É justa. Não que a vida nos tempos medievais fosse fácil, mas comparada com o que veio antes, sim, eu diria que as coisas haviam começado a se assentar.

- Também é o período mais longo de todas as ocupações?

Vito sorriu e me observou.

- Você disse "ocupação", - respondeu ele. - Você considera que essa é a palavra adequada para a nossa história?

- Bem, - gaguejei um pouco, temendo tê-lo ofendido. - Me parece que quando país após país, rei após rei reivindica a ilha, rouba seus recursos e força o povo à pobreza através de impostos... acaba soando bastante como uma ocupação. Talvez minha resposta cuidadosa tivesse parecido um pouco defensiva. Eu não saberia dizer.

- Sim, suponho que esteja certo, - respondeu ele. E eu relaxei, sabendo que não o havia ofendido, mas não quando eu ponderei sobre o jugo do povo sicilianos ao longo dos séculos e milênios.

- A arte e a arquitetura mudavam lentamente na Sicília, - continuou Vito, - mais devagar do que no continente. Você se lembra quando disse, há algum tempo, que nosso isolamento nos protegia de algumas coisas da Europa, mas também nos predestinava a evoluir mais devagar culturamente?

Eu assenti.

- Bem, o Renascimento essencialmente passou direto por nós. Nós tivemos nossos artistas e filósofos, mas eles eram a exceção. Não aproveitamos os tesouros do brilhantismo que habitou Pisa, Florença, Milão e outros lugares. E distante como estávamos de outras influências, a arquitetura evoluiu aqui de sua própria e única forma. A família Chiaramonte desenvolveu um estilo próprio, chamado de Gótico Chiaramonte, mas fora isso, nossos estilos permaneceram fortemente influenciados pela ornamentação árabe e o design que veio à ilha centenas de anos antes.

A única coisa que parece ter se mantido no mesmo nível do continente foi a educação. Na Idade Média, as abadias eram o local da educação, então as massas foram instruídas na religião e nas artes, às vezes em matemática e linguagem, mas foram influenciadas pelas ordens religiosas que dominavam a região. Os beneditinos e dominicanos foram os primeiros e os que duraram mais tempo, mas então os jesuítas vieram à ilha.

Outro fenômeno: Os árabes e judeus acreditavam fortemente na alfabetização geral. Essa é a fundação de suas religiões. E, ainda assim, a igreja cristã não estava tão interessada em buscar isso. Não sei se eles temiam um público educado...

- Como os brancos senhores de escravos nos Estados Unidos temiam uma classe escrava educada? - interrompi.

- Talvez. Mas também pode ser que a igreja somente não valorizasse a educação formal para as massas. A educação, como qualquer outra coisa, precisa de financiamento, e Roma estava guiando o caminho em direção à grande arte e tesouros abundantes. Ensinar camponeses a ler e escrever não contribuía em nada com isso.

Então veio o tratado de Utrecht em 1713, - continuou Vito. - Pode ter sido o evento mais importante na política e cultura europeias no início do século XVIII.

- De que forma? Como isso afetou a Sicília?

- Isso dividiu as fichas da Europa – os países e as províncias – entre as famílias reinantes da época. A Sicília ficou com a Casa de Savóia e Vítor Amadeu II.

1713 E.C. – 1718 E.C.

SAVÓIA

1713 E.C.

PALERMO

Vítor Amadeu II, o Duque de Savóia, já estava na meia-idade quando as guerras que determinariam o futuro do reinado de sua família estavam sendo travadas.

O Primeiro Tratado de Partição de 1698 havia caído por terra com a morte do príncipe José Fernando, herdeiro do trono espanhol, em 1699. A França, a Espanha e a República dos Países Baixos haviam dividido muito da Europa Ocidental como pedaços de uma torta, mas o tratado também especificava que o príncipe José Fernando da Baviera se tornaria o herdeiro do trono espanhol. Ele tinha seis anos de idade na época, e sua morte aos sete anos fez o contrato voltar a ser discutido.

A guerra no reino espanhol complicou as coisas, que pioraram com a morte de Carlos II na Espanha, em 1700, especialmente por ter morrido sem prole alguma. Filipe - o neto do rei francês Luís XIV - foi proclamado o rei da Espanha, o que levou a mais guerras envolvendo a França e a Espanha quanto à soberania. O Tratado de Utrecht, em 1713, pareceu resolver a questão. Em acordo com outros tratados, dava à Espanha, Inglaterra, França, Portugal, Savóia e República dos Países Baixos certos territórios e direitos no domínio de uma Europa particionada.

O tratado também fazia de Vítor Amadeu II o Rei da Sicília. Ele estava mais interessado em manter seu controle do Piemonte, no norte da Itália, mas foi persuadido a aceitar o arranjo para manter um equilíbrio de poder no Mediterrâneo. Vítor Amadeu fazia planos de trocar a ilha por outras regiões que ele preferia, incluindo a manutenção de seus interesses no norte italiano, mas o tratado o proibia especificamente de trocar a Sicília por outras coisas.

Era claro que Vítor Amadeu não havia se impressionado com a adição do território siciliano ao seu império. Servia aos interesses da Inglaterra e de outros aliados Mediterrâneos, mas ele viu isso como uma garantia para o que ele queria: a hegemonia na Europa ocidental.

A frota britânica surgiu no horizonte, ao norte das praias de Palermo. As velas e bandeiras coloridas que esvoaçavam nos mastros dos muitos navios impressionavam na apresentação, e os palermitanos que primeiro notaram a armada se aproximando chamaram seus colegas pela cidade.

A notícia da chegada do novo rei e rainha, Vítor Amadeu e Maria de Orleães, havia chegado na Sicília dias antes. O vice-rei da cidade, o recém-nomeado Conde Annibale Maffei, estava preparado para o grupo real e havia arranjado celebrações e desfiles nas ruas para honrá-los. Secretamente, ele e seu agente Vicente Lora suspeitaram que o monarca visitante se cansaria de Palermo e seus assuntos rapidamente e logo iria para seu palácio no norte. Outros o haviam feito por anos; porque Vítor Amadeu seria diferente?

Lora havia sobrevivido à transição do vice-rei anterior, Carlo Filippo Antonio Spinola, para o novo regente, Maffei, e ele estava confiante que entendia as maquinações de governadores estrangeiros melhor do que qualquer um presente em Palermo àquela altura. Ele aconselhou Maffei no lidar com Vítor Amadeu, mas ele - Lora - também ficaria vigilante para proteger seus interesses. Era essa atenção aos detalhes e a variedade de interesses que o ajudavam a ficar por várias transições, e ele planejava sobreviver à próxima.

Algumas horas depois, os navios atracaram no porto de Palermo, que havia sido decorado para a ocasião. Bandeiras coloridas retratando as regiões da ilha balançavam na brisa, a doca havia sido limpa em preparação e óleo havia sido aplicado para fazer as tábuas brilharem. Maffei e sua comitiva ficaram no final do píer, sorrindo largamente aos visitantes que chegavam. O conde olhou o barco da proa à popa, observando o convés para poder ter um vislumbre dos novos rei e rainha, mas não viu ninguém com a aparência real o suficiente para se encaixar nesse perfil. Um olhar de desapontamento caiu sobre ele, até que Lora o cutucou e apontou para a cabine do capitão, na parte traseira do navio.

O sol estava no seu zênite quando três pessoas emergiram da cabine. Os mantos negros e púrpura com brocados dourados que o rei e a rainha vestiam reluziam brilhantemente na luz do sol. O capitão do navio estava um passo atrás, todos os três aparecendo no convés bem quando a multidão nas docas havia atingido seu maior tamanho.

Os marinheiros abaixaram uma prancha de desembarque, e Maffei e sua equipe se adiantaram para receber o rei. Era cedo demais de acordo com o protocolo, que Lora conhecia bem. Ele levou sua mão ao cotovelo do Conde Maffei e o restringiu com gentileza. O agente sabia que o rei não seria o primeiro a desembarcar - na verdade, muitos marinheiros desceriam para amarrar o cordame que prendia o navio à costa e preparar a área para o rei. Lora não queria que o conde acabasse no meio da aglomeração nas docas.

Quando essas preparações foram terminadas com sucesso e o rei e rainha estavam prontos, Lora mais uma vez chegou até Maffei e deu um empurrãozinho gentil na direção do desembarque. Essa era a hora de receber Vítor Amadeu e Maria.

Maffei balançou o braço direto à frente de si mesmo e essa ação foi o suficiente para limpar o caminho para ele. O conde era a única realeza local, e o povo sabia lhe dar os privilégios de sua posição social, mesmo na presença de um rei de carne-e-osso. Lora estava aos ombros do conde para assegurar que os camponeses e marinheiros boquiabertos com os visitantes sairiam do caminho.

Quando o Conde Annibale Maffei chegou ao fim do desembarcadouro e olhou para cima, o rei Vítor Amadeu olhou para baixo e sorriu. O rei levantou sua mão, como uma saudação ou a oferta de uma bênção, mas então se virou para sua rainha e a ofereceu a ela. Maria pousou sua mão levemente na túnica de seda do rei, no tecido branco que se estendia abaixo da bainha do manto púrpura com bordados de ouro. Eles desceram pelas pranchas de madeira do desembarcadouro em uníssono, o rei diminuindo o ritmo dos passos para permitir que a rainha ficasse ao seu lado. Como se estivessem em câmera lenta, seus movimentos até a doca pareciam um desfile privado com uma multidão silenciosa e admirada os esperando abaixo.

Vítor Amadeu se aproximou de Maffei, sobre quem se impunha, e levantou sua mão cheia de anéis para que fosse beijada pelo conde. Maffei obedeceu de forma hesitante. Ele sabia que isso era necessário para a realeza visitante, mas o conde havia sido a parte governante da ilha da Sicília até aquele momento, e ele não queria tomar uma posição de subserviência que via como apropriada apenas para pessoas de menor status.

- Este é Lora, meu senhor, meu confiável conselheiro - disse Maffei, se virando para indicar seu agente.

- É um momento grande e glorioso para estar em sua presença, meu senhor - disse Lora, em um tom que quase passava indiferença. Ele havia aproveitado a vida na glória refletida do último vice-rei e agora do Conde Maffei, e ele não gostava de ser ofuscado em meio às pessoas sobre as quais ele governava.

A multidão chegou mais perto do casal real, do conde e de sua comitiva. Houve sussurros respeitosos na multidão.

- Você já viu um rei? - murmurou Antonio.

- *No* - respondeu Gaia.

- Já houve um rei? - perguntou ele.

- *Sì*.

- Um rei da Sicília?

- *No,* - veio a curta resposta. - Porque está fazendo essas perguntas? - disse Gaia, um pouco mais alto do que pretendia.

Antonio apenas deu de ombros.

- A Sicília tem um rei agora, - disse ele, - mas não tínhamos antes. O que isso quer dizer?

Foi a vez de Gaia dar de ombros.

Depois, no fim da tarde no Palazzo Steri, o Conde Maffei entretia o rei Vítor Amadeu e sua rainha com esplendor. Eles ceiaram pato e codorna assados, foram servidos com *frutta di mare* - pequenas anchovas, sardinhas e filhotes de polvo fritos em óleo - porco selvagem *arrosto, trippa ripiene* - intestinos de vaca recheados com salsicha moída, cebolas fatiadas, painço e ervas - e mais vinho do que deveriam beber. Dançarinos em roupas típicas da Trinácria fizeram suas performances e um poeta cantou elogios ao rei em grego.

O rei sorriu durante a performance do poeta, mas pediu gentilmente por uma tradução do que o homem disse, já que ele falava espanhol e latim, "mas não o grego".

Lora se adiantou, já que seu conde também era um pouco fraco no grego.

- Ele cantou sobre como o povo da Espanha e da França trouxe sensibilidade e arte à pobre ilha da Sicília, como o país e seus cidadãos agora tem um futuro rico e esperança para seus filhos.

Lora não disse que o poeta terminou avisando que uma administração ruim da ilha a jogaria aos "círculos do inferno", achando que essa profecia ficaria melhor fora da conversa da noite.

Ouviu-se o rei cochichando - alto demais - que já que a Sicília agora tinha tanto tesouro, a coroa poderia pedir sua parte de direito em troca de proteção.

Lora pôde ver o olhar malicioso do poeta de canto de olho, e rezou para que o rei não houvesse notado a mesma reação.

O vinho fluiu e mulheres em vestimentas sicilianas tomaram o lugar dos homens, dançando para o prazer do rei. O Conde Maffei estava particularmente interessado em uma delas, especialmente pelo fato de que sua esposa já havia se retirado, alegando um "*mal del stomaco*". As miçangas da dançarina chacoalhavam e brilhavam, e Maffei a encarou em um estado de quase transe, trazido pelo vinho, mas acentuado pelos olhos sorridentes da mulher.

Tarde da noite, o rei e a rainha se retiraram. O Conde Maffei conseguiu ficar acordado e continuar sendo o anfitrião, mas Lora era quem estava orquestrando as atividades da noite àquela hora.

———

- Eu não tenho ideia do que fazer com essas pessoas - disse o rei a Maria, quando estavam sozinhos. Embora muitos casais reais tivessem aposentos de dormir diferentes - uma necessidade, dados os encontros amorosos tanto de rei quanto de rainha - Vítor Amadeu e Maria dormiam juntos.

- O que quer fazer? - perguntou ela, se esgueirando para a ampla colcha de penas na cama alta.

- Quero Piemonte, mas o tratado diz que não posso tê-lo. Ou pelo menos não posso trocar isto por ele.

- Porque se importa tanto com Piemonte? - perguntou Maria.

- É mais perto de casa, e eu entendo a Europa. Não essa terra longínqua no meio do oceano. E olhe para esse “castelo”, como chamam isso. Foi construído pelos árabes...

- Não, foi construído pelos normandos. Eles me contaram - disse ela ao marido.

- Bem, bem, não importa. Mas os árabes construíram boa parte dessa cidade. Essa Palermo - foi sua resposta, com uma nota inconfundível de desprezo em sua voz.

- Os árabes construíram muito de seu reino, meu senhor, - retrucou Maria. - Não se lembra de como os botou para correr? E eles reinaram por seu território por séculos antes de você.

Vítor Amadeu frequentemente perdia as discussões com sua esposa e não queria estragar seus registros. Então ele bufou e se arrastou para a cama com ela, fechou os olhos e dormiu quase imediatamente. O vinho havia feito o seu trabalho.

- Consegui. - disse o rei, quase antes dos olhos de Maria se abrirem pela manhã.

- O quê? - respondeu ela, ainda grogue.

- A Sardenha - disse ele.

- O que você quer com a Sardenha? - disse Maria, sentando-se na cama.

- Eles disseram que eu não podia trocar a Sicília por outras coroas europeias. Mas se eu a trocar pela coroa da Sardenha, e então usá-la como minha base, posso juntar um exército para tomar a maior parte da Europa.

- A Sicília vale isso?

- O que quer dizer? Não quero ser rei da Sicília.

- Quero dizer, a Sicília vale essa troca? Você consegue a Sardenha em troca dessa ilha?

Vítor Amadeu tinha de considerar as possibilidades. Ele concluiu que precisava melhorar a ilha, construir defesas, impor sistemas de governo para esmagar a onda crescente de corrupção, revigorar a agricultura, aumentar o tesouro e mostrar a Sicília como uma base militar sem igual, então trocá-la pela Sardenha. Pagar por todas essas melhorias seria simples: pegar os impostos do povo da ilha.

Ao longo das semanas seguintes, ele se reuniu com Maffei - com Lora sempre ao seu lado - para discutir "o que posso fazer pelo Reino da Sicília", em suas palavras. Vítor Amadeu tinha a intenção de promover a ideia de que a Sicília era sua preocupação principal; afinal de contas, eles o haviam feito rei e governante da ilha. E embora ele tivesse outras motivações, a melhoria do país também beneficiaria os sicilianos.

Assim como a maior parte dos países do Século XIX, a defesa era a primeira e a principal preocupação. Vítor Amadeu conhecia um pouco da história da região, incluindo o fato de que os monarcas de Nápoles competiam pelo controle da Sicília com frequência. A família Hapsburgo, que controlava Nápoles atualmente, sempre seria vista como uma ameaça, então deveriam lidar com ela. Felizmente, seu agente e conselheiro Alosio d'Elmonte havia antecipado isso e encorajado o rei a trazer muitos navios e soldados à Sicília junto com sua comitiva. Considerava-se que os navios ingleses estavam entre os melhores do mundo, e embora Vítor Amadeu fosse da Espanha, os ingleses haviam apoiado sua instalação como Rei da Sicília, então ele estava preparado para demonstrar as embarcações inglesas como exemplo de fina perícia para os artesãos sicilianos copiarem.

Os soldados seriam usados para afirmar autoridade até que a *polizia* local pudesse ser restabelecida e financiada. Vítor Amadeu enviou palavra a seus agentes na Espanha para que trouxessem financiamentos para a compra das terras de alguns dos nobres, para redistribui-la entre os feudos e reconstruir estradas e pontes por todo o país. Ele contratou arquitetos para recomendar melhorias na irrigação e no desenvolvimento urbano, e estudou as plantações e setores agrícolas de seu novo reino com vigor.

O rei também fez um tour pela ilha para conversar com seus súditos. Quando ele o fez, abandonou as vestimentas da realeza e circulou entre a população com roupas e botas robustas, como se estivesse prestes a trabalhar numa fazenda ou numa construção, o que os encorajava a fazer.

Vítor Amadeu cometeu um erro que o impediu de capturar os corações sicilianos: Ele empregou muitos barões espanhóis e franceses em posições de grande poder. Nos últimos séculos de reinado estrangeiro, o povo da ilha havia se acostumado a reinar por si mesmo, e só mostrava obediência a líderes ausentes em ocasiões cerimoniais e quando estavam pagando os impostos. A presença de Vítor Amadeu em si e sua ativa participação nas coisas da ilha acabou afetando os líderes locais do jeito errado, e ter de responder a forças estrangeiras que haviam vindo para a ilha pareceu ter deixado o problema ainda maior.

Vítor Amadeu procurou implementar as melhorias com vigor, mas ele só ficou na ilha por um ano, e então deixou o sistema econômico e governamental aos seus amigos não-sicilianos. Durante sua vigília, os programas de educação fundamental, agricultura e indústria floresceram, mas ele não estava lá para testemunhar isso.

AGOSTO DE 2018

CAFETERIA AMADEO

- Sardenha - disse Vito enquanto eu escorregava para a cadeira ao seu lado.

- Ele conseguiu o que queria - adicionei. Eu complementei a conversa do dia anterior com uma pesquisa na biblioteca. O período do domínio de Savóia foi bem curto, apenas um punhado de anos, na verdade - a menos que se contem as décadas e talvez até mesmo séculos em que os membros da dinastia de Savóia trabalharam por baixo dos panos em questões sicilianas.

- *Sì*, ele conseguiu a Sardenha.

- Parece que Vítor Amadeu fez muito pelo país, no entanto.

Vito deu ombros.

- Ele aumentou os impostos também, e pôs seus amigos no comando de grandes empreitadas. Talvez o que mais insultou os sicilianos tenha sido o fato de o rei ter abandonado as políticas financeiras e instituições locais e instalado os sistemas europeus nos quais ele confiava. Ele trouxe Gian Giacomo Fontana, seu ministro das finanças de Piemonte, para servir como diretor de orçamento e conselheiro de finanças na Sicília. Junto com isso, ele introduziu novos impostos, incluindo alguns impostos especiais de curta duração nas exportações, e – como é que se chama hoje, consumo? É, é isso – impostos sobre o consumo que impunham um fardo adicional aos sicilianos, além dos impostos sobre o uso da terra.

- Estou quase com medo de perguntar, - disse eu, hesitante, - mas esses impostos foram necessários para deixar a Sicília de pé novamente? Nesse caso, não seria justificável?

Vito deu de ombros novamente.

- Isso pode ser afirmado, mas não provado. Provavelmente foi um truque de contabilidade. Vítor Amadeu e Fontana queriam mostrar a Sicília no seu melhor em arte, arquitetura, agricultura e poderio militar, mas também mostrar como o tesouro da ilha crescia, uma abordagem multifacetada que certamente atrairia o interesse exterior.

Ele instalou milhares de soldados piemonteses no exército da ilha. Isso pode ter sido importante para restabelecer a ordem, mas aos sicilianos só significava mais uma invasão por uma força estrangeira. Ele expandiu a frota naval, que tinha tanto o propósito de dar a impressão de um poderoso império quanto de aumentar a habilidade de proteger esse reino no Mar Mediterrâneo de fato.

Em 1714, o rei acreditava ter ajeitado a Sicília o suficiente, então partiu da ilha e deixou Annibale Maffei no comando. O conde – agora com o título de Vice-rei da Sicília – tinha o exército e a marinha de Vítor Amadeu à sua disposição, ele herdou as reformas agrária e legislativa e pôde contar com um investimento regular na tesouraria por conta dos novos impostos que haviam sido promulgados.

- Então Maffei se deu bem? Especialmente com o rei fora do caminho?

Vito balançou a cabeça.

- Na verdade, não. Maffei teve de lidar com barões savoianos instalados pelo rei, uma população inquieta e ameaças constantes do além-mar. Vítor Amadeu tinha de lidar com a corrupção que surgiu das centenas de anos de má administração e controle estrangeiro. Não foi mais fácil para Maffei. Enquanto isso, a realeza europeia continuava a conspirar contra a Sicília, - disse Vito, com uma risada.

- *Perche?* - perguntou ele, retoricamente. - Porque? O que nós fizemos? - então ele riu de novo.

- Enquanto a Savóia e Vítor Amadeu reinavam sobre a Sicília, - continuou ele, - a panela de intriga da Europa estava fervendo. Primeiro, a recém empossada Rainha Isabel da Espanha – a segunda esposa do Rei Filipe – havia decidido que a Sardenha pertencia a ela. Perdão... - reparou Vito, com um sorriso, - ...à Espanha! Mas ela levou muito para o pessoal, então enviou a frota espanhola contra a ilha.

- Espere, - pedi, rabiscando anotações. - Quer dizer que a rainha da Espanha lançou uma invasão à Sardenha, não o rei?

- Ele era... digamos assim... um homem muito tolerante.

- Você quer dizer que ele era um pau-mandado dela.

- *Sì,* - respondeu Vito, com um sorriso, - gosto dessa expressão americana. Ele era "pau-mandado" dela. Isabel era feita de um material mais forte do que o marido. Então, então tomou a maior parte das decisões importantes do trono espanhol desde o seu casamento, em 1714, até a morte do marido, em 1746. O modo como conduziu a política externa do período é de particular interesse.

- *Allora* – de qualquer forma – ela lançou uma campanha contra a Sardenha em 1717 e capturou a ilha rapidamente. Sua confiança cresceu com a vitória, então ela lançou outra invasão em 1718, dessa vez contra a Sicília.

- E como foi essa? - me aventurei.

- Os navios e soldados não eram do Piemonte, então o povo de Palermo que viu a invasão primeiro pensou que vinham liberá-los de Vítor Amadeu, e os receberam bem. Mas sua recepção não durou muito. Carlos VI...- disse ele.

- Carlos, o Sacro Imperador Romano Carlos? - perguntei.

- *Sì,* - respondeu ele, enquanto eu tentava manter minhas anotações em ordem. - Esse mesmo. De qualquer forma, ele nunca havia gostado do fato da Espanha ter a posse da Sicília, então contratou a marinha britânica – ele não tinha uma própria – para retomar a ilha. Havia um capitão britânico chamado George Byng, renomado por seus feitos passados em alto mar. Carlos VI o enviou para interceptar a frota espanhola na Sicília e destruí-la, capturando a ilha para o império. Byng começou sua campanha contra a frota espanhola pela costa da Itália, perto de Nápoles, então a perseguiu pelo Estreito de Messina, afundando alguns navios e ateando fogo em outros, até que a batalha final aconteceu na costa da Sicília, perto de uma cidade chamada Passero no extremo sudeste da ilha. Lá, Byng acabou com os espanhóis e capturou quaisquer embarcações que ainda flutuassem.

- Isso voltou a Sicília para as mãos da França?

- De certo modo. Mas também para a Bretanha, já que Carlos havia usado seu tratado entre a França, Áustria e Bretanha para fazer esse ataque naval. Então Vito riu. - Infelizmente, nenhuma guerra foi declarada de fato, então a Espanha estava apoplética quanto aos ataques à sua ilha – a Sicília – e à sua marinha. As partes em guerra engajaram em batalhas pela ilha que duraram anos, queimando fazendas, arrasando cidades, ateando fogo em monumentos e templos e aterrorizando a população siciliana, que no geral ficou horrorizada com a destruição que chovia sobre ela através das forças estrangeiras. "Mais uma vez, somos o campo de batalha de outra pessoa", disse um homem de Palermo naquela época.

A certa altura, em lugar chamado Francavilla, os espanhóis pareceram estar prontos para celebrar uma vitória significante. Eles atacaram as forças austríacas e teriam vencido, exceto que a marinha britânica estava esperando na costa por todo o combate e estava em posição para reforçar o contingente austríaco. A tempo, eles cansaram os espanhóis, que não tinham linhas de suprimento.

No fim das contas, a Espanha abandonou a campanha, com suas tropas deixando a destruição e a morte como sua assinatura.

- O que aconteceu com Vítor Amadeu? - perguntei. - Ele não estava relacionado a isso de alguma forma?

- Bem, é claro. Ele estava do lado da Espanha. Mas, ironicamente, ele conseguiu o que queria desde o início. Ao deixar a Sicília para a dinastia Bourbon, ele tomou a Sardenha como prêmio de consolação.

- Isso deve ter deixado sua esposa muito feliz, - brinquei. - E os Hapsburgos? - perguntei, pegando um tema sobre o qual havia lido na biblioteca. O Império Austríaco comandado pela família Hapsburgo parecia estar por toda a Europa, e tiveram uma presença significativa na Sicília de 1713 até os anos 1730.

- Eles foram muito importantes no continente, - disse Vito, - mas fora terem recebido a Sicília para governar por pouco tempo, sua presença não foi muito importante no meu país.

- Pode explicar? - pedi.

- *D'accordo,* - disse ele, - "ok". - Os Hapsburgo... h-a-p-s-b-u-r-g-o, mas algumas pessoas soletram h-a-b-s-b-u-r-g-o... sinceramente, não sei como se soletra, - seguiu Vito. Foi uma das poucas vezes em que Vito não sabia o fato histórico com precisão.

- Os Hapsburgo, em sua maioria, se davam mais na Espanha, - começou Vito, então ele riu. - Soa como ‘enry ‘iggins. Ele se referia a Henry Higgins, o personagem central de “Minha Bela Dama”, cujas instruções de locução para a ignorante Eliza Dolittle incluíam a repetição da frase “A chuva na Espanha se dá mais na planície.” Eu balancei a cabeça em deleite, me perguntando se existia alguma coisa que Vito não sabia.

- Não, me perdoe, - disse ele, - o império Hapsburgo veio a adquirir a Espanha, mas era baseado na Áustria e Germânia, incluindo a Espanha em suas possessões. Na verdade, a família Hapsburgo pode ter sido o primeiro poder mundial internacional.

- Espere, - pedi um tempo. - Mais cedo, você disse que a Espanha havia se tornado a primeira superpotência mundial de verdade.

- *Sì*, eu disse. Mas considere a diferença. A Espanha foi uma potência mundial por causa de seu poderio militar e seu mapa exploratório. Os reis e rainhas da Espanha promoveram a exploração global e capitalizaram nisso. Mas, no século dezoito, a Europa ainda era “o mundo” - ele fez aspas no ar, - e os Hapsburgos controlavam a Europa.

- Então a América do Norte não importava?

- É claro, vinha importando há um bom tempo. Depois da descoberta e do povoamento, a América do Norte era um território a ser disputado. Mas no sentido antigo. Não havia Estados Unidos à época, e mesmo os interesses da Bretanha nisso oscilaram ao longo das décadas. Mas voltemos aos Hapsburgo, já que pediu.

Os Hapsburgo vieram da Áustria, mas também mostraram uma habilidade sinistra de ficar com o trono do Sacro Império Romano.

- O que quer dizer? - perguntei.

- A família manteve o trono por quase a metade de um milênio, de 1438 a 1806. E mais, eles tinham reis em múltiplos países europeus, como Hungria, Croácia, Alemanha, Irlanda, Portugal... até no México!

Mas a Siciília parecia ser não mais do que qualquer outra coroa. Carlos VI, Sacro Imperador Romano de 1711 até 1740, adicionou a Sicília ao seu currículo, mas ele não se importava com a ilha. Seu interesse e envolvimento eram apenas à distância.

- Então assim como Carlos VI se foi, também se foi o império Hapsburgo na Sicília - ofereci, meio como um comentário, meio como uma pergunta.

- *Certu,* - respondeu Vito, - certamente.

- Existe algo a ser aprendido da época em que os Hapsburgos controlaram a Sicília? - perguntei.

Vito encarou o teto e coçou o queixo. Seus olhos foram para a frente e para trás, observando os intrincados afrescos nos painéis do teto.

- Na verdade, não - foi a única resposta que ele pôde oferecer, então riu.

Ficamos sentados em silêncio por um momento, bebendo a próxima rodada de espressos trazidos pelo barista, cada um consumido por seus próprios pensamentos.

- Só um minuto, - disse eu, quando um pensamento me ocorreu. - A Sicília já foi governada por alguém da ilha em si? Um verdadeiro siciliano?

Vito deu de ombros e tomou um último gole do espresso.

- *Sì*, suponho que dá para se dizer que sim. Tivemos barões e vice-reis e prefeitos nascidos aqui; não se esqueça de Constança...

- E muitos reis, rainhas, regentes e outros que não eram aqui, - adicionei, complementando seu pensamento.

- E os reis Bourbon? - ele perguntou.

Eu ainda não havia chegado lá, não havia tido tempo para ler sobre a dinastia Bourbon, na verdade, não havia tido tempo para alcançar Vito.

- O que tem eles? - perguntei.

- Cadetes - respondeu ele.

Ok, cadetes, pensei.

- Vou morder. O que são cadetes?

- Eles são a linha secundária e, em alguns casos, terciária das famílias reais, o segundo, terceiro ou os próximos filhos e filhas a quem a coroa é negada por conta dos ritos de primogenitura garantindo a herança ao seu irmão mais velho. Nesse caso, os cadetes da dinastia Bourbon incluíam Carlos, filho de Filipe V da Espanha e Isabel Farnese.

Eu levantei minha mão esquerda rapidamente enquanto escrevia anotações com a direita.

- Sim, mas espere... - pedi. Eu sabia que havia encontrado algo sobre Carlos em minha pesquisa. E ele não era um cadete. Eu estava disposto a desafiar Vito com isso.

- Carlos era o filho mais velho de Filipe e Isabel.

- *Sì,* - concordou Vito, mas então sorriu com uma expressão de "te peguei". - Mas Isabel Farnese foi a segunda esposa de Filipe.

Meus ombros caíram.

- Maria Luísa de Savóia já havia dado alguns filhos a Filipe, com os nomes de Luís I, outro Filipe, Fernando VI...

- Ok, ok, - pedi para que parasse levantando uma mão. - Entendi. Filipe e Maria tiveram muitos filhos.

Mas Vito tinha um brilho nos olhos.

- Bem, são esses, - ele me acalmou. - Maria morreu cedo, aos vinte e cinco anos.

- Então, de volta aos cadetes - sugeri.

- *Esattumentu,* - disse Vito, animadamente. - Falemos sobre Carlos. Mas, primeiro, precisamos falar das complexidades das casas de Bourbon e Hapsburgo. Elas governaram a maior parte da Europa por um longo tempo. Na verdade, os descendentes das casas ainda ocupam tronos e posições de poder pelo continente.

- E eles casavam entre si - sugeri. Não era uma reivindicação baseada em fatos históricos, mas mais uma resignação às histórias das casas reais da Europa.

- *Esattumentu, ancora,* - respondeu ele, - exatamente, de novo. Mas tente resolver o caso.

Então Vito desenrolou uma longa - e quero dizer, muito longa - lista de filhos, netos, maridos e esposas que casaram entre si, produziram reis, rainhas, duques, duquesas e outros membros da realeza. Todos vindos dessas duas casas, espalhados por toda a Europa.

- Eles tinham os tronos de posições reais na Espanha, Nápoles, Sicília, Inglaterra, Alemanha, Hungria, Croácia...

- Espere, - interrompi. - As duas famílias não tinham esses tronos em conjunto.

- Não, não exatamente. Mas onde quer que os Bourbons não estivessem, os Hasburgos estavam.

- O que isso tem a ver com Carlos e com a Sicília?

- Ou, já que falamos disso, - sugeriu ele, se debruçando à frente, - com o resto da história siciliana. Mas antes que cheguemos lá, vamos esclarecer algo. Você sabe o que o Reino das Duas Sicílias foi?

- Sim, era a combinação da ilha da Sicília e de Mezzogiorno, a metade sul da península italiana.

- E porque era chamada de Duas Sicílias? - pressionou Vito.

- Porque as áreas de terra eram separadas. Havia uma ilha e havia o continente. Duas Sicílias. Esperei que minha resposta estivesse correta, mas tive a sensação de que não estava completa.

- Não exatamente, - disse Vito, confirmando meu medo.

- Originalmente, o Reino da Sicília – no singular – incluía ambas as partes. Era assim porque o Rei da Sicília, que dominava a maior parte de Nápoles, reclamou toda a ilha como seu território, e também toda a terra de Nápoles até o sul do continente. Em 1282, a Guerra das Vésperas Sicilianas separou as duas, deixando o rei angevino Carlos de Anjou com a parte peninsular e dando a nação insular a Frederico III.

- Essa é a parte da ilha que foi renomeada como Trinácria, certo? - ofereci.

- *Sì*, para algumas pessoas, mas o nome foi usado em conjunto com Sicília. E isso só adicionava mais intriga à história das "duas Sicílias."

Lembre-se, Carlos de Anjou – que sempre havia se considerado como Rei da Sicília, embora ele governasse de Nápoles – estava agora privado da ilha. Ele não gostava desse novo fato, então continuou a se chamar de Rei da Sicília, assim como seus descendentes, por mais de cento e cinquenta anos. Enquanto isso, Frederico e seus descendentes eram os reis na ilha de fato.

- Então eles tiveram de se chamar de outra coisa? - perguntei, - tipo Rei de Trinácria?

- Isso é verdadeiro em partes, mas Frederico vinha de uma linhagem orgulhosa. Então ele se chamou de Rei da Sicília.

- Suponho que isso deixava os cartógrafos loucos, - ri.

- Bem, tão loucos quanto eram na época, - sorriu Vito. - Em torno de 1442, o Rei Afonso de Aragão reuniu as duas partes e chamou esse reino de Reino de Nápoles e Sicília. Mas, da forma que as coisas aconteciam naquela época, os reinos continuavam a evoluir, mudar de mãos e se dividir. A morte de Afonso resultou em seu irmão pegar a ilha para si, com seu filho pegando Nápoles.

Foi para a frente e para trás por algumas centenas de anos, até 1816, quando Fernando III da Sicília – também chamado de Fernando IV de Nápoles – herdou o reino. A essa altura, seu reino unificado ficou conhecido como o Reino das Duas Sicílias, e permaneceu nas mãos da família Bourbon até o Risorgimento, em 1860.

- Chegamos até aqui com a minha pergunta sobre a Sicília já ter sido governada por um verdadeiro siciliano - questionei.

- Sim, chegamos, - respondeu Vito, - mas ainda não.

Pelo seu comentário conciso, eu esperei que "ainda não" quisesse dizer 1816, e não os tempos atuais.

1734 E.C. – 1816 E.C.

BOURBONS

1799 E.C.

NÁPOLES E PALERMO

No final de 1798, Fernando se juntou às forças britânicas para atacar Roma e tomá-la dos ocupantes franceses. Chegar a tempo era crítico; sua esposa, Maria Carolina da Áustria, lembrou o rei de que Napoleão estava ocupado no Egito e, portanto, Roma estaria vulnerável. Ele conseguiu o apoio do vice-almirante britânico Horácio Nelson, que trouxe uma frota massiva até Nápoles e então se dirigiu para Roma.

A vitória parecia próxima, mas as forças francesas se recuperaram e expulsaram as forças de Fernando da cidade, então as perseguiram até Nápoles. Mesmo lá, Fernando não se sentiu seguro, então em janeiro de 1799 ele fugiu para Palermo, sendo substituído por Francesco Pignatelli Strongoli em Nápoles. Não demorou para que ele também se rendesse às forças francesas e corresse para o exílio em Palermo.

- Há um navio nas águas - veio um grito do cesto da gávea nas docas de Palermo. Medidas de vigilância como torres de vigia normalmente não eram necessárias, mas com a chegada recente do Rei Frederico IV e relatos de uma revolução em Nápoles, ele havia ordenado um monitoramento constante dos mares. Ele havia sido derrotado em Roma e perseguido desde Nápoles - é claro, essas não foram as razões dadas aos palermitanos para sua chegada - e ele não pretendia ser pego desprevenido em seu refúgio em Palermo.

- Onde? - veio a pergunta de Italo, abaixo da vigia. Ele era o capitão das docas, geralmente responsável pelos carregamentos e pelo tráfego mercantil no porto de Palermo, mas nos últimos tempos também tinha a responsabilidade de monitorar navios que passavam inesperadamente e avaliar qualquer ameaças ao porto.

Pietro se virou um pouco no cesto para encarar o navio que se aproximava, e estendeu o braço direito naquela direção.

- Lá, senhor - respondeu ele, apontando maios ou menos na direção nordeste. Havia apenas um ponto escuro na superfície da água pela perspectiva de Italo, mas, de seu poleiro, Pietro podia ver a linha vertical escura do mastro e o início dos tecidos brancos das velas.

- A mais ou menos quatro horas - declarou Italo, murmurando para si mesmo. Ele estava calculando a velocidade do vento e a distância, e concluiu que o veleiro chegaria a Palermo logo antes do meio dia.

- Mande uma mensagem ao Palazzo Steri, - disse ele a Beppo, o rapaz de oito anos de idade que era seu aprendiz. Beppo seguia Italo por todos os cantos onde ele ia, e, nessa manhã, estava bem ao seu lado. - Informe os soldados do rei de que há um navio chegando e os diga para quando o esperamos.

Beppo estava vestido com uma camisa fina de algodão e calças de couro, mas Italo sempre deixava o garoto com sapatos de couro robustos porque o principal dever do jovem era levar e trazer coisas e mandar recados.

Quando Beppo chegou ao Palazzo, vinte minutos depois, ele se aproximou do soldado armado com um pique que ficava em frente à massiva porta de carvalho.

- Tenho uma mensagem para o Signor Talenti - disse ele, se referindo ao conselheiro do Rei Fernando.

- De quem é a mensagem? - perguntou o soldado.

- Italo.

A menção do oficial de vigia foi o suficiente para abrir as portas. Além disso, o soldado sabia que Beppo era o aprendiz de Italo de visitas anteriores ao palazzo que estava vigiando.

O soldado rodou sobre os calcanhares e bateu na porta com o pique. Beppo havia notado, em visitas anteriores, que os soldados aos portões usavam esse método ao invés de levantar e abaixar as pesadas aldravas da porta. O garoto notou rapidamente o porquê: Qualquer um podia bater com as aldravas, e os guardas não saberiam quem estava à porta. Mas o som do pique era distintamente diferente, e indicava que o próprio soldado estava chamando alguém à porta.

Uma vez lá dentro, Beppo sabia exatamente para onde ir, o que ele fez com passos rápidos pela escada larga de pedra até o escritório de Rafael Talenti. Lá, ele parou e bateu no batente com seu punho, então esperou. Talenti era mais velho do que o avô do garoto, e, embora ele tivesse considerável poder em sua influência sobre o rei, ele andava bem devagar. Depois de contar até vinte - Beppo havia adotado esse joguinho de contar os segundos até que o homem grisalho chegasse até a porta - as dobradiças rangeram e a porta se abriu.

- Há um navio - disse Beppo, olhando diretamente para Talenti. O garoto era da mesma altura do pequeno homem.

- Onde?

- Está vindo pelo nordeste. Deve chegar ao porto perto do meio dia.

- Quem é?

- Signor Italo ainda não sabe. Mas parece ser um único navio.

Talenti podia ver o significado por trás daquilo. Forças de ataque vinham de rebanho; navios fugitivos geralmente vinham sozinhos. Ele se virou em direção à porta e a fechou sem se dirigir ao garoto. Beppo também se virou e correu escada abaixo até o portão da frente do palazzo, onde teve de pedir permissão para que alguém abrisse a porta.

Francesco Pignatelli Strongoli estava em pé no convés do navio enquanto ele singrava as águas do Mar Tirreno. Depois de uma saída rápida de Nápoles dois dias antes, ele nunca mais olhou para trás. Ele havia tomado o controle da cidade depois da partida de Fernando, mas era incapaz de encarar as forças francesas. Então, pressentindo uma pequena chance de escapar antes de ser preso pelas enfurecidas forças napoleônicas, ele apreendeu sua embarcação e a tripulação e se dirigiu a Palermo. Ele sabia que Fernando havia navegado para lá, e esperava convencer o rei de que ele, Francesco, havia de fato sido leal para com o rei, apesar de tomar o controle da cidade da qual o rei foi expulso.

Na distância, ele podia ver a ilha da Sicília. Se aproximando pelo nordeste, ele notou primeiro uma pluma de fumaça cinzenta vindo o ponto mais ao leste da ilha, e acenou com a cabeça enquanto determinava rapidamente que devia ser a fumaça do vulcão Etna, sempre ativo. Movendo os olhos para a direita, pelo espinhaço montanhoso central da Sicília, e se detendo no promontório ocidental, ele viu a cidade de Palermo ficando maior em seu campo de visão.

- Você devia comer alguma coisa, - disse o imediato, atrás de Strongoli. - Chegaremos quando a maior parte das pessoas estiver comendo, e com o serviço de atracar, você pode ter de esperar pela próxima refeição.

Strongoli pensou que era estranho contemplar uma refeição nesse momento. Ele ainda estava em modo de fuga, e a sobrevivência significava evitar um fim violento, não pensar em sustança. Mas a ideia tinha mérito, então ele se retirou à cabine do imediato ao lado da do capitão, onde se alimentou de verduras murchas, pão duro e frutas que requeriam o afastamento de moscas antes de serem mordidas. Havia vinho, no entanto, o que ele preferia ao invés dos barris de água do navio. A água por si só não espantaria os medos que vinham com ele. Além disso, a água geralmente o deixava mal do estômago; o vinho nunca o fazia.

Antes de terminar a refeição, Strongoli pôde ouvir vozes, primeiro do convés do navio e então algumas mais distantes. Ele podia notar, do interior da cabine, que essas vozes vinham da doca, e que o processo de atracar e amarrar o navio havia começado. Ele esvaziou o conteúdo da caneca de vinho rapidamente e subiu ao convés.

Atracar era um processo complexo para navios grandes, e esse era um deles. Muitas mãos estavam envolvidas nas amarras, no puxar o navio para mais perto da doca e na instalação da ponta que permitia aos homens descer do navio. As ações faziam barulho também, então todo o processo de trazer o navio até seu atracadouro fazia uma cacofonia rouca e alta, à qual Strongoli estava acostumado, mas que, nesse dia, o trouxe certo prazer, porque ele sentiu conforto em ter chegado a Palermo.

Ele desceu pela ponte até a doca e foi recebido por Talenti.

- *Bienvenu,* - disse ele a Strongoli, - bem-vindo.

- Obrigado, - foi a resposta. - Me chamo...

- Eu sei quem você é. Francesco Strongoli, o substituto do rei em Nápoles.

Strongoli estivera ao lado do rei em muitas questões do passado, na verdade, mas ele notou alguma perturbação no modo com o qual Talenti descreveu seu antigo papel na cidade.

- E você, senhor, é Rafael Talenti, o conselheiro mais próximo do rei.

Talenti assentiu.

- Sim, e eu direi ao rei que ele tem um visitante. Por favor, siga-me.

Uma carruagem foi trazida para eles, e Talenti e Strongoli subiram nela para ir até o Palazzo Steri.

- Enviarei seus pertences - disse Italo a Strongoli, que assentiu para indicar que ouvira.

Os dois homens - um sábio e grisalho, o outro um recém exilado do continente - não falaram muito na jornada de trinta minutos até o palácio. Apenas alguns comentários superficiais, mas nada de substância.

- Então, Napoleão agora tem Nápoles - disse Talenti.

- Bem, não, não Napoleão. Mas seu exército. Ele ainda está no Egito.

Talenti bufou a isso. Apenas um rei possui uma cidade ou país. Suas legiões meramente lutam para isso. Ao que Talenti estava se referindo de fato era a rendição de Strongoli da cidade que seu rei, Fernando, ainda reivindicava como sua de direito. Strongoli sabia que essa era a intenção do idoso, mas ele decidiu não o confrontar ali, na carruagem.

Eles chegaram ao Palazzo Steri e o portão se abriu bem para permitir a passagem da carruagem até o pátio. Ali, os dois homens desceram até a piazza de paralelepípedos, e Talenti se afastou de Strongoli em direção ao seu escritório e aos aposentos do rei, deixando Strongoli em pé, sozinho, perto da carruagem.

- E para onde devo me retirar? - perguntou o visitante às costas de Strongoli.

Talenti apenas balançou uma mão no ar, deixando de dar quaisquer instruções específicas. Mas um jovem rapaz se aproximou de Strongoli e lhe disse que o guiaria até seus aposentos, no lado oposto ao pátio do palazzo.

Era próximo ao cair da noite nesse fim de tarde de inverno quando Strongoli teve uma audiência com Fernando pela primeira vez. Infelizmente, não era uma audiência privada como ele teria preferido, mas ele tinha um assento à mesa da ceia junto com dez outras pessoas, membros da família, subordinados e o sempre presente Talenti.

Strongoli foi escoltado até o cômodo e se apresentou a Fernando, então se sentou no outro canto da longa mesa. A refeição prosseguiu e consistiu de muitos pratos principais, de peixe e vegetais a porco assado servido com maçãs cozidas e uvas-do-monte cristalizadas. O repasto terminou com pratos de frutas preparadas e cestas de nozes que os subordinados obedientemente quebravam para o rei. O vinho servido durante a refeição ajudou a acalmar a atmosfera tensa e levou às conversas que Strongoli queria ter.

- O que vem em seguida? - perguntou ele ao visitante. Fernando estava esperando que o homem que havia chegado à sua casa tivesse um plano para retomar Nápoles.

- É dito que as forças francesas não conseguirão ficar muito em sua cidade, senhor.

- Porque? Não estão provisionadas?

- Não, não é isso. Ouvi que eles ainda têm problemas no norte da Itália. Que retornaram a Nápoles apenas para persegui-lo - e Strongoli rapidamente se arrependeu da forma com que disse a frase. O rei não queria que as pessoas presentes na mesa soubessem que ele havia sido perseguido. Mesmo que fosse a verdade.

Strongoli tentou se recompor.

- As forças francesas logo retornarão para o norte, e a cidade ficará com apenas uma guarnição leve.

- Então, podemos planejar retomá-la - disse Fernando. Não era uma pergunta.

O restante da refeição continuou, e todos se retiraram para seus aposentos para a noite. Mas, ao longo dos dois meses seguintes, o Rei Fernando IV da Sicília se preparou para retomar Nápoles e reunificar seu reino.

- Ele conseguiu? - perguntei a Vito.

- *Sì*, - respondeu ele. - Mas não até o ano seguinte. Fernando enviou uma força para conquistar Nápoles e aprisionar as forças francesas que permaneceram lá. Ele não acompanhou a frota, temendo uma repetição de sua última visita a Nápoles, mas quando a vitória foi completada, ele retornou para o trono de Nápoles. Ele permaneceu lá por muitos anos, mas foi atacado novamente por Napoleão e seu exército. Em tempo, ele foi forçado a fugir de Nápoles novamente, se retirando a Palermo para retomar sua posição de Rei da Sicília. Mas dessa vez ele ficou por lá, uma coisa incomum para a época.

- Incomum? De que maneira? - perguntei.

- os reis da Sicília reinavam à distância por séculos, - disse Vito. - Até mesmo no reinado de Fernando II, nos primeiros anos do século dezenove, os reis moravam em Nápoles. Ele foi o primeiro rei da Sicília a nascer na ilha. Na verdade, seu aniversário – 12 de janeiro – foi um dia de grande importância para o povo siciliano. Mas não até que ele tivesse trinta e oito anos de idade - disse Vito, com um largo sorriso.

1804 E.C.

MAZARA DEL VALLO E LA GOULETTE, TUNÍSIA

Vittorio Indiritto havia trabalhado como carregador nas docas de Mazara del Vallo desde que tinha apenas onze anos de idade. Agora, aos trinta e sete, ele já sentia os efeitos das décadas passadas em seus pés, usando as mãos e braços para levantar e carregar caixas grandes e dependendo da força de seu coração para carregá-lo por todos os extenuantes dias até que o próximo começasse, geralmente antes da alvorada.

Ele havia nascido em uma família pobre. Seu pai, Augusto, havia tido treze filhos, quatro com sua primeira esposa, que havia morrido no parto junto com o quinto filho, e nove com sua segunda esposa, Marie. Nenhum deles havia tido uma boa vida, sobrevivendo com a ninharia que Augusto fazia com o trabalho nas docas. Mas ele havia ensinado seus filhos a trabalhar, para que não morressem de fome.

Marie vinha de Argel, fugindo da cidade aos catorze anos, quando sua mãe havia lhe dito que ela bonita demais e que a captura pelos piratas da Berbéria significava ser vendida como escrava. Ela fez seu caminho até Mazara del Vallo em um barco pesqueiro, em busca de segurança e liberdade. De início, a barreira linguística a deixou reservada, se escondendo entre os contêineres de carga dos navios mercantes que descarregavam seus bens nas docas de Mazara. Então ela encontrou Augusto. De início, ela se afastou dele, tímida, como fazia com todos, mas ele viu as necessidades e o medo dela, então lhe trouxe comida e prometeu lhe dar abrigo.

Augusto era recém viúvo e teve compaixão pela moça abandonada. Ele precisava de uma esposa; ela precisava de uma vida. Então eles se casaram em uma pequena capela nos arredores do porto e começaram a ter filhos. Vittorio foi o primeiro, e ele se juntou ao pai no trabalho logo que chegou numa idade suficiente para levantar as ferramentas e segurar uma corda.

Os portos da Europa eram como as redações do mundo. Todos os relatos de atividades chegavam lá primeiro, nos navios trazendo carga, e então os estivadores e os marinheiros se tornaram a primeira forma de comunicação internacional. Vittorio estava sempre trabalhando próximo aos barcos quando chegavam de outros lugares, então ele ouvia histórias de guerras travadas entre os vários países e de como os reis e duques continuavam a trocar territórios. Ele também ouvia histórias de como os britânicos e estadunidenses haviam chegado às guerras, lutando contra os berberes e seus navios de escravos e até mesmo bloqueando alguns dos portos de Túnis.

Assim que as histórias aumentavam de intensidade, Vittorio passava mais tempo nas docas, mas reduzia suas horas de trabalho para que pudesse ficar ocioso e ouvir os marinheiros que desembarcavam de seus navios. Alguns contavam piadas obscenas sobre seus planos para a noite em Mazara entre as tavernas e bordéis, mas também havia histórias de batalhas navais que ocorriam mesmo enquanto os marinheiros as contavam nas docas.

Vittorio escutava atentamente. Aos trinta e sete anos, ele era considerado um idoso, mas ele nunca havia viajado, então as histórias do que havia para além das ondas que se quebravam na costa de Mazara ainda o intrigavam.

Ele escolhia as conversas que podia escutar casualmente dos grupos de dois ou três que desciam dos navios, focando rapidamente naquelas que diziam respeito à política e guerras. Ele ouviu que o presidente estadunidense, esse homem chamado Jefferson, havia mandado uma pequena flotilha de barcos que foram tomados pelos berberes e teve de ser reforçada com mais barcos. Ele ouviu sobre os comandantes navais britânicos que ainda guardavam rancor contra os estadunidenses, que haviam deixado seu reino três décadas antes. Ele ouviu que esses mesmos comandantes britânicos e suas tripulações se vangloriavam de como pretendiam tomar esses "estadunidenses" de volta como uma colônia britânica.

E Vittorio ouviu histórias do tráfico de escravos que existia entre o norte da África e sua ilha. Sicilianos de lugares tão ao leste quanto Siracusa e tão ao oeste quanto Trapani eram vulneráveis aos piratas da Berbéria que pontilhavam as águas e atacavam sem aviso. Centenas de sicilianos podiam ser capturados de uma só vez, amontoados nos conveses inferiores e levados aos governantes árabes dos califados africanos como escravos. Às vezes, Vittorio se preocupava com sua própria segurança, com o fato de que poderia ser levado.

Seu irmão, Becari, que tinham apenas dezesseis anos de idade, havia começado a trabalhar nas docas e sobrevivia sob a orientação e o suporte de Vittorio. Eles trabalhavam juntos, e Becari aprendeu com seu irmão mais velho não apenas a receber os navios e ser contratado para descarregar suas mercadorias, mas também a barganhar por salários decentes e evitar problemas com os marinheiros.

Nesse dia em particular Vittorio e Becari foram contratados para descarregar o *Victor,* um navio britânico que havia chegado do porto de Londres com algodão, lã e produtos agrícolas em seus compartimentos. Vittorio teve de rir da carga. Ele sabia que as ilhas britânicas tinham alguns campos de algodão, mas a Sicília ainda era o celeiro do Mediterrâneo. Porque aqueles britânicos trariam produtos agrícolas e frutas à ilha?

Ele rapidamente aceitou a tarefa; o pagamento estava escasso, e um homem que vivia às margens da economia não fazia muitas perguntas. Mas o relato da carga ainda o incomodava. Enquanto ele e Becaria subiam no navio, ele também percebia outras coisas. O veleiro balançava mais do que um navio carregado o faria. E quando ele olhou para os conveses inferiores, ele viu que havia apenas um pequeno carregamento.

Havia apenas alguns fardos no convés, que foram delegados aos estivadores. Eles eram óbvios vistos da costa, e a presença desses fardos fazia com que o barco parecesse um navio de comércio regular. Mas onde quer que houvesse trabalhado antes, Vittorio sabia que os marinheiros do navio não traziam o algodão ao convés para ajudá-los, e o navio não navegaria com uma carga leve exposta ao clima dessa forma. Esses fardos deveriam estar nos conveses inferiores.

Ele pegou Becari pelo antebraço logo que um homem de pele escura apareceu no costado. Ele se aproximou vindo do lado da doca, não do barco em si, e subiu no navio com rapidez e confiança, como se fosse parte da tripulação. Vittorio então viu que ele levava uma espada curva à cintura, e que agora retirava da bainha.

Sem pensar duas vezes, Vittorio deu um puxão no braço do irmão e pulou na água. Quando voltaram à superfície, havia uma batalha de grande escala acontecendo no convés do navio. Vittorio puxou o braço de Becari novamente e eles nadaram para longe do navio, primeiro em direção ao mar, então fizeram um arco largo ao redor do atracadouro antes de voltar às docas. Com essa manobra, esperavam nadar para além do círculo de piratas que a essa altura haviam capturado o barco e os trabalhadores que foram atraídos até ele.

Quase funcionou.

Enquanto eles escalavam os postes das bordas do porto, mais berberes chegaram até eles. Os piratas brandiam porretes - uma arma que Vittorio rapidamente concluiu que havia substituído as espadas porque os piratas pretendiam capturar, não golpear mortalmente - e bateram tanto em Vittorio quando em Becari, em seus braços e costas. Os dois mazaranos se abaixaram e lutaram, empurrando os porretes para longe quando os viam chegar, se protegendo do golpe do contrário.

Becari caiu no chão e se enrolou numa bola enquanto Vittorio - vendo seu irmão em apuros - se enfurecia contra os piratas. Ele foi capaz de afastar seus atacantes, mas observou, impotente, enquanto seu irmão mais novo era arrastado, inconsciente, até o navio. De novo e de novo, Vittorio golpeou seus atacantes. A certa altura, ele roubou o porrete de um dos homens e o acertou com tanta força que ele quebrou a cabeça do homem em dois. Enquanto lutava para se livrar dos assaltantes, Vittorio continuava a dar olhadelas em seu irmão. Becari estava sendo arrastado para longe dele, e naquele momento Vittorio notou que só havia uma forma de salvar seu irmão.

Ele lutou como um animal, matando os homens que o cercavam e derrubando oito deles com golpes fatais em suas cabeças e peitorais. Quando o círculo de piratas se formou ao redor dele, Vittorio ficou ali, respirando pesadamente e também soluçando. Suas respirações pesadas eram da luta; os soluços eram por seu irmão, que agora estava fora de vista.

Mas Vittorio sabia que o jovem garoto estaria no barco, no *Victor,* e ele pretendia pegá-lo de volta.

O combate feroz no convés do navio de escravos havia se acalmado à medida que os captores encarceravam os prisioneiros abaixo. Vittorio conhecia as docas e sabia os melhores lugares para se esconder, então ele se fez invisível entre as caixas e jangadas do molhe enquanto observava o próprio *Victor* com atenção.

Quando a escuridão baixou, ele sabia que o navio de escravos poderia escapar do porto, então se aproximou cautelosamente pela doca. Ele ainda estava amarrado ao porto, embora a escada de costado houvesse sido removida, então Vittorio andou na ponta dos pés até uma dessas cordas e testou o nó que a amarrava ao navio. Ele sabia que, mais tarde, a maré subiria e puxaria um pouco o navio, e isso deixaria a corda esticada. Quando aquilo acontecesse, ele poderia se impulsionar pela corda, indo da costa para o navio e se misturando aos escravos clandestinamente.

Vittorio não podia deixar o navio partir antes da maré subir, então ele não dormiu. E ele sabia que teria de se esgueirar até os cativos nos conveses inferiores sem ser visto. Ele tinha duas vantagens: Os escravocratas no convés não estavam esperando que alguém viesse para o navio, então sua atenção estaria direcionada a outras coisas. E quando ele se juntasse aos cativos abaixo, ele não estaria acorrentado como eles estariam, então poderia se mover livremente uma vez que estivesse na escuridão dos compartimentos internos.

A lua estava cheia, mas aquilo não preocupou Vittorio. Ele contava com sua primeira vantagem para evitar de ser detectado enquanto abordava o navio, subindo pela corda que havia sido esticada pela maré. E ele evitou de ser detectado no céu da noite se esgueirando rapidamente pela primeira escotilha que encontrou no convés. De lá, ele pôde se mover pelo navio e encontrar seu irmão.

O tempo estava do lado de Vittorio, porque logo que ele decidiu subir a bordo do navio, ele ouviu os comandos para puxar as cordas para bordo e zarpar. Quando ele pisou no convés inferior, o navio estava balançando para fora do porto.

De início, ele tentou encontrar Becari com os olhos, mas, na escuridão, todos são iguais. Todos eram sicilianos de pele morena, roubados de suas vilas em Mazara del Vallo, Gela e Agrigento para servir ao comércio de escravos dos árabes na Tunísia e a leste dela. Havia tão pouca luz para guiá-lo que Vittorio teve de começar a sussurrar o nome de Becari.

Logo, veio uma resposta.

- Aqui - foi o chamado baixinho na escuridão.

Vittorio alcançou o irmão e abraçou sua cabeça. Nenhuma outra parte do corpo do jovem rapaz pôde ser abraçada porque ele estava acorrentado às tábuas sobre as quais Becari havia sido pousado.

- Porque não está acorrentado? - ele perguntou a Vittorio.

- Eu escapei, - o irmão mais velho respondeu, mas havia vergonha em sua voz. Como ele poderia escapar e deixar que seu irmão mais novo fosse levado?

- Eu vim a bordo para te levar.

- Como isso é possível? - perguntou Becari, balançando a corrente levemente para evitar de ser ouvido.

- Encontrarei um jeito - foi tudo o que Vittorio pôde prometer.

Depois de uma noite e um dia, eles chegaram a um porto movimentado na costa norte da África. Vittorio pôde se movimentar furtivamente pelo compartimento de carga e espiar pelas portinholas, mas não conseguiu reconhecer nada. As vozes eram estranhas e falavam numa língua que ele não conseguia decifrar, as docas não se pareciam com nada que ele já houvesse visto - rústicas, toscas e primitivas - e as construções que se assomavam acima disso eram feitas de uma madeira marrom-escura, privadas dos toques coloridos dos quais ele lembrava do porto de Mazara del Vallo.

Quando ele ouviu e sentiu que o navio estava sendo amarrado à doca, ele se esgueirou para junto dos escravos cativos que ainda estavam acorrentados aos seus lugares. Ele precisava seguir seu irmão, mas quando os escravos foram retirados do compartimento e acorrentados juntos, ele não soube como manter sua liberdade e ainda estar entre aqueles que eram retirados do navio.

- Confie em mim - sussurrou Vittorio a Becari, enquanto se agachava e saía do compartimento rapidamente. Ele decidiu que o melhor a fazer seria escapar do navio em liberdade, então seguir os movimentos de seu irmão quando os escravos fossem obrigados a marchar para fora. Com essa decisão, ele se esgueirou para o convés sem ser detectado e se abaixou silenciosamente até a água para nadar até a costa.

Uma vez lá, ele foi capaz de discernir mais coisas sobre o povo dessa cidade portuária. Um sinal estava escrito em letras enroladas que ele não conseguia desenrolar, mas ele ouviu um pedestre falar sobre La

Goulette. Sem conhecer a língua, Vittorio duvidava do que havia ouvido, exceto do uso frequente de La Goulette.

- Se esse não é o nome da cidade, - ele pensou consigo mesmo, - acharei que é. E libertarei meu irmão dessa La Goulette.

O que ele não sabia é que a frota britânica e o povo siciliano vinham se preocupando com o roubo de seres humanos que ocorria nesses navios de escravos e haviam montado uma força para contra-atacá-los. Grandes navios e tripulações estavam sendo reunidos nas costas da Sicília, e eles haviam sido abençoados pelo rei e pelos bispos em sua missão de conquistar os berberes e libertar os homens, mulheres e crianças que haviam sido levados à escravidão pelos homens da Tunísia.

O envolvimento das marinhas britânica e estadunidense virou a maré. Até aquele momento, os piratas da Berbéria empregavam galés que carregavam muitos soldados armados, mas poucos canhões, então eles não tinham como lutar contra os navios fortemente armados da Inglaterra e dos Estados Unidos. Navios britânicos e estadunidenses ainda sofriam ocasionais perdas no mar, mas a tendência era desfavorável aos berberes. Com o tempo, os piratas da Berbéria e seus parceiros escravocratas foram derrotados e expulsos dos mares.

Vittorio e Becaria foram pegos em uma batalha travada nesses anos minguantes do comércio de escravos árabe. Por causa disso, o movimento de humanos acorrentados tomava uma forma diferente, mais desafiadora para os defensores da liberdade, mas também com mais chances de dar resultados.

Vittorio se escondeu entre o povo da doca. Não era uma tarefa fácil. Com a pele escura de um trabalhador de doca siciliano, ele podia se misturar, mas ele não entendia a língua local, então ele evitou conversar a todo custo.

Depois de duas horas se escondendo entre as caixas e construções da doca, Vittorio viu Becari aparecer em uma fila de escravos sendo levados escada abaixo, saindo do navio. Eles se arrastavam pesadamente, pouco familiares com a maneira de andar que era necessária quando se era preso a outros humanos por uma corrente, e chegaram à doca todos juntos. De lá, o comando do grupo foi tomado por outro homem, que carregava um chicote como um aviso, mas não o usava. Ele levou a fila de homens e duas mulheres em direção à uma construção dilapidada nas bordas do porto, e Vittorio seguiu nas sombras.

Quando os escravos foram levados à construção e a porta foi trancada, um homem armado se posicionou à porta. Vittorio esperou até que o guarda relaxasse um pouco, e, depois de uma hora, ele viu que o guarda havia se sentado no chão para assumir uma posição mais confortável, talvez até mesmo dormir.

Vittorio sabia que ele poderia ter uma chance, mas só uma, e ele não queria desperdiçá-la. Ele não trazia armas e decidiu que a tentativa de roubar uma poderia falhar antes mesmo de ele poder arriscar uma aproximação dos aposentos dos escravos. Seu plano era enfrentar o guarda sem armas, mas ele esperaria até o meio da noite, quando o homem estivesse em sono profundo.

Aquilo também se provou ser um desafio para Vittorio, porque ele não havia dormido na noite anterior e agora estava tentando superar esse homem às portas da construção. Mas seu nível de animação era maior do que o do guarda, e ele soube que poderia prevalecer.

Se escondendo nas sombras de outra construção no porto, Vittorio continuou a observar o guarda. Ele assistiu enquanto o queixo do homem se abaixava, então ia para a frente. Ele repetiu esse movimento muitas vezes, até que seu queixo desceu até o peito. Vittorio observou e esperou, esperando ficar convencido de que o homem estava adormecido.

Ele olhou em volta do canto escuro onde estava escondido, procurando por algo que pudesse ser usado em seu ataque. Havia uma corrente e alguns ganchos usados pelos pescadores. Ele viu um pique

que lhe apelou como a arma perfeita. Mas um pique teria de ser afundado no peito do homem, que ainda poderia soltar um grito, alertando outras pessoas na área. Por mais atraente que o pique fosse, Vittorio decidiu usar a pesada tábua de madeira mais ou menos do tamanho de seu braço. Com ela, ele poderia golpear o homem e provavelmente evitar qualquer som que alertasse os outros.

Ele a levantou, avaliou o peso em suas mãos e a balançou uma vez para pegar o jeito. Espiando pelo canto da construção, ele viu que o guarda estava de fato adormecido. O pulso de Vittorio acelerou enquanto seu corpo se preparava para a luta. Enquanto ele se concentrava na tarefa, sons vieram do porto. Soava como uma luta, como se homens armados estivessem combatendo entre si.

Uma luta no porto que estava envolvido em escravatura soava como algo bom de início, mas Vittorio rapidamente determinou que o barulho também iria acordar o guarda adormecido. Se ele esperasse que a batalha nas docas fosse decidida ao seu favor, o guarda poderia se virar aos seus cativos e matar alguns. Se ele tomasse a dianteira e derrubasse o guarda antes que ele acordasse, ele estaria sozinho, sem a ajuda da revolta que ele estava certo que acontecia às suas costas.

Vittorio grunhiu e agarrou a prancha com mais firmeza em sua mão direita.

- Agora - disse ele, concluindo que sua ação surpresa contra o guarda teria uma maior chance de sucesso do que contar com o sucesso do povo às suas costas, que ele não podia aferir.

Vittorio se aproximou furtivamente do guarda, levantou o tacape em silêncio e então sussurrou apenas duas palavras.

- *A dio!* - disse ele, - "a Deus".

E então ele trouxe o instrumento cego para baixo, em direção ao topo da cabeça do homem. O som o chocou, vindo dessa forma no relativo silêncio da escuridão noturna. O crânio do homem literalmente se partiu em duas metades, com o som seco de um osso se quebrando. Fora isso, o guarda - pego de surpresa - não se moveu. Ele foi morto em um instante e muito provavelmente nem soube o que aconteceu.

Vittorio ficou sobre o homem sem vida por um momento, absorvendo um pouco do choque sobre o que havia feito, então balançou a cabeça para clarear os sentidos.

Ele ainda segurava o tacape, agora ensanguentado pelo cérebro do homem, e se virou em direção à porta da construção onde os escravos estavam sendo mantidos. Ele girou a arma em direção ao mecanismo de trava como se a estivesse trazendo contra a cabeça do escravocrata. Depois de três golpes, a tranca se abriu, e a porta se abriu subitamente em direção a ele em um arco que quase prendeu seu braço. Vittorio ficou no batente de um cômodo escuro, e pôde ouvir as lamúrias de centenas de humanos presos a correntes nas paredes em todos os lados.

Ele queria encontrar seu irmão, mas não podia resistir às súplicas dos outros pelos quais passava. Então ele brandiu sua arma novamente para estilhaçar os grilhões que os prendiam, e, às dezenas, os homens e mulheres cativos foram libertos de suas correntes, disparando em direção à porta.

Quando Vittorio havia aberto cerca de um terço das correntes nos beliches que prendiam os escravos, ele olhou no fundo dos olhos castanhos de Becari, molhados por lágrimas, mas não de medo ou de tristeza. Um sorriso se abriu no rosto do jovem rapaz, e Vittorio sorriu de volta. Com um único movimento do tacape, ele quebrou a âncora de ferro que segurava as correntes em torno dos pulsos de Becari, libertando seu irmão. Por um breve momento, eles se abraçaram, então Vittorio apontou para a porta.

- Vá, eu lhe encontro. Tenho de libertar os outros.

- Não, irmão. Eu vou te ajudar. Você me libertou para que eu possa libertar os outros também - disse ele, pegando uma larga tábua de madeira que havia sido esmagada e separada do beliche.

E assim prosseguiu-se. Vittorio e Becari trabalharam em vias paralelas, brandindo seus tacapes e libertando todos os escravos sicilianos levados pelos piratas árabes e berberes.

1848 E.C. - 1860 E.C.

REVOLUÇÃO

1848 E.C.

PALERMO

9 de janeiro de 1848: Oficina do Tipógrafo na Via Tarragona

Faltavam algumas horas para o alvorecer, mas Francesco Bagnasco e seus colegas tipógrafos trabalhavam à luz de velas pra completar sua tarefa. Eles se moviam rapidamente com as tabuletas de letras, moldadas em metal e arranjadas ordenadamente em fila, as quais Bagnasco usara por muitos anos. Mas eles trabalhavam na escuridão para evitar de serem descobertos, e o tipógrafo mestre estava tendo de ensinar seus aprendizes revolucionários para transformá-los em assistentes de tipógrafo - um trabalho duplamente difícil.

- Arranje a bandeja - disse ele a Carlo, apontando para as quatro ripas de madeira que descansavam, sem uso, no quadro de impressão.

- Para onde? Quão próximas? - veio a resposta confusa.

- Assim, - disse o tipógrafo, movendo suas mãos rapidamente pela plataforma de impressão. Ele moveu os dois pares de ripas de madeira em um formato mais ou menos retangular.

- Mas os deixe soltos de início, - adicionou Bagnasco, enquanto suas mãos continuavam a se mover pela plataforma com excelência prática.

- Agora, os tipos móveis, - disse ele, pegando sete bandejas de metal de três lados. Elas tinham o comprimento de seu antebraço, com laterais baixas e da largura exata da seção cruzada para combinar com o corpo das letras de metal que ele alcançou depois.

- Agora, as letras - disse Bagnasco. Ele olhou para Carlo rapidamente, então demonstrou pegando um punhado de letras da caixa e as colocando randomicamente nas bandejas.

- Isso não diz nada, - reclamou Carlo, apontando para a miscelânea de letras. - Além disso, estão ao contrário.

Por uma vez, Bagnasco riu.

- É porque você não está acostumado a ler os tipos de trás para a frente.

Carlo pensou por um momento, concentrou-se nas bandejas de letras aleatórias e falou devagar.

- GuffauBitorzg - disse ele, e Bagnasco riu novamente.

- Só para demonstrar, - disse ele com um sorriso, então pegou a bandeja de letras e as jogou no banco do tipógrafo.

- Aqui está a mensagem, - continuou Bagnasco, apontando para seu manifesto escrito à mão que descansava ao lado da mesa de trabalho. Eram sete linhas de palavras, exatamente o número de bandejas que o tipógrafo havia pegado para sua demonstração. - Pegue letras da caixa e repita essa mensagem na plataforma, aqui - disse ele a Carlo.

Enquanto isso, Rubio, outro homem ansioso para se juntar à luta, trabalhava no canto escuro próximo à prensa em si. Ele havia sido instruído a lubrificar a máquina - "mas não as placas!" alertou Bagnasco - e ele prosseguiu com essa tarefa em silêncio.

O tipógrafo foi para outra sessão de sua sala de prensa e pegou os papéis que seriam usados para a impressão. Olhando para o teto com os olhos fechados, ele contou silenciosamente quantos pôsteres ele queria produzir naquela noite. O suficiente para alertar toda a cidade de Palermo, mas, se fosse demais, os soldados simplesmente queimariam todos.

- Noventa vai ser o suficiente. - Bagnasco também sabia que os pôsteres seriam pregados aos postes e construções, além de serem distribuídos para cidadãos dispostos na cidade, e ele só tinha tempo para um tamanho. Ele decidiu fazer todos em papel quadrado, de cerca de meio metro, grande o suficiente para ser visto de uma curta distância e pequeno o suficiente para se dobrar e ser levado no caso dos criados do rei denunciarem.

Ele trouxe a resma de papéis até a prensa que Rubio preparava e foi ver como Carlo trabalhava com os tipos. Seu novo aprendiz estava em pé, com as mãos nos quadris, encarando os tipos metálicos. Havia sete bandejas, como ele sugeriu, mas as letras estavam todas erradas. Um observador casual ficaria simplesmente confuso, mas Bagnasco era um tipógrafo experiente. Ele viu o problema logo de cara.

- Você arranjou as letras da esquerda para a direita - disse ele, observando o produto "finalizado" com Carlo.

- *Sî,* - disse ele, incerto.

- Mas elas precisam ir da direita para a esquerda.

Carlos balançou a cabeça, desacreditado.

- *Perche?*

- Quando o papel é prensado, ele recebe o inverso do que você arranjou.

- Mas... - gaguejou Carlo. - Eu não consigo fazer isso. Eu mal consigo ler o suficiente para colocar do jeito certo.

Bagnasco teve pena do aprendiz e sabia que ele podia arranjar tudo mais rápido do que esse ajudante de uma noite. Então ele assumiu o comando. Com rápidos movimentos de suas mãos, ele rearranjou as letras numa ordem que deixou Carlo com um olhar confuso na face. Então Bagnasco levantou a bandeja rapidamente e a levou até a plataforma que Rubio preparava. Ele colocou um dos papéis da resma no quadro que se articulava acima da prensa.

Então ele pegou as bandejas de letras e as pousou no quadro da plataforma, e apertou os quatro blocos de madeira ao redor das bandejas, os pressionando bem juntos com uma guia que ele apertava na mesa. Pressionando as bandejas na esquerda e direita e então em cima e embaixo, Bagnasco ficou satisfeito com o fato de que as sete bandejas tipográficas não se deslocaram enquanto imprimia.

- Me dê os pincéis - disse ele, mas nem Carlo e nem Rubio entenderam o que ele queria dizer. Então Bagnasco foi até o outro lado da prensa e pegou um recipiente raso com tinta e dois "pincéis" acolchoados com algodão, ferramentas de mão que eram cobertas com um chumaço de algodão em uma das extremidades. Ele pressionou os dois pincéis na tinta, então tocou as bandejas tipográficas com a tinta, as pintando até terem um brilho escuro.

Sem esperar pelos seus assistentes, ele andou para o lado e pegou na peça articulada que segurava o papel à espera da impressão. A pressionando sobre as bandejas tipográficas como se fechasse um sanduíche, ele tomou cuidado para que não se mexesse e para não mover o papel uma vez que tivesse tido contato com as letras pintadas. Com cuidado, ele deslizou o sanduíche para a sua direita, abaixo de uma placa de madeira suspensa a milímetros acima do sanduíche de impressão. Uma vez que a bandeja estava em posição, ele puxou uma alavanca, que baixou a placa pesada na superfície de impressão e, puxando com muita força, ele pressionou a placa no sanduíche de impressão e então soltou.

Depois da placa de madeira ter sido levantada à altura original, ele escorregou o sanduíche de volta para fora, tirou a moldura que segurava o papel para fora das bandejas tipográficas e observou o resultado. Ele sorriu em apreciação ao trabalho deles e ao significado do momento, então retomou o processo de pintar as matrizes e imprimir mais cópias do pôster.

O que eles produziram durante as horas noturnas em sua prensa foi assinado pelo Comitê Revolucionário, e proclamava:

"A aurora de 12 de janeiro de 1848 marcará a época gloriosa da regeneração universal."

Bagnasco sabia da importância do 12 de janeiro - era o aniversário do Rei Fernando, que eles pretendiam celebrar com uma revolução.

O manifesto continuava, prometendo que os que se reunissem na piazza no dia seguinte receberiam armas para brandir contra o exército Bourbon que os suprimia. E lembrava que os aspirantes a revolucionários não deveriam danificar propriedades, mas sim usar "sua força e suas armas" para resistir aos soldados de Fernando e restaurar a soberania do povo siciliano.

---

10 de janeiro de 1848: Piazza Alberto Visconze

- Isso é ultrajante! - gritou Luce Adamente. - Que direito eles têm?

Ela estava fazendo as perguntas erradas, e seu segundo em comando tentou lhe dizer isto. Mas Adamante, o capitão dos soldados do rei em Palermo, não estava ouvindo. Ele era o filho e o neto de soldados que haviam lutado pela família Bourbon na Sicília, ele era fiel ao seu chamado e ao seu rei, e ele não podia acreditar que a ralé da Sicília ousaria confrontá-lo, muito menos ao soberano.

Adamante segurou um dos pôsteres de Bagnasco em suas mãos e tremeu de raiva.

- 12 de janeiro, - gritou ele, - e no aniversário do rei, ainda por cima!

Seus olhos dispararam pela reunião de soldados, procurando traidores em seu meio, mas também focando em sua responsabilidade primária - proteger o rei e seu poder na ilha. Adamante era um siciliano nativo, mas com duas - agora três - gerações de serviço militar à coroa, ele sentia que sua família estava destinada a proteger Fernando II e sua família contra todas as ameaças.

- Quero que todos vocês, - disse ele, estendendo o braço para incluir todos os soldados uniformizados ao seu redor, - vão às ruas hoje. Não estamos esperando pelo 12 de janeiro. Iremos pôr um fim a essa rebelião assassina agora mesmo.

E, com isso, os esquadrões de soldados partiram e perambularam pelas ruas, procurando pelos homens que acreditavam ter instigado essa rebelião. Adamante pretendia pegar todos eles, não deixar nenhum rebelde em pé que poderia atear fogo numa revolta. Separar os culpados não era tão fácil quanto ele imaginava que seria; os rebeldes haviam planejado executar o protesto em 12 de janeiro, e, no dia 10, estavam ainda bem quietos de propósito.

Mas, para oferecer um show de força àqueles que poderiam lutar, ele pegou onze homens e os acusou de insurreição. Eles foram arrastados de tabernas e trattorias, e um de sua própria casa, e enviados às celas da prisão ao longo do Palazzo Steri.

---

12 de janeiro de 1848: Bairro de Fieravecchia

Ele se sentia um pouco desajustado. Ele tinha uma altura padrão e era entroncado bem como muitos sicilianos, mas grandes bigodes abraçavam suas maçãs do rosto e se curvavam para fora em uma exibição elegante, e suas vestimentas justas e o colete brocado o faziam parecer mais com um líder do que com um seguidor.

E isso era justamente o que Giuseppe La Masa, o barão das áreas ao redor de Palermo, pretendia quando apareceu no bairro pobre de Fieravecchia nas primeiras horas da manhã de 12 de janeiro. Ele havia nascido pobre, órfão, e então foi adotado por uma família de posses modestas, e usou sua inteligência natural e inclinação para o trabalho duro para subir na escadaria social italiana, insinuando-se sabiamente na classe alta de nascimento nobre e se casando com uma mulher de estilo e posição.

Ao longo de 1847, ele havia acompanhado a crescente insatisfação do povo em sua terra natal siciliana, e então ele retornou à ilha para dar uma mão nos procedimentos, talvez para acender um fósforo que daria origem a uma chama. Mas se ele era o instigador ou o protagonista, não lhe importava. La Masa havia se acostumado a se destacar, e ele somente presumiu que o povo de Palermo lhe receberia em seus protestos.

Ele surgiu na piazza enquanto o ar ainda estava frio e os céus ganhavam a luz do sol nascente subindo acima dos telhados. Havia alguns cidadãos de Palermo perambulando por ali, incluindo o povo local que habitava as ruas estreitas e desorganizadas e preenchia os becos em um lugar no centro de

Palermo. La Masa andou pela borda da piazza, cumprimentando estranhos calorosamente como se já fosse seu líder eleito, e parou na frente de uma longa mesa de madeira atrás da qual estava uma mulher de meia-idade em roupas simples e sandálias.

- *Signore,* - disse ela, para parar La Masa em sua caminhada, - *un po dell'acqua per lui?* - um pouco de água para você? Ela segurava um copo de madeira cheio do líquido frio e claro, e, quando La Masa o pegou dela, ela imediatamente preencheu as mãos novamente com pedaços de frutas e especiarias, que ela oferecia à mesa.

La Masa sorriu de volta para ela e engoliu a água, mas levantou a mão para recusar os outros itens à venda. Então ele continuou em seu caminho, cumprimentando pessoas e jogando conversa fora sobre assuntos triviais. Houve conversas sobre revolução, mas ele pôde sentir uma inquietação geral.

Depois de examinar a multidão, La Masa subiu no rebordo baixo à base da fonte da praça e se virou, dirigindo-se à multidão.

- Vocês têm sido governados por estrangeiros por séculos, reis que não sabem nada sobre vocês e não sabem nada de suas vidas - começou ele.

- O rei nasceu aqui - gritou alguém nas bordas.

- *Sì*, isso é verdade, mas Frederico não é um de vocês. Ele nasceu em Palermo, mas vive em Nápoles. La Masa escapou do comentário gritado para que pudesse voltar ao tema.

- Vocês sofreram verdadeiras injustiças. Mas agora viram os panfletos, - gritou ele, balançando um dos pôsteres impressos de Bagnasco, - e vocês ouviram os chamados dos atormentados e desprovidos pelo rei e seu exército.

La Masa era um bom orador, e sabia quando parar para deixar a audiência absorver suas afirmações. Mas ele também sabia não deixar a pausa durar muito e criar um espaço que deixasse alguém usurpar seu pódio.

- Eu vi, e eu também ouvi, - declarou ele, solenemente. - E precisamos nos levantar contra essa injustiça.

- É mais do que injustiça - gritou alguém na multidão, um homem que levantou seu pulso, enraivecido.

- *Sì*, é mais do que injustiça, - entoou La Masa. - É um crime, é um pecado, é contra a humanidade!

Gritos de "sim, sim" vieram da assembleia, acompanhados empurrões na multidão e trocas de palavras coléricas e gestos. As faces dos homens estavam se enchendo de cor, os olhos das mulheres estavam se arregalando com a fúria crescente.

Enquanto isso, La Masa sorria à insurreição da qual que ele acreditava estar sendo o autor.

Das bordas mais periféricas da multidão, mais homens se juntaram à massa, e piques, forcados e armas de fogo foram aparecendo entre as pessoas. Cada nova pessoa trazia duas ou três armas, mantendo uma e dando as outras para equipar a multidão. Houve uma mudança de forma geral da massa de pessoas à medida que as ondas se moviam em direção ao perímetro da piazza. Os comércios que se atreveram a abrir nessa manhã tiveram suas mesas de madeira tomadas para criar barreiras, fechando as interseções e cercando a piazza com uma barricada improvisada contra o exército Bourbon do rei que se aproximava rapidamente.

Houve uma calma momentânea e o silêncio reinou sobre a praça, mas o disparo de único tiro de rifle dos soldados em direção à multidão desencadeou uma série de tiros. Enquanto os soldados atacavam as barricadas do lado de fora, os insurgentes no interior da barreira lutavam de volta com piques e facas curtas, mosquetes, pás e quaisquer ferramentas ou armas que tinham à sua disposição.

A luta seguiu por diversas horas, e, em torno do meio dia, os soldados haviam vencido e subjugado os manifestantes. Muitos foram encarcerados; alguns foram mortos. E o bairro de Fieravecchia foi posto sob quarentena pelo exército, para não permitir que nenhuma nova rebelião começasse lá.

---

13 de janeiro de 1848: Prostestos continuam em Fieravecchia

As notícias dos eventos de 12 de janeiro se espalharam por Palermo e até mesmo pelas cidades além dela. Ao longo da noite, centenas - e então milhares - de camponeses das áreas rurais vieram até Palermo para se juntar à luta e apoiar seus irmãos. Eles não se importavam muito com a política; foram as décadas de subjugação, impostos altos e reinado arrogante que havia atingido seus âmagos e deixado os fazendeiros e outros operários furiosos, despossuídos e prontos para se revoltar.

O levante Fieravecchia instigou outros grupos, que se importavam pouco com a política ou a subjugação. Eles eram foras-da-lei e foram atraídos à luta para saquear a cidade e levar o que quer que conseguissem. Além do combate generalizado na própria cidade, povoados fora de Palermo estavam sendo saqueados. Escritórios citadinos estavam sendo atacados, seus registros e arquivos sendo destruídos;

alguns dos oficiais do governo que ficaram para proteger os escritórios foram mortos por conta de seus esforços. Mesmo fazendas e bosques foram incendiados pelas turbas que perambulavam pelo interior, sem liderança ou agenda.

O ultraje geral queimou com fúria por muitos dias, causando até mesmo o recuo dos milhares de soldados Bourbon, que se retiraram do combate e se esconderam na fortaleza de Castellamare. Era na borda das áreas mais revoltosas de Palermo, mas perto o suficiente para que o exército pudesse bombardear os vários bairros que estavam causando os maiores danos.

---

15 de janeiro de 1848: Porto de Palermo

Em Nápoles, o Rei Fernando vinha recebendo relatos regulares das revoltas em Palermo e além, e ele despachou mais cinco mil tropas ao primeiro sinal de confusão, em 12 de janeiro. Em torno do décimo quinto dia do mês, os navios estavam chegando ao porto de Palermo e se posicionando para conter ou até mesmo esmagar a rebelião.

Os revolucionários controlavam todos as áreas essenciais da cidade àquela altura, e era uma briga entre as forças do rei no porto e os rebeldes na cidade. No impasse, mensageiros foram enviados várias vezes do Palazzo Steri, nas mãos dos rebeldes, para o exército Bourbon no porto, e de volta. Os líderes da insurreição demandavam o restabelecimento da constituição de 1812, que dava mais poder aos líderes locais. Quando o emissário de Frederico recusou, os rebeldes foram além.

Na próxima, pediram a separação completa de Nápoles e do controle do rei, uma demanda que tirou um muxoxo de escárnio do capitão do navio Bourbon no mar. Mas enquanto essas negociações seguiam, a rebelião estava se espalhando para além de Palermo, de boca em boca e de arma em arma. Outras cidades estavam caindo aos rebeldes, e oficiais locais estavam ou trocando de lealdade, do rei para revolução, ou estavam sendo aprisionados, e, algumas vezes, assassinados.

Ao longo da semana seguinte, a maior parte das áreas do oeste siciliano havia sucumbido à revolução. Messina permaneceu como uma resistência solitária, mas as forças do rei pouco podiam fazer para expandir aquele bolsão de resistência e trazer a insurreição aos joelhos.

---

23 de janeiro de 1848: Nápoles e Palermo

Ainda recebendo relatos da ilha, Fernando estava ficando mais desgostoso com a falha de seu exército em controlar a turba e com o potencial da multidão sacar toda a população da Sicília e o governo de suas mãos. Em 23 de janeiro, sentado em sua residência real em Nápoles, Fernando II das Duas Sicílias concedeu uma constituição ao povo da Sicília, uma que se parecia muito com a de 1812, que dava mais poder às cidades e vilas da ilha, estabelecendo um parlamento e instituindo uma democracia mais representativa.

Vincenzo Fardella foi eleito o presidente do novo parlamento e imediatamente começou as preparações para conduzir os negócios, além de estabelecer barreiras para impedir uma retomada de controle pelo rei. Ruggiero Settimo foi apontado presidente do senado, mas, na verdade, ele agiu como o primeiro-ministro do novo governo. Juntos, eles declararam que Fernando II das Duas Sicílias havia sido deposto.

---

2 de fevereiro de 1848: Palermo

As ações rápidas de Fardella fizeram a diferença. Pela primeira semana de fevereiro, o comitê revolucionário que ele havia formado aplicou a constituição de 1812 e começou a encher os escritórios necessários de acordo com suas páginas. As tropas Bourbon estavam se retirando da cidade e a calmaria estava sendo restaurada.

Ao longo de um período de seis meses, a esperança cresceu à medida que as instituições sicilianas eram trazidas de volta à vida. As preocupações com a agricultura continuaram, assim como a pobreza crescente nas cidades, mas os recém libertos sicilianos acreditavam que seu novo governo local encontraria soluções.

Fernando tinha outras ideias. Enquanto o governo de Fardella e Settimo tomava as rédeas do poder, o rei estava planejando um retorno a Palermo. Ele esperou as fases iniciais do levante revolucionário e então o estabelecimento do governo local - contra o conselho de seus conselheiros, que disseram que uma demora poderia permitir que os locais fizessem protocolos firmes - mas Fernando acreditava que as sempre presentes classes baixas logo perceberiam que mesmo sua insurreição palermitana não poderia consertar os problemas arraigados da sociedade siciliana.

Em setembro de 1848, mais navios do rei foram despachados de Nápoles. Dessa vez, ao invés de fazer um assalto frontal na capital da revolução, Palermo, ele escolheu enviar seu exército para Messina, a cidade que havia permanecido leal a ele durante e depois da revolução. Foi um movimento presciente. Em pouco tempo, as tropas Bourbon - usando Messina como base - marcharam pela ilha, retomando cidades e vilas ao longo do caminho, e tomaram Palermo com muito pouca luta. Em torno de março de 1849, a ilha estava mais uma vez nas mãos do rei.

Em 13 de março de 1849, encarando uma nova revolta centrada no juramento de ofício para a câmara dos deputados, Fernando enviou seu exército para dissolver o parlamento. Com esse ato - sem o rei sequer se referir ou rescindir a nova constituição - ele retomou o controle da ilha como monarca absoluto.

AGOSTO DE 2018

CAFETERIA AMADEO

- *Quarantotto*, - disse Vito. - É assim que o dia, o ano e a revolução ficaram conhecidos como.

- Quarenta e oito?

- *Sì*. Quarenta e oito. Foi um ano muito bom, - ele adicionou, enquanto o barista trazia um novo prato de fatias de laranja e xícaras de espresso. Vito assentiu em apreciação, e o barista de cabelos morenos e enrolados recuou com um aceno de cabeça e um sorriso.

- Começou na Sicília, em Palermo, - continuou ele, se virando para mim, - mas se espalhou pela Europa. Houve revoltas em Nápoles, Roma, Veneza, Florença e Milão, mesmo em lugares quietos normalmente, como Lucca e Parma.

E se espalhou para fora da Itália, para Paris, Varsóvia, Budapeste e Viena. O povo da Sicília estava cansado de ser governado por estrangeiros e ser mantido sob o jugo de um rei Bourbon. Mas os outros países experimentaram revoluções por suas próprias razões. Mas não se engane, o Ano Revolucionário mundial de 1484 começou na Sicília! - ele proclamou, com gosto.

- Havia também uma pessoa pouco conhecida que voou perto das bordas da rebelião, - continuou Vito, depois de um gole de espresso. - O grande plano dos rebeldes era apresentar uma constituição que unificasse todas as cidades-estado italianas em um só país. Giuseppe Garibaldi ouviu isso e formulou suas próprias ideias acerca de como juntar os italianos de Veneza, Nápoles, Roma e outros lugares em um único país.

- Garibaldi, - disse eu, - o líder dos Camisas Vermelhas?

- *Sì*, mas não confunda com o vermelho da república socialista que veio décadas depois. Então ele riu, aquela risada alta, de balançar a barriga. - Acontece que quando Garibaldi estava pronto para surgir como um líder da oposição, ele trombou com um grande carregamento inesperado de camisas vermelhas. Da América do Sul, creio eu. E ele as distribuiu entre seus seguidores como vestimenta, uma espécie de uniforme. E essa é a única razão pela qual seu exército ficou conhecido como os Camisas Vermelhas.

- Mas terminemos com 1848 primeiro. As revoltas que eclodiram pela Europa sinalizavam um fim a muitas das monarquias arraigadas da época. Como falamos anteriormente, Fernando II foi forçado a instituir uma nova constituição em janeiro daquele ano, Leopoldo II na Toscana também o fez em fevereiro. No Piemonte, Carlos Alberto sucumbiu às forças revolucionários em março, assim como Carlos, Duque de Parma. Conhece a Revolução Francesa de 1789, certo?

- É claro, - respondi. - O povo francês se rebelou contra a monarquia como um reconhecimento – e um reflexo – do que os colonos estadunidenses fizeram.

- Mas você sabia que houve outra revolução francesa em 1848?

Eu não sabia, mas não queria admitir.

- E austríaca? Onde os Hapsburgos foram derrubados? Tudo isso começou numa manhã fria e silenciosa em Palermo. Ah, - continuou Vito, com um brilho no olhar. - e sabe do que mais? O Manifesto do Partido Comunista? De Frederick Engels e Karl

Marx? Foi publicado em fevereiro de 1848, em Londres. Que ano - concluiu ele.

- Parece que La Masa incitou a multidão, - disse eu, retornando à Sicília. - Ele foi o responsável pelo levante?

- Fernando foi responsável, - respondeu Vito, efetivamente escapando de minha pergunta. - O povo estava se revoltando contra o reinado Bourbon – e contra as influências externas que controlavam a Sicília antes dele. La Masa era um orador ativo, com certeza, mas ele não foi a razão para a rebelião em Palermo naquela manhã.

- Não foi muito depois disso que Garibaldi surgiu, certo? - perguntei.

A isso, Vito sorriu e pareceu preparado para seguir até o próximo capítulo.

- *Sì*, - disse ele, simplesmente. - Ele aprendeu algumas lições com a insurreição de 1848, algumas boas, outras ruins, mas ele aprendeu. É uma ironia histórica que os primeiros que aceitaram Garibaldi de verdade, as pessoas que viram o futuro em seus olhos, foram os habitantes de Fieravecchia, o bairro pobre e humilde de Palermo, que doze anos antes havia recebido La Masa e outros manifestantes que vieram derrubar o rei Bourbon.

Ele pausou para beber um pouco de espresso e mastigar uma fatia de laranja. Vito parecia estar imerso em pensamentos e eu o quis conferir essa liberdade.

- Se chamou “A Expedição dos Mil” - disse ele, finalmente. - Garibaldi. A Expedição dos Mil.

1860 E.C. – 1945 E.C.

RISORGIMENTO

1854 E.C.

RACALMUTO

Piero d'Impelli estava na boca do túnel que levava até a mina de enxofre. Seu pé direito estava pousado no pedregulho da altura de seus joelhos que ficava na borda da abertura, e seu caderno estava equilibrado em seu joelho levantado. Rabiscando rapidamente com o lápis de chumbo em sua mão, o gerente de mina estava contando os vagões de enxofre que estavam sendo empurrados para fora da mina pelos homens, e fazendo uma aproximação de quão cheio cada vagão estava.

A família d'Impelli estava no negócio da mineração há três gerações. Seu avô, Luigi d'Impelli, havia descoberto essa mina perto de Racamulto enquanto fazia prospecções ao norte de Agrigento. Ele tinha apenas vinte anos de idade na época, e - nos anos de

1780 - a Sicília ainda estava experienciando batalhas ocasionais entre os britânicos e a família Bourbon da França pelo domínio sobre a ilha. Luigi sabia que esse país tinha depósitos de enxofre em muitos lugares, um composto altamente útil minerado desde os dias antigos para o trabalho com metal, e, depois, para a produção de pólvora. Com um histórico de conflito na ilha, ele concluiu que a pólvora seria sempre uma commodity comercializável, então ele reivindicou o local e contratou homens para ajudar a cavar o precioso item.

Ao longo das décadas, a mina de enxofre de Luigi o tornou um homem rico, e ele passou o empreendimento bem-sucedido ao seu filho mais velho, Mario. No início dos anos 1800, no entanto, quando Mario se tornou o dono da mina, as famílias britânicas e francesas que haviam criado suas raízes na ilha estavam comprando terras, tomando tudo dos sicilianos locais. Vendo que a mina d'Impelli ainda produzia grandes quantidades de enxofre, Mario foi enganado e a vendeu com uma promessa de menos trabalho e uma renda estável. Na verdade, o acordo tomou a mina e todos os seus lucros de Mario e da família d'Impelli e o deixou para servir como supervisor da mina. A "renda estável" significava uma ninharia paga para manter Mario em seu escritório em Agrigento, lhe negando os ganhos que foram prometidos.

Na época em que Piero tinha idade o suficiente para substituir o pai, Mario, a mina já não era mais um negócio familiar. Seu avô Luigi havia sido o dono da mina, seu pai foi reduzido a um supervisor com uma mesa em um escritório pequeno, e ele - Piero - se tornou meramente um contratado, um gerente de mina que nem sequer tinha um escritório, mas tinha de trabalhar no calor do dia contando vagões de enxofre enquanto eram retirados da boca escura de uma caverna que parecia se estender até os portões do inferno.

- Tomem um pouco de água - disse ele a Adelfio e Roberto, os dois homens empurrando o próximo vagão para fora do túnel. Piero havia estado dentro da mina pessoalmente e sabia que a temperatura lá poderia subir até para além dos quarenta graus Celsius, então os homens se despiam até ficar só com uma túnica fraldada - às vezes menos - e seus braços musculosos ficavam escorregadios de suor e calor. As instruções de Piero eram para proteger os trabalhadores e manter a continuidade do processo, mas também havia uma nota de simpatia em sua voz.

- É um vagão pequeno - comentou o gerente, se referindo ao conteúdo do carregamento e não ao veículo.

Adelfio deu de ombros, então pegou mais uma conchada de água do barril de carvalho na entrada.

- *La minieru è stancu,* - repsondeu ele - "a mina está cansada".

Por mais duro que fosse o trabalho, nem o gerente e nem os trabalhadores gostavam de pensar daquela maneira. Ele quis dizer que o minério de enxofre estava diminuindo, algo que Piero vinha notando nos últimos dois anos. De início, ele pensou que houvesse contratado trabalhadores que não eram tão eficientes - a família britânica que tinha posse da mina pensou a mesma coisa - então Piero trouxe alguns dos antigos homens que haviam trabalhado para o seu pai e pediu que inspecionassem a mina.

Daniele Fabresi era um deles. Ele havia trabalhado para Mario d'Impelli até suas mãos artríticas se recusarem a segurar uma picareta ou pegar o enxofre que se lascava das paredes da mina. Ele emergiu da escuridão para a luz do meio dia e veio até Piero, a decepção óbvia em seu olhar cabisbaixo.

- *È stancu* - disse ele, oferecendo pouco mais do que um olhar triste e aturdido para trazer seu ponto.

Piero foi pressionado pelos proprietários britânicos a continuar o trabalho na mina, extrair o que quer que ainda restasse, mas o gerente sabia que seus dias estavam contados. E quando a mina d'Impelli, como ainda era conhecida, secou, os homens que haviam trabalhado em suas entranhas por décadas teriam de encontrar outra maneira de sustentar suas famílias.

Aqueles que haviam morrido no túnel foram poupados do estresse de encontrar um novo emprego.

Então, naquele dia, enquanto ele avaliava a produção no vagão empurrado por Roberto e Adelfio, Piero pôde ver o futuro diante de si. Ele queria manter seu emprego, embora talvez ele pudesse fazer isso por mais alguns anos. Ele ainda era jovem comparado aos outros em seu círculo de amigos, e talvez ele pudesse encontrar algum outro trabalho de gerente, talvez em outra mina.

Gianni Costante foi o próximo homem a emergir da mina. Ele carregava as ferramentas que os homens brandiam no interior escuro, coletando as coisas que os mantinham empregados. Ele assentiu para Piero enquanto passava por ele, então trancou as ferramentas em uma cabana próxima à boca da caverna. Havia um vigia armado que ficava por ali a noite toda, protegendo a cabana, os vagões dos mineiros e a área geral da mina.

- *È finito,* - disse Gianni - "acabou".

- Hora da família! - adicionou ele, com um tom de voz mais feliz.

A esposa de Gianni, Luisa, estava esperando outro bebê, uma adição à sua família até então diminuta. Havia Matilda, a filha de três anos de idade, que havia recentemente progredido de andar para correr, o que mantinha Luisa constantemente atrás da risonha menininha, para mantê-la a salvo de encontros inesperados. E havia Alessandro, o rapazinho de oito anos que já imitava seu pai e dizia que queria se tornar um mineiro quando crescesse.

Gianni sorria ao olhar admirador de seu filho, mas sussurrava a Luisa que nunca queria que seu filho fosse para dentro de uma mina. No fim de cada dia, como agora, o único interesse de Gianni era ir para casa para comer uma refeição com sua esposa e filhos, e tomar uma garrafa do bom vinho que os sicilianos faziam por suas terras.

Ele assentiu para Piero novamente ao deixar o local. Os homens conheciam uns aos outros por anos, e embora Piero fosse o gerente, todos sabiam que o status de sua família havia sido sucessivamente reduzido. Como resultado, a atitude de Piero para com seus homens havia ficado mais cooperativa e solícita. Eles estavam todos a bordo de um navio que afundava lentamente.

- *Ciao,* - disse Gianni com um aceno. - *Bon sira* - “boa noite”.

Piero nunca houvera se casado e invejava a situação de seu amigo. Gianni podia ir para casa e esquecer da mina por um tempo brincando com seus filhos. Piero voltaria ao lar para uma casa vazia, passando muitas horas das suas noites ainda ponderando como reclamar a mina d'Impelli. Era o único negócio que ele conhecia, e ele entendia a demanda constante por isso pelas forças britânicas e francesas que ocupavam partes diferentes da Sicília, para não mencionar as forças de Savóia no Piemonte, outros países europeus e mesmo os estadunidenses.

Exportar o enxofre em si ou fazê-lo após sua conversão para a pólvora podia ser um negócio lucrativo caso Piero pudesse ao menos tomar de volta o controle da mina d'Impelli, ou pegar outra para si.

Em sua juventude e no início da vida adulta, enquanto seu pai ainda trabalhava em sua oficina em Agrigento, Piero foi introduzido ao mapa das minas que pontilhavam a ilha. Das encostas ao redor de Enna a Agrigento e de Siracusa a Caltanisetta, as minas de enxofre eram comuns. Onde outrora o cultivo de trigo havia suprido as exportações para a Roma antiga, até os árabes e outros, agora o enxofre tomava o lugar como principal item de exportação daquela região.

"Eu levo jeito para esse negócio," - disse ele a si mesmo naquela noite. "Os britânicos e os franceses que tomaram nossa terra não a entendem como eu. Eles só ficam com nossa terra uma vez que tenhamos encontrado o enxofre, mas quando eu tiver minha própria mina, não a deixarei escapar."

Era uma reprimenda não-verbal ao seu avô, Luigi, o que não era sua intenção, mas Piero pensava com frequência em como os d'Impellis haviam deixado essa grande fortuna escapar e ele não queria repetir o erro.

Mas como ele encontraria uma mina e como poderia pagar por ela?

Numa noite similar algumas semanas antes, Piero havia decidido que passaria seus dias de folga - por menos deles que existissem - vasculhando a parte sudeste da ilha, seguindo rumores que ele havia ouvido e examinando o solo das áreas que ele visitava. A prospecção de enxofre era uma aposta. Não havia teste que o revelasse; o único jeito era cavar onde se pensava que pudesse estar e esperar pelo melhor.

Leitos de rios sedimentares pareciam ter funcionado no passado. O enxofre ficava preso nas camadas de solo e podia ser recuperado cavando. Uma vez encontrado, o fio de enxofre continuava terra adentro, o que requeria a mineração.

Piero estudou a geologia da área entre Agrigento e Racalmuto, tomando nota das áreas que pareciam ter leitos fluviais antigos. Ele os mapeou com cuidado nas jornadas diárias a cavalo e a pé, então retornou para casa para comparar suas anotações com a existência de outras minas conhecidas. Ele foi muito esperto na prospecção de potenciais sítios e na redução da população de prospectos. Ao fazer referências cruzadas e então mapear os caminhos subterrâneos que ele conhecia, Piero conseguiu levantar a probabilidade de encontrar os lugares certos para cavar.

No fim de tarde em que estava inspecionando a mina d'Impelli e dando adeus aos mineiros que trabalhavam para ele, Piero voltou para casa para conduzir uma revisão final de seus palpites. Ele destacou cada ponto para escavação com um círculo tosco feito ao redor deles no mapa, usando o mesmo lápis atarracado com o qual ele havia contado os vagões de enxofre naquele dia. Então ele se levantou para dar uma olhada melhor no arranjo espacial dos locais de escavação em potencial.

- Estão muito longe uns dos outros - disse ele. Então ele se sentou novamente e desenhou uma linha conectando três pontos que estavam próximos a Racalmuto e na estrada que ia para o sul, até Agrigento. Então fez outra linha conectando quatro pontos que ficavam a nordeste de Racalmuto, na estrada que levava até Enna. Ele decidiu tentar um agrupamento de cada vez.

Na manhã seguinte, enquanto seus homens celebravam o dia de folga do trabalho, Piero pôs algumas pás e picaretas na traseira do vagão e encilhou o cavalo que vinha mantendo saudável e escovado desde o início da adolescência. Nero, seu nome para o animal de pêlo negro e reluzente, era um forte cavalo de trabalho e podia puxar o vagão leve com facilidade.

Começando ao nascer do sol, Piero e Nero trotaram pela estrada sulcada até Agrigento. Dois dos locais que interessavam o gerente de minas estavam próximos uns dos outros e vieram primeiro no mapa de Piero; o terceiro era um pouco mais longe, então ele não iria até lá se algum dos dois primeiros apresentasse resultados.

Piero observava a mudança do interior com cuidado, pelo qual ele havia viajado muitas vezes desde a juventude, mas dessa vez ele o estudava mais para encontrar pistas de possíveis depósitos. Ele consultava seu mapa com frequência, satisfeito por Nero os continuar puxando pelo caminho sem que Piero precisasse se incomodar com isso. O balanço suave do vagão fazia com que fosse difícil para Piero se focar nas pequenas anotações do mapa, mas suas marcações a lápis combinadas com a geologia da beira da estrada davam amplas dicas.

Puxando as rédeas, ele fez com que o vagão parasse. Ele desceu, desamarrou Nero e amarrou o cavalo a uma árvore, e então tirou uma braçada de feno do vagão com uma bacia de metal dentada na qual ele depositou água de um grande barril que também estava no vagão. Ele deu estas coisas a Nero debaixo da árvore, então retirou suas ferramentas e se pôs a escavar a terra e examinar sua composição.

Uma linha curva e longa de pedras arredondadas e areia fina seria um sinal certo de uma antiga nascente, e depósitos de sedimentos comprimidos existiam abaixo de água parada, como em lagos. Piero usou toda essa experiência e toda a sua pesquisa para excluir sítios estéreis e focar nos poucos onde a escavação começaria imediatamente.

Ele passou a maior parte do dia nessas duas áreas, arranhando o chão e se agachando para pegar e cheirar a terra aos seus pés. Piero estava desapontado quando se dirigiu até sua casa com nada, mas ele sabia que essa não seria uma tarefa fácil.

Quando ele chegou ao lar em Racalmuto, foi até a trattoria local para uma ceia leve e então se retirou para sua casa. Com uma parte de seu novo negócio de mineração em andamento, ele virou sua atenção para a segunda parte: encontrar compradores para o enxofre que ele inevitavelmente encontraria.

Havia um mercador britânico que veio visitar a mina d'Impelli numa ocasião. A mina era propriedade de uma família britânica, mas esse homem, esse Philip Ambrose, havia gostado de Piero, e o gerente da mina arriscou contar a esse novo amigo sobre sua ambição de abrir a própria mina.

- Faça isso, e eu comprarei de você - disse Ambrose, dando um tapinha no ombro de Piero.

Então, na escuridão silenciosa de seu lar, Piero considerou a melhor forma de abordar Ambrose com uma oferta de verdade. Se ele encontrasse uma mina, ele poderia chegar até Ambrose e fechar negócio. Mas e se ele não pudesse comprar a mina, ou contratar os mineiros? Piero também considerou a possibilidade de fazer com que Ambrose lhe desse dinheiro, se tornasse seu sócio, e como isso talvez acelerasse o andamento do processo. De qualquer maneira, Piero sabia que esse caminho para fora da mina d'Impelli perdida e em direção à sua nova mina Braccato - batizada com o nome de sua mãe - seria através da busca e venda do enxofre para alguém com uma necessidade infinita dele.

"Talvez haja guerra", devaneou ele, mas então sorriu. Sempre há guerra, especialmente na Sicília.

Na semana seguinte, depois de fazer seu trabalho como gerente de mina em d'Impelli, ele amarrou Nero ao vagão novamente e se dirigiu para mais longe em direção a Agrigento do que da última vez, para chegar até o terceiro local que ele havia identificado como potencial. E ele voltou naquele fim de tarde cansado e de mãos vazias.

Outra semana se passou, e Piero tentou os locais que iam para nordeste, para Enna. Três era próximos, e ele chutou as pedras e arranhou o chão em dezenas de áreas na região daqueles pontos e nada encontrou. Ele voltou num outro fim de semana e tentou novamente, dessa vez em um conjunto que ficava logo a oeste da linha que havia traçado. Embora ele houvesse encontrado torrões de minério que continham cristais de enxofre, não era o suficiente para continuar procurando por lá. Piero estava ficando desencorajado e quase decidiu ficar nesse local de qualquer maneira, já que era o primeiro lugar que havia apresentado qualquer esperança. Mas ele sabia que isso era ilusório.

Três domingos a mais na prospecção de enxofre o deixaram com poucas esperanças, mas Piero tinha outra tática em mente. Nas semanas seguintes, Ambrose o visitou duas vezes mais e gostava de fazer piadas com as ambições de Piero.

- *Shhh,* - disse o gerente de mina, levando o dedo aos lábios quando os outros homens estavam por perto. - Não os deixe saber do que estou fazendo.

- Ah, é claro, - Ambrose respondeu, mas sorriu. - Eles já sabem!

Piero fez um muxoxo a isso, mas não insistiu. Ele olhou para mineiros como Roberto e Adelfio com mais atenção, tentando verificar se eles estavam escutando. Ele não se importava com o que pensavam, mas ele não queria que isso chegasse até o empregador britânico. E ele sabia que Ambrose era britânico e que aquilo por si só poderia ser uma maneira do empregador ficar sabendo. E seria o fim do emprego de Piero.

Quando ele tentou e descartou as possíveis localizações de mina a um dia a cavalo de sua casa, Piero soube que teria de viajar para mais longe. Isso iria requerer mais tempo longe da mina d'Impelli, um tempo que não era contemplado pelo seu contrato. Ele tinha de trabalhar por seis dias da semana, todas as semanas. Se ele passasse a noite ou gastasse alguns dias, ele não seria pago e provavelmente seria demitido.

Ambrose ouviu Piero descrever seus apuros numa tarde, enquanto sentavam à sombra de uma árvore, bebendo grappa das uvas cultivadas pelo tio de Piero. E ele fez uma sugestão.

- Você não pode ir, certo? E seu eu for?

Piero não conseguiu decifrar o que seu amigo britânico estava sugerindo. Ambrose não poderia prospectar por enxofre. Ele não sabia nada sobre ele, exceto talvez pelo seu preço de mercado.

- Como? O que quer dizer? - perguntou ele.

-Irei no seu lugar. Eu viajo por toda a Sicília e ninguém espera que eu esteja em um só lugar o tempo todo, como você - disse Ambrose, dando um tapinha no peito de Piero.

- Mas o que você sabe sobre prospectar por enxofre?

- Nada, - riu o bretão, - mas eu posso aprender, não posso?

Piero estava cético quanto à possibilidade de um homem que não havia crescido em volta de um negócio de enxofre poder aprender crivelmente sobre as nuances de prospectá-lo, mas ele estava disposto a considerar isso.

Ao longo dos próximos três domingos, os dois homens foram juntos no vagão puxado por Nero, perceptivelmente incomodado por estar tendo de puxar o dobro do peso humano agora. O chute de pedras e o arranhar da terra continuou enquanto alguns cristais de enxofre eram encontrados. Piero veio a respeitar o aprendizado rápido de Ambrose, e ele apreciava a companhia nessas viagens de um dia.

Logo, eles concordaram que Ambrose poderia fazer viagens mais longas e procurar prospectos de mineração que levariam até uma semana para visitar, enquanto Piero permanecia próximo de Racalmuto e da mina d'Impelli. Piero às vezes se preocupava de ter ensinado alguém a ser seu competidor, mas o bretão era um amigo sério e fiel. Ele reportou ao longo das semanas e meses e disse a Piero onde eles poderiam começar a cavar.

Num sábado, Ambrose cavalgou até a mina d'Impelli em seu cavalo com um olhar de satisfação convencida.

- Encontrei - disse ele, simplesmente.

Piero e Ambrose se retiraram à sombra da árvore e estudaram o mapa para o local onde o bretão disse ter certeza de que teria trabalho. O gerente da mina estava impressionado, tanto com a descoberta de Ambrose quanto com sua habilidade de apontar com precisão uma área tão promissora.

Ambrose também havia pesquisado a posse daquela área antes de retornar a Racalmuto, e ele descobriu que um fazendeiro idoso e frágil era o dono da terra. Ninguém havia considerado a mineração de enxofre, então a fazenda estava, em grande parte, intocada.

Agora era hora de Piero tomar uma grande decisão. Ele não tinha família para deixar para trás, mas se ele fosse com Ambrose a esse lugar que nunca havia visto, ele estaria deixando seu trabalho e nunca mais poderia voltar para ele.

Mas ele se convenceu antes mesmo da tarde se tornar crepúsculo. Ter sua própria mina vinha sendo o sonho de Piero por anos, e esse era o melhor prospecto que ele havia encontrado até agora.

- Nós iremos - disse ele com animação, e ele e Ambrose apertaram as mãos.

No dia seguinte, ao invés de se reportar à mina pela alvorada como ele fez por tanto tempo, Piero amarrou o vagão a Nero, empilhou alguns suprimentos na traseira e se juntou a Ambrose, que já estava no lombo do cavalo, para a viagem ao oeste, em direção à mina na qual os dois homens trabalhariam.

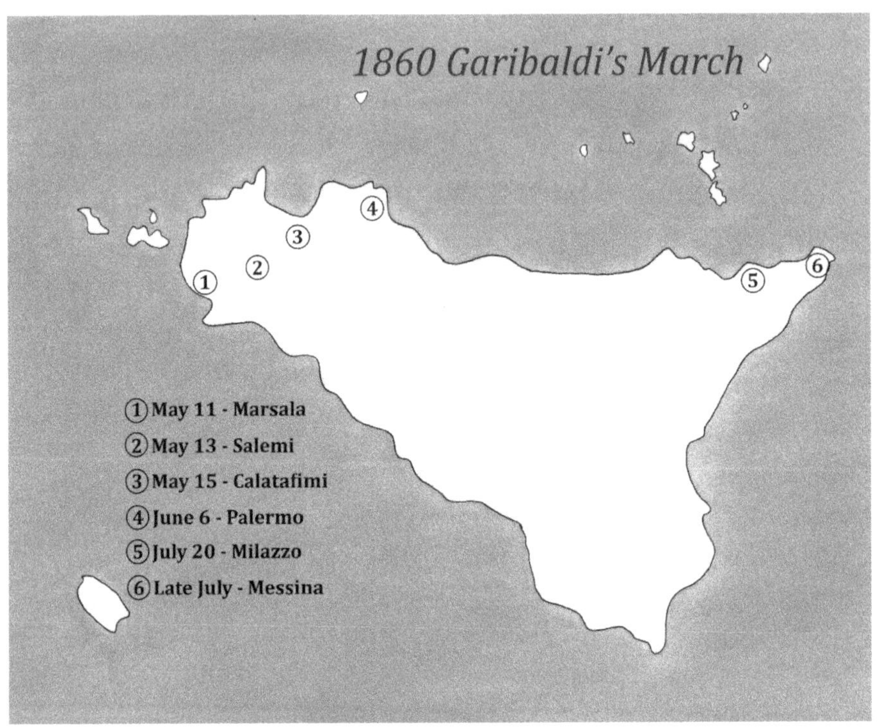
1860 Garibaldi's March
①May 11 - Marsala
②May 13 - Salemi
③May 15 - Calatafimi
④June 6 - Palermo
⑤July 20 - Milazzo
⑥Late July - Messina
1
2
3
4
5
6

1860 E.C.

11 DE MAIO, MARSALA

Os navios de Gênova com Giuseppe Garibaldi no comando se aproximaram da ilha da Sicília em 11 de maio de 1860. Havia fragatas francesas e britânicas no porto de Marsala, e Garibaldi havia sido ordenado a evitar contato com os franceses. Ele não era muito bom em seguir ordens, acreditando que seus instintos eram melhores, mas ele também sabia que os navios altamente armados dos franceses poderiam atacar e afundar seus navios, o *Piemonte* e o *Lombardo* e, com essa ação, sua expedição viria a um fim súbito e desanimador.

Divididos entre seus dois barcos, ele tinha aproximadamente mil homens prontos para a batalha. Garibaldi sabia que esse "prontos" podia ser um exagero. Seu exército, que já havia ficado conhecido como *I Mille* - Os Mil - era composto de mais advogados, comerciantes e contadores do que soldados. Mas eles tinham coração, e eles estavam seguindo a liderança impecável de Garibaldi. Ele tinha fé.

Ainda assim, ele permaneceu nas águas ao norte de Marsala até que viu as fragatas francesas começarem uma excursão de vigilância dos mares circundantes. Sua partida lhe deu uma abertura e ele a aproveitou. Ele trouxe o *Piemonte* e o *Lombardo* para o porto, ao lado dos navios britânicos, presumindo com precisão que os franceses não atacariam com canhões pesados com o risco de acertar uma embarcação britânica. Garibaldi também contava com a longa associação do comércio de enxofre siciliano com o reino da Grã-Bretanha. Assim como qualquer nação em guerra, os britânicos precisavam de muitos suprimentos do ingrediente básico para a pólvora, e vinham comprando o enxofre siciliano por décadas. O almirante da frota britânica no porto marsalês naquele dia não queria arriscar esse relacionamento, então ele ordenou que seus homens abaixassem as armas quando os navios de Garibaldi se aproximaram.

A demora para os franceses chegarem até o porto e se engajarem numa luta corpo-a-corpo deram a Garibaldi o tempo que ele precisava para desembarcar e trazer suas forças à ilha, para lutar. Os franceses, no fim das contas, afundaram um de seus navios e capturaram o outro, mas *I Mille* estavam, a essa altura, em terra.

---

13 de Maio, Salemi

O sucesso da invasão ousada de Garibaldi na Sicília foi proclamado pela ilha. Com a longa insatisfação com o governo Bourbon e as revoltas em diversas cidades, a Sicília parecia madura para uma revolução séria.

O desembarque em Marsala dificilmente poderia ser chamado de vitória, já que o propósito principal de *I Mille* era desembarcar e escapar do exército francês. E ao escapar rapidamente da região oeste ao redor de Marsala, Garibaldi amorteceu a determinação francesa de persegui-lo.

Pelo dia 13 de maio, seu exército havia crescido acima de quatro mil e chegado à cidade de Salemi com força total. Os cidadãos por lá receberam *I Mille* e deram a cidade a Garibaldi. Os dominós sicilianos estavam caindo com tanta facilidade que isso levou Garibaldi a proclamar a si mesmo ditador da ilha em 14 de maio, embora ele o tivesse feito jurando lealdade a Vítor Emanuel, que ele esperava coroar como rei de uma Itália unida antes de sua empreitada terminar.

---

15 de Maio, Calatafimi

A marcha de *I Mille* continuou e, pelo dia 15 de maio, eles haviam capturado Calatafimi. Diferente da fuga de Marsala e da vitória em Salemi, no entanto, Calatafimi impunha um desafio maior.

As forças Bourbon haviam se reunido em uma colina chamada de Pianto Romano, e usavam seus números e sua posição acima da marcha de Garibaldi como vantagem. Apesar da posição favorável, no entanto, os Bourbons falharam em superar *I Mille* e, apesar do que os livros de história descrevem como um quase empate no final, a reputação de Garibaldi e seus homens disparou.

---

6 de Junho, Palermo

Garibaldi continuou com a missão e decidiu que a capital siciliana seria a próxima. Ele levou sua força, agora maior, até Palermo perto do final de maio e cercou a cidade. Mais uma vez, *I Mille* encararam uma oposição feroz, mas dessa vez os cidadãos que Garibaldi procurava libertar se levantaram em sua defesa e ajudaram a derrubar as forças francesas que ocupavam a cidade.

A luta, infelizmente, destruiu muito da cidade histórica. Contemplando a derrota certa, o exército Bourbon se rendeu quando a frota britânica que chegava falou a favor de Giuseppe Garibaldi e de sua revolução. Eles queriam proteger seu acesso ao enxofre e, no final, sustentaram um exército rebelde que continuaria na captura de toda a península italiana.

---

20 de Julho, Milazzo

Mas, primeiro, Garibaldi tinha de marchar seu exército pela ilha até a costa leste e capturar as cidades recalcitrantes por lá, incluindo Milazzo - a antiga cidade portuária de Mylae na ponta nordeste da ilha - e Messina - a cidade fortificada que havia resistido a revoluções ao longo das décadas.

Uma vez conquistado, o povo de Milazzo se juntou a Garibaldi e marchou até Messina, onde a cidade foi posta sob cerco e enfim conquistada mais tarde, no mês de julho. Em curtos dois meses, o "ditador da Sicília" havia capturado os corações, a capital e as maiores cidades da ilha, e proclamado essa série de vitórias como o início da unificação da Itália.

AGOSTO DE 2018

TRATTORIA BETTINA

- *I* *Mille* - disse Vito, enquanto eu me esgueirava pela multidão em direção a ele naquele fim de tarde.

- *Sì*, Os Mil - traduzi. Era o apelido histórico para o pequeno bando de seguidores atraídos por Giuseppe Garibaldi em preparação à revolução de 1860. A conta real varia de setecentos a quase mil e cem, mas *I Mille* se tornou o folclore capturado nos livros de história.

- Antes de Garibaldi chegar, houve protestos em Palermo e Messina em abril, - continuou Vito, - mas o rei Bourbon das Duas Sicílias, Francisco II, foi capaz de sufocá-los rapidamente. Então Garibaldi entrou em cena e as coisas começaram a mudar.

- Como? Li que ele era de Nice. O que estava fazendo na Sicília?

- Essa é uma história interessante, um "e se?" histórico, digamos assim, - disse Vito, com um risinho.

- Ele não era francês, - continuou ele, - mas Nice também não era. Era originalmente conhecida como Nizza, quando pertencia ao Piemonte, mas foi perdida para a França no Tratado de Turim. Então, tecnicamente, aquilo fazia de Garibaldi um súdito francês. Ele não gostava disso e tinha a reputação de um tição que muito provavelmente teria levantado a espada contra os senhores Bourbons que agora controlavam sua terra natal.

Camillo Benso, o Conde de Cavour, era o Primeiro Ministro de Piemonte-Sardenha à época, alinhado com Vítor Emanuel II de Piemonte. Cavour estava preocupado com a possibilidade de Garibaldi atacar os franceses em Nice para retomar sua terra natal, o que traria Cavour e o Piemonte a uma batalha longa e desacanhada.

Vito espantou uma mosca e então olhou para a barulhenta reunião de beberrões aglomerada no bar.

- Vamos dar uma caminhada - sugeriu.

Nos levantamos da mesa e fizemos nosso caminho até a borda do terraço antes de eu perceber que não havíamos pago a conta. Outra coisa sobre Vito, pensei com um sorriso. “Me pergunto se alguém cobra ele.”

Uma vez na calçada, Vito pôs a mão na curva do meu cotovelo e continuou a falar enquanto andávamos. Eu percebi que ele estava usando meu equilíbrio em seu próprio benefício, assim como eu o via fazendo com seus alunos quando eu o encontrava na rua.

- Cavour falou com Garibaldi e o convenceu de que a verdadeira batalha, a batalha que poderia levar à unificação da Itália – o principal interesse de Garibaldi – começaria na Sicília. “Olhe para Messina e Palermo”, ele disse. Dessa forma, o conde convenceu o ambicioso jovem a virar sua atenção para o nosso país.

- Quando, e como começou?

- Ele zarpou de Quarto, um lugar perto de Gênova, com dois navios – o *Piemonte* e o *Lombardo*. Eles se aproximaram da Sicília no oeste e lançaram sua invasão da ilha de lá. Vendo que havia navios franceses do rei Bourbon no porto de Marsala, ele escolheu esperar que saíssem enquanto ficava na ilha de Favignana.

- Espere... - pedi, levantando minha mão esquerda enquanto passava as páginas com a direita.

- Isso é... espere, é onde fica Fansu.

Ele riu um pouco.

- Perto, - riu Vito, - mas não exatamente. Os registros antigos sugerem que Favignana pode ter sido chamada de Fave. Fansu estava entre o grupo de ilhas e pode ter sido um dos pedaços de terra no mar onde os primeiros sicanos viveram.

Me pareceu irônico que Garibaldi tivesse lançado uma invasão à Sicília da mesma ilha que as tribos proto-sicanas usaram para migrar à ilha dez ou onze milhares de anos antes.

- De volta a Garibaldi. - Tanto os franceses quanto os britânicos tinham interesse na Sicília, e não eram apenas os seus interesses imperiais. A ilha havia sido sobre-cultivada no século dezenove, mas outros recursos, que valiam mais, foram encontrados.

- Como o enxofre - disse eu.

- Exatamente. Enxofre. Ele tinha muitos usos, mas o que trouxe os mercadores franceses e britânicos à área era o papel do enxofre na produção de pólvora. Acho que a Sicília minerou e vendeu mais enxofre naquela época do que qualquer outro país, deixando a pequena ilha no Mar Médio muito procurada.

- Como se já não viesse sendo procurada por milênios - adicionei.

Vito deu de ombros.

- Então, o mercado de enxofre era caro e lucrativo, e os britânicos queriam proteger suas fontes na ilha. Garibaldi suspeitou disso e ficou no raso de Favignana até que as fragatas francesas saíssem em patrulha. Então ele navegou rapidamente até Marsala.

Por respeito à sua relação comercial, Rodney Mundy, o Almirante da Coroa nos navios britânicos do porto de Marsala, decidiu fazer vista grossa quando o *Piemonte* e o *Lombardo* se esgueiraram até o porto, ao lado de sua frota. Uma vez atracadas, as embarcações de Garibaldi estavam seguras de um ataque direto dos franceses, pelo menos à distância. O tempo que os franceses levaram para voltar ao porto permitiu que *I Mille* escapassem para a costa da Sicília e começassem sua campanha.

- Então, sei que Garibaldi fez uma guerra bem-sucedida pela ilha, capturando muitas cidades e fazendo a população local se render rapidamente e se tornar aliada de sua causa. Cavour estava certo? Esse foi realmente o capítulo principal do Risorgimento?

- De início, pareceu que sim, - Vito retornou à sua narrativa. - Depois de conquistar a Sicília, prometer uma reforma agrária e um governo limitado – lembre-se desses pontos, Luca – ele capturou Messina e lançou seu ataque no continente, saindo de lá. Tomando a Calábria e então marchando para o norte, Giuseppe Garibaldi foi aclamado por todos como salvador. Ou, como ele preferia ser chamado, Ditador da Sicília.

Garibaldi chegou a Roma, que estava sendo espremida entre duas forças, *I Mille* do sul e Cavour do norte, e, uma vez vencedor, ele cedeu seu governo a Vítor Emanuel, que foi coroado o primeiro rei de uma Itália unificada. Garibaldi serviu no governo desse novo reino, mas ele era mais soldado do que político.

Andamos ao redor da piazza, com a mão de Vito em meu cotovelo, e pessoas jovens e idosas acenaram para ele. Ele ficou mais reto durante essa *passeggiata,* e eu vi que ele sentia a necessidade de ficar imponente - bem, pelo menos tão alto quanto conseguia com sua altura diminuta - quando estava, para todos os efeitos, desfilando por Mazara del Vallo.

- O Risorgimento teria acontecido com ou sem Garibaldi, então ele não é exatamente o herói que as pessoas gostam de imaginar. Ele esteve aqui, e era a hora certa, mas ele teve de ser levado a fazê-lo da forma correta. Quanto à Sicília, não temos tantas boas memórias dele. Para derrotar os Bourbons e expulsá-los da Sicília, *I Mille* destruíram muitas coisas, incluindo fazendas e casas rurais. E a redistribuição de terra que Garibaldi prometeu nunca funcionou realmente. Fazer promessas é fácil; cumpri-las é difícil.

Ele merece todas as ruas, construções e praças batizadas com seu nome?

Vito pensou por um momento e então assentiu com a cabeça uma ou duas vezes.

- Ruas e praças têm de ter nomes, certo?

- *Latifundia* - disse Vito enquanto se sentava gentilmente em seu lugar na Cafeteria Amadeo, na manhã seguinte.

Ele parecia um pouco cansado, como se a noite anterior e nossa caminhada lenta ao redor da piazza ainda o afetasse. Mas então ele sorriu como se entendesse meu olhar e tivesse de me reconfortar. O barista já havia servido meu espresso, mas ele magicamente tinha uma pequena xícara para Vito logo que ele se sentou. Espresso é melhor se feito na hora, então me perguntei como o homem sempre sabia o exato momento em que Vito apareceria. Não era o mesmo horário todos os dias, mas a chegada do senhor idoso sempre parecia ser antecipada. Será que alguém ligava para a cafeteria quando via o atarracado homem passar?

- *Latifundia*. Quer dizer fazendas, certo? - perguntei.

- Era um sistema, na verdade, - começou Vito, enquanto entrava na conversa. - Homens que haviam servido ao rei geralmente eram recompensados com grandes extensões de terra. No caso da Sicília, eles aplicavam técnicas parecidas com o feudalismo, transformando essas fazendas extensas em parcelas onde famílias locais trabalhavam e dando porções da plantação resultante, ou da mina ou da oficina ao senhor ou barão. O Risorgimento havia prometido acabar com aquilo, e o próprio Garibaldi havia dito que o sistema de colheita compartilhada seria abolido. Os camponeses e fazendeiros de subsistência da Sicília – e não incidentalmente, a maior parte do sul da Itália, já que era tradicionalmente parte das Duas Sicílias – compraram a promessa de Garibaldi e esperaram ter sua liberdade da servidão e receber suas próprias parcelas de terra.

Mas não funcionou daquela maneira. Não é que as promessas não foram cumpridas; é só que o governo estabelecido depois da unificação da Itália – na maior parte governada pelo norte e aos interesses do Piemonte – não era muito receptivo às necessidades do povo de meu país. A industrialização, mecanização e acúmulo de um forte mercado de exportação estavam todos focados nos objetivos dos nortenhos, e os sicilianos eram meramente secundários. No máximo, éramos apenas os trabalhadores que apoiavam a agenda do norte; no mínimo, éramos os fazendeiros, operários e mineiros que eram tratados como o último degrau de uma longa escadaria de poder.

- Isso não poderia ter ido muito bem, - resumi. - Depois de séculos sendo rebaixados e subjugados pelos Bourbons ou savoianos, ou quem quer que seja, os sicilianos devem ter sentido que aquele era o seu momento de independência.

- Exatamente, - disse Vito. - Não muito tempo depois da unificação, em 1866, os palermitanos se rebelaram contra a estrutura de poder novamente. Mas, àquela altura, o governo de Vítor Emanuel II era forte o suficiente para resistir, e eles debelaram a revolta a meio caminho.

- Foi imparcial e definitivo? - perguntei. Mas então me perguntei o que ele queria dizer com estrutura.

- Sim e não, - respondeu Vito. - A batalha começou com a cidade sendo bombardeada pela marinha italiana. Os soldados desembarcaram e, comandados por Raffaele Cadorna, prenderam muitos dos revoltosos e executaram outros.

- E foi isso?

- As forças de Vítor Emanuel tinham a ilha, e, nessa demonstração de força, lembraram os sicilianos que pretendiam mantê-la para si. Houve ataques superficiais contra o exército ali presente, mas poucos estavam organizados o suficiente para conseguir fazer qualquer coisa. O resultado foi que essas pequenas revoltas deram ao exército italiano uma desculpa para prender e executar insurgentes aos milhares.

Se você olhar em retrospecto, com os olhares de hoje, pode concluir que a unificação da Itália, que foi dirigida por ideais de industrialização e internacionalismo do século dezenove, não era adaptável ao meu país. Éramos uma sociedade agrária com alguns mercados fortes, por exemplo, de trigo, enxofre e outros produtos, mas o norte pensava em mecanização e fábricas de larga escala. A Sicília não era nada disso. Então, ao longo do nosso período de progresso pós-unificação, o norte ignorou o sul, e o sul – incluindo a Sicília – ficou mais para trás no progresso que era feito pelo resto do país.

- O que houve? - perguntei. Embora eu já soubesse a resposta.

- Emigração em massa. Das Duas Sicílias, literalmente, - disse ele. - Os italianos do sul deixaram seus lares em busca de melhores condições na Argentina, Brasil e Estados Unidos. Os Sicilianos –

da outra das Duas Sicílias – os seguiram. No final do século dezenove e início do século vinte, cidades inteiras no sul da Itália e na Sicília foram abandonadas à medida que os cidadãos procuravam oportunidades em outros lugares.

30 DE MAIO DE 1894

PALERMO

Os juízes sentados no estrado abanavam a si mesmos no calor do verão prematuro. Grandes janelas estavam abertas ao ar e, sendo meio dia, o brilho do sol entrava apenas um pouco no interior, vindo pelas janelas que apontavam para o sul, aquecendo o ar da manhã no edifício do tribunal.

Havia quatro homens sentados na contenção dos prisioneiros da sala de julgamento. Havia uma miscelânea de jovens e pessoas de meia-idade, vindos de diversas partes da Sicília, todos acusados de insurreição contra a coroa. Eles haviam sido pegos em batidas da *polizia* e trazidos a Palermo, onde vinham sendo mantidos na cela já há quatro meses. Suas apelações foram ouvidas e as evidências apresentadas um mês antes, e agora eles esperavam pacientemente que o juiz fizesse seu pronunciamento.

Estes homens - Giuseppe de Felice Giufridda da Catânia, Rosario Garibaldi Bosco de Palermo, Nicola Barbato de Piana dei Greci e Bernardino Verro de Corleone - estavam entre os fundadores de um movimento por direitos e condições mais seguras aos trabalhadores. De fazendeiros cujos lucros foram cortados por impostos a mineradores de enxofre que trabalhavam em condições perigosas, a classe trabalhadora da Sicília precisava de um aliado firme, um que lutaria contra o governo e reduziria o fardo dos trabalhadores. O movimento foi chamado de *Fasci Siciliani,* tomando a palavra romana *fasci*, que significa "feixe" - indicando que um homem pode ser quebrado, mas um feixe, ou *fasci*, poderia resistir.

Seu movimento combinava protestos pacíficos com algumas instâncias de ação violenta, todas direcionadas às condições de trabalho por toda a ilha. Mas o governo do primeiro-ministro Francesco Crispi decidiu que os *Fasci* tinham uma agenda mais perniciosa, que já havia se aliado com facções que separariam a ilha da Sicília do país unificado da Itália. Essa acusação era a principal a ser pesada pelo painel judicial nesse dia bem quente em Palermo, uma acusação que poderia mandar esses homens para a prisão por muitos anos.

- Dizemos aos nossos amigos lá fora, - declarou Barbato quando teve a oportunidade de apresentar uma defesa, - a não pedir por perdão, não pedir por anistia. A civilização socialista não deve começar com um ato de covardia. Mártires são mais úteis à causa sagrada do que qualquer propaganda. Nos condenem!

Ele se sentou com olhares gelados de seus compatriotas. Eles apoiavam sua agenda socialista, mas estavam tentando evitar sentenças prisionais, e o acesso de Barbato certamente enfureceria os juízes. Giufridda mexia na gravata enquanto Verro encarava o teto, como se buscasse inspiração. Bosco simplesmente olhou para seus pés.

As minas de enxofre haviam empregado homens em condições terríveis por décadas, com calor intenso, ar rançoso e túneis escuros que faziam o mais valente dos mineiros tremer de medo. Crianças pequenas também eram trazidas para trabalhar nas minas, porque podiam se esgueirar em espaços estreitos para cavar os punhados de enxofre que ainda ficavam depois das coletas mais fáceis retiradas pelos homens.

Nos campos, fazendeiros sicilianos se esforçavam para produzir o suficiente para pagar seus impostos, sofrendo sob as taxas de exportação crescentes e outras imposições do governo. Os favores prometidos durante o Risorgimento nunca se materializaram, e a década que precedeu os anos 1890 viu uma queda precipitada da produtividade agrícola. O vinho, o óleo e o enxofre vinham fazendo parte da economia siciliana desde os tempos antigos, mas tarifas estrangeiras e a competição internacional de mercados emergentes nos Estados Unidos e no norte de Europa ameaçavam desligar o motor econômico da Sicília completamente.

À medida que a exportação de recursos diminuiu, a exportação dos próprios sicilianos subiu. A pobreza de uma nação mantida em cativeiro por um longo tempo, juntamente com a queda na produtividade e o favoritismo do governo italiano mostrado ao norte industrial fez com que vários camponeses sicilianos partissem e se assentassem no Brasil, Argentina, América do Norte e outros locais. Muitos iam e viam num ciclo repetitivo de emigração, tentando conseguir salários menores no exterior e trazendo seus soldos coletados para o lar insular, para sustentar as famílias que ficavam para trás. Mas os ciclos de viagem para fora e de volta à Sicília frequentemente terminavam com os imigrantes se assentando numa vida fora de seu lar na ilha do Mar Médio.

Os *Fasci Siciliani* - também chamados de *Fasci dei Lavoratori* - não podiam esperar resolver esses problemas gigantescos, mas seu objetivo era fazer com que a vida dos sicilianos que permanecessem na ilha fosse melhor, mais segura e mais rentável. Suas demandas eram simples: reforma agrária, uma relação mais balanceada entre trabalhador e empregador e uma estrutura de impostos menos onerosa, pelo menos uma que recompensasse os camponeses do sul assim como o fazia com os industrialistas do norte. As revoluções que varreram as Américas e a Europa - e acenderam uma chama na Sicília em 1848 - também não se perderam nos *Fasci Siciliani*. Eles insistiam em liberdades desfrutadas em muitos países, incluindo a liberdade de expressão e de culto, e a liberdade de reunião e de greve contra práticas injustas.

Em apenas alguns anos, a agenda pregada por líderes como Giuffrida, Bosco, Barbato e Verro tomou tração pela ilha. Os *contadini* - camponeses, fazendeiros e mineiros - raramente participavam em protestos organizados. Isso era coisa dos citadinos e da intelligentsia. Mas a economia que se enfraquecia, combinada com o espalhamento de jornais e a alfabetização, alimentou um descontentamento crescente e trouxe os *contadini* para a luta.

Por 1893, toda grande cidade da Sicília tinha um capítulo dos *Fasci Siciliani* e muitas das pequenas cidades e vilas também tinham. As fileiras de membros cresceram até cerca de duzentos mil, e suas demandas eram repetidas frequentemente em publicações ácidas, enquanto suas atividades eram reportadas avidamente nos jornais. O primeiro-ministro Giovanni Giolitti não tinha como evitar a ameaça ao seu governo, embora preferisse deixar que as inquietações civis se resolvessem sozinhas. Ficando mais impaciente com o murmúrio persistente dos dissidentes, ele ordenou a prisão de milhares de membros dos *Fasci* ao longo da ilha, trazendo esses quatro líderes ao salão judicial de Palermo.

Giuffrida defendia terminantemente o fim do governo. Ele reconhecia que, no estado atual de anarquia, com protestos, greves e ações violentas de ambos os lados, a ilha da Sicília estava pronta para a revolução. Num encontro geral de líderes dos Fasci Siciliani, em janeiro de 1894, ele clamou pela revolução generalizada para remover a estrutura de poder e instalar um governo mais simpático à causa. Mas os outros líderes, incluindo Barbato, Verro e Bosco - todos socialistas - preferiam uma estratégia mais organizada e mais a longo prazo para remediar as condições de trabalho e o desbalanceamento geral na Sicília.

- De pé - ordenou o oficial de justiça, chamando a atenção dos homens aprisionados. Os quatro prisioneiros eram todos homens orgulhosos, e ficaram em pé prontamente. Eles encarnavam as palavras resolutas de seu companheiro, Barbato, mesmo que não o afirmassem em voz alta. Os quatro haviam trabalhado incansavelmente nas fileiras dos socialistas, subido a posições de poder que incluíam a prefeitura de suas cidades e papéis de liderança nos comitês. Eles sabiam que o governo encontraria uma maneira de culpá-los e, muito provavelmente, lhes dar longas sentenças.

- Giuseppe de Felice Giuffrida. Você é declarado culpado do crime de sedição contra o governo da Itália e de múltiplos crimes de incitação à população pacífica da Sicília para a revolta contra o governo. Você encorajou a violência e não demonstrou arrependimento pelos seus crimes. Esta corte o considera culpado e o sentencia a dezoito anos de prisão.

Houve um sobressalto da audiência no salão de julgamento. Embora diversos membros do governo local atendessem à audiência, a maior parte dos espectadores era composta por camponeses e mercadores locais simpáticos às coisas que Giuffrida defendia. Eles também haviam participado em muitas das rebeliões pelas quais os cavalheiros grisalhos em ternos e gravatas-borboleta haviam sido trazidos até esse tribunal.

- Você deve mostrar deferência a essa corte, - continuou o juiz, - e deferência ao nosso rei. Quando demonstrar remorso por suas ações e quando reparar sua atitude para com o bem-estar deste país, você poderá receber alguma caridade. Sente-se.

Giuffrida se sentou tão calmamente quanto como se levantou. Os observadores no tribunal não sabiam dizer se ele havia antecipado essa sentença; sua face era inescrutável. Mas ele se sentou com as costas eretas e, apesar do clima e de seu terno pesado de lã, esse herói do povo pareceu nunca ter suado.

- Rosario Garibaldi Bosco. Você é declarado culpado do crime de sedição contra o governo da Itália. Esta corte está ciente de sua tentativa de fugir do país no navio a vapor *Bagnara* na noite de sua prisão. Esta corte toma isso como um sinal e reconhece sua culpa e sua tentativa de escapar à justiça.

Bosco estava em pé ao lado de seus companheiros e não esboçou qualquer reação ou emoção.

- Esta corte lhe considera culpado e o sentencia a doze anos de prisão. Deve mostrar deferência a esta corte, - continuou o juiz, - e deferência ao nosso rei. Quando demonstrar remorso por suas ações e quando reparar sua atitude para com o bem-estar deste país, você poderá receber alguma caridade. Sente-se.

Bosco se sentou a apenas alguns metros de Giuffrida, mas os homens não olharam um para o outro.

O juiz prosseguiu na chamada dos homens restantes, Verro e Barbato, e lhes deu as mesmas sentenças, doze anos cada. Mas ele reservou palavras especiais para Barbato.

- Você não pediu por misericórdia; ao invés disso, pediu que esta corte lhe sentencie. Então que assim seja. E que Deus o preserve de apodrecer na prisão.

Os quatro homens foram guiados para fora do tribunal e substituídos por outros a serem julgados e sentenciados naquele dia. O primeiro-ministro pretendia quebrar os *Fasci Siciliani* com as prisões e sentenças rígidas, mas as revoltas e greves varreram a ilha em reação à brutalidade da polícia e a severidade do tratamento aos prisioneiros.

AGOSTO DE 2018

CAFETERIA AMADEO

- Acho que a expressão que você usaria é "foi um deus-nos-acuda", - disse Vito, rindo.

Havíamos chegado à porta da Cafeteria Amadeo precisamente no mesmo momento, e eu segurava a porta enquanto meu amigo mancava pelo batente. Ele parecia parar por um milissegundo a cada passo, calculando o passo e olhando para o chão em busca de obstruções. Era o comportamento inconsciente de um homem que se preocupava com seu equilíbrio, então eu me demorei por mais um ou dois segundos antes de segui-lo, para não pisar muito perto de sua própria rota.

O barista trouxe dois cafés à nossa mesa enquanto nos sentávamos nas cadeiras. Então ele se virou rapidamente e pegou dois pratos que já havia arranjado no balcão às suas costas. Um continha fatias de laranja e o outro trazia uma pilha de *cantucci,* o petisco matinal favorito de Vito. Ele pousou os pratos na mesa com leveza e um sorriso, então voltou ao seu posto para nos deixar conversar.

- Quer dizer depois dos vereditos de culpado? - perguntei.

- *Sì,* - respondeu ele. - Os camponeses e mineiros acreditavam que a ajuda estava a caminho. Eles acreditavam na mensagem dos *Fasci Siciliani,* e acreditavam que a dureza de sua determinação libertaria os trabalhadores de seu aparentemente permanente estado cativo.

Então o governo prendeu esses homens, atirou em muitos outros e encarcerou tantos quanto era possível conseguir acusações falsas contra.

- Mas, de acordo com Barbato, essas acusações não eram falsas. Os *Fasci Siciliani* tinham, de fato, travado uma batalha contra o sistema, contra o governo. A maioria dos cientistas políticos chamariam isso de insurreição.

Vito assentiu e bebericou o espresso. Suas pálpebras baixaram, mas seus olhos ainda brilhavam com o fogo que eu lembrava de nossa primeira reunião.

- Uma insurreição, você diz, - ele repetiu minhas palavras. - Mas uma insurreição não seria esperada?

- Suponho que sim, mas você não esperaria que o governo aquiescesse calmamente, não é?

Vito sorriu a isso.

- Não, claro que não. Mas não foi por nada que eles lutaram contra os poderes em Roma. Havia este sujeito, Antonio di Rudini. Ele é... bem, me permita começar de novo.

Crispi ordenou o desmantelamento dos *Fasci* e as prisões. Ele até mesmo ordenou as sentenças dos acusados. Mas ele perdeu as graças logo em seguida. Talvez fosse pelo volume baixo e constante de protestos que continuaram por toda a Sicília. Talvez fosse porque seu próprio governo estava parando de confiar em suas decisões. Talvez o povo da Itália simplesmente não gostasse dele, mas ele foi logo substituído por di Rudini como primeiro-ministro.

Di Rudini vinha tendo posições mais flexíveis quanto à classe trabalhadora e os camponeses por um bom tempo. Ele achava que muitos dos pronunciamentos dos *Fasci* estavam corretos, que os salários baixos, impostos altos e más condições gerais de trabalho estavam errados. Então, quando ele tomou a posição de primeiro-ministro em 1896, ele perdoou Giuffrida e seus companheiros porque disse que as sentenças eram muitos duras, e porque o desmantelamento dos *Fasci Siciliani* não era nada mais do que repressão brutal. E, talvez mais importante para a Sicília, ele adotou muitas reformas, incluindo condições de trabalho mais seguras, salários mais altos, abolição do trabalho infantil, aposentadoria por idade e invalidez e mais.

- Uau, - disse eu, maravilhado. - Parece que foi uma virada notável.

- E foi. Mas enquanto tudo isso acontecia, e antes de muito do que viria a passar, muitos sicilianos decidiram votar com os pés.

- Quer dizer que se mudaram.

- Certo. A Grande Migração já havia começado. A fome, os terremotos, más colheitas, deslocamento econômico, todos contribuíram para que milhões de europeus se mudassem para outros continentes, principalmente as Américas do Sul e do Norte. Os Estados Unidos por si só receberam tantos que o governo estadunidense temia estar sendo invadido por migrantes. Eles reagiram ao influxo colocando limites na imigração. O Ato de Exclusão Chinesa foi o paradigma estadunidense, embora houvesse acontecido antes. O governo dos EUA pôs uma cota nos imigrantes vindos da Europa. Com o sul da Itália

– o Mezzogiorno – e a Sicília tendo sido tão afetados, e considerando que o povo dessas áreas já estava vivendo às margens, a maior parte dos italianos tentando ir para os Estados Unidos vinha do sul.

Houve um resultado interessante aqui, também. Os estadunidenses de sua época, Luca, pensam em vinho tinto, pizza e macarrão com molho vermelho como sendo a verdadeira comida italiana, e cabelos e pele escura como sendo coisas propriamente italianas. Bem, é porque a Grande Migração foi feita pelos italianos do sul e os sicilianos, exatamente o povo que trouxe essa aparência e essa comida para os Estados Unidos.

Eu tive de rir um pouco. Esse estereótipo errôneo já não era comum entre minha geração de estadunidenses; nós havíamos sido apresentados às comidas finas e ao vinho da Itália e estudamos a cultura e arte da parte norte do país. Mas Vito estava certo sobre a geração de meus pais.

- Mas também houve uma ramificação muito mais intrigante dos *Fasci Siciliani*. Os fascistas comuns aos dias de Benito Mussolini eram tipos autoritários de direita com uma agenda nacionalista, enquanto os *Fasci Siciliani* eram socialistas. Então, lembre-se, entre 1895 e cerca de 1920, a palavra *Fasci* se referiu a reformas trabalhistas e governamentais Socialistas. Depois desse período, Mussolini cooptou o nome –

ele parece ter gostado da ótica de um "feixe" ser mais forte do que um junco solitário – e criou esse partido nacionalista linha dura que pararia o movimento Socialista e centralizaria o poder em seu governo.

Bem, na verdade, nele mesmo.

1922 E.C. – 1943 E.C.

FASCISTAS

ABRIL DE 1929

PALERMO

- NÃO TOQUE NISSO - DISSE CLAUDIA, admoestando sua filha pequena a se afastar do vaso sanitário encardido no canto da cela. "Que importa," pensou Claudia. "É um lugar sujo numa cidade suja num país sujo." Ela às vezes odiava seu marido, Paolo, pelos protestos nos quais ele insistia em ir.

Paolo Infante havia protestado contra o governo de Benito Mussolini por anos, mas nunca tão alto como agora, quando sua marionete na prefeitura, Cesari Mori, havia tomado o controle absoluto da cidade. Conhecido pelo seu tratamento impiedoso, Mori aprisionava os manifestantes caso conseguisse capturá-los, ou prendia a família do homem caso não conseguisse. Nesse caso, Paolo havia evitado a captura, então sua esposa e filha estavam agora na cela imunda de Mori.

O prefeito de Palermo foi refeito nos moldes de seu benfeitor Mussolini, um homem rígido com pouca consciência que não fazia concessões e brandia seu poder como um martelo de ferro, uma prática que lhe rendeu a alcunha de *Prefetto di Ferro* - o Prefeito de Ferro. Ao elevar Mori do cargo mais inferior de prefeito de Trapani à mesma posição na poderosa cidade de Palermo, Mussolini havia declarado com certa audácia:

> - Sua Excelência têm carta branca; a autoridade do Estado precisa absolutamente, eu repito, absolutamente ser restabelecida na Sicília. Se as leis ainda vigentes lhe entravam, isso não será um problema, porque escreveremos novas leis.

Poderia ter sido chamada de lei marcial, mas esse conceito era limitado demais para descrever o que Mori forjou em Palermo e na Sicília no geral. Ele pôs qualquer cidade que se opusesse a ele sob sítio, executando dissidentes sumariamente - tendo um prazer particular em perseguir Socialistas - e reinterpretou as leis para apoiar sua agenda.

Claudia e Francesa Infante foram pegas no expurgo de Mori dos protestos ao longo da ilha. Quando Paolo ficou sabendo da detenção de sua família, ele estava escondido nos Montes Peloritanos no leste da Sicília. As notícias lhe causaram um lapso de raiva e levou horas para que seus camaradas conseguissem fazê-lo se acalmar e agir racionalmente.

- O que quer que eu faça? - ele gritou a Lorenzo. - Deixar que eles morram?

- Eles não vão morrer, e sim, você deve resgatá-los. Mas você não pode fazer isso até que considere as ações corretas.

- A ação correta seria cortar a garganta do Mori - cuspiu Paolo.

- E isso seria quase impossível com os cem soldados armados que sempre estão ao redor dele. Vamos pensar.

Ao longo da noite, os dois homens e mais outros da gangue consideraram os próximos passos contra o fascismo no geral e contra Mori em particular. Todas grandes ações, certamente, mas Paolo continuava focado em ações muito específicas para salvar sua esposa e filha.

Tanto Mori quanto Mussolini tinham aversão à máfia. A organização criminosa vinha operando fora do controle oficial do governo por décadas, substituindo o governo em muitos lugares e garantindo o povo siciliano que ela, a máfia, era o que protegia a eles e suas liberdades. Era uma relação conflituosa.

Nessa ilha, onde o governo estrangeiro havia sido a norma e todo siciliano havia sofrido pressões injustas pelo governo, a máfia era vista como algo protetor. Entretanto, ao mesmo tempo, a máfia exercia sua própria pressão cobrando o *pizzu,* ou o pagamento de propina, para garantir que sua proteção fosse mantida. Às vezes, quando a proteção era recusada, ataques suspeitos aos negócios em questão ocorriam subitamente e sem aviso. Esses ataques reforçavam a necessidade de proteção e garantiam que a próxima oferta da máfia fosse aceita.

Mussolini se ofendia com muitas coisas que aconteciam na Sicília, mas a máfia, em particular, o tirava do sério. Para Mori, o sentimento era muito mais íntimo e imediato. As atividades da máfia na ilha reduziam o controle de Mori, desafiavam a sua autoridade e diminuíam os benefícios que ele acreditava que podia colher como prefeito. Seguindo o significado por trás das palavras de Mussolini - *Il Duce* - Mori pretendia abolir a máfia.

Ao mesmo tempo, ele tinha de confrontar Socialistas como Infante e seu bando escondido nas montanhas.

Quando era conveniente, Mori juntava a máfia e os Socialistas, divulgando os atos de qualquer um deles quando se podia contar que as notícias enfurecessem os palermitanos. Ou dividia os dois quando censurava um ou o outro, criando uma divisão entre eles. Quando ele prendeu Claudia Infante, ele a acusou de cooperar com a máfia. Mori sorriu a isso. Ele sabia que Paolo Infante ficaria furioso com a acusação de que sua esposa estava envolvida com a máfia, mas o homem também ficaria humilhado ao pensar que sua esposa estava em companhia de outros homens. A provocação muito pessoal de Mori arrasaria com a mente de Paolo, e esse era o seu plano. Prender a filha daquele homem, de dez anos de idade, foi apenas a cereja do bolo.

Mori havia aprendido essas táticas cruéis com o homem que o havia posto no poder. Mussolini havia formado o partido de Fascistas Italianos alguns anos antes. Através da manipulação e coerção, ele havia subido à posição de primeiro-ministro da Itália em 1922, e estava lentamente transformando a máquina política do país para apoiar sua agenda nacionalista. Manejando os níveis de poder, Mussolini forçou a complacência através de meios extra-judiciais, ameaçando seus oponentes ou logo os prendendo até que concordassem com sua interpretação das leis.

Mori estava pronto para fazer as coisas do mesmo modo. Afinal de contas, foi Mussolini que o pôs no poder na Sicília e, caso ele fizesse as coisas direito, poderia esperar mais avanços no *Partito Nazionale Fascista* - o Partido Fascista Italiano - que agora controlava o processo de governo por todo o reino, efetivamente superando até mesmo o Rei Vítor Emanuel.

Ao prender seletivamente sicilianos que ele acreditava desafiarem seu governo, Mori poderia aterrorizar o resto de *le pecore* - as ovelhas - como ele chamava o povo da ilha. Ele esperava que eles colapsassem na presença do poder como ele acreditava que sempre haviam feito quando encaravam uma ameaça poderosa e agressiva. Mas Mori tinha muito pouca experiência com os sicilianos para entendê-los. Ele havia crescido na Itália central, mas ficou brevemente em Trapani antes de retornar ao continente para morar em Florença. Depois da Primeira Guerra Mundial, ele foi enviado para a Sicília novamente para lidar com o problema de criminalidade por lá, embora sua carreira incluísse um breve mandato como prefeito de Bolonha, onde ficou isolado das questões e da cultura da ilha no Mar Médio.

Ao longo de suas viagens, Mori desenvolveu um nível de cinismo acerca do fascismo em si. Ele tinha crenças amarradas a um sistema de moralidade, mas via o comportamento criminoso da máfia como prioridade e pensou que o movimento fascista era inadequado para parar com o progresso dessa organização. Sua visão era de que a máfia havia atingido seu sucesso ao aparentar ser invencível e que, para derrotá-la, teria de ser mostrado ao povo que a máfia em si podia ser intimidada. Se ele pudesse mostrar as fraquezas da máfia dessa forma, era mais provável que o povo reconhecesse o governo oficial, fosse ele fascista ou não.

- Está na hora, - pronunciou Paolo. - Irei a Palermo amanhã, libertarei minha família e matarei Mori.

- Isso não vai acontecer, - disse Lorenzo, tentando acalmar o amigo sem incitar mais raiva. - Mori está em Mazara del Vallo agora, aprisionando mais criminosos.

- O que quer dizer com "mais criminosos"? Apesar de sua intenção de evitar incitar Paolo, as palavras de Lorenzo haviam sido mal escolhidas.

- Não "mais" em relação à sua família. "Mais" em relação a outros que ele prendeu.

Paolo pigarreou a isso. Ele ainda estava raivoso e agitado, e sua mente estava preocupada com visões de sua esposa e filhinha em uma cela imunda na Palermo de Mori.

- Eu irei com você - disse Lorenzo.

Paolo era sábio demais para recusar; ele sabia que essa missão iria requerer planejamento cuidadoso e ajuda de outros. Ele conhecia pessoas em Palermo, mas, logo que aparecesse na cidade, notícias de sua chegada poderiam chegar até as autoridades, então ele e sua família estariam em perigo imediatamente.

- *Grazie* - foi tudo o que ele disse, dando um tapinha no ombro de Lorenzo.

Quando os dois homens encilharam os cavalos nas primeiras horas do dia seguinte, dois amigos simpáticos a eles se juntaram à jornada. Os quatro cavalgaram nas brumas da manhã em direção ao oeste, para Palermo.

As ruas de Palermo estavam quietas nas primeiras horas da manhã, quando Paolo levou seu pequeno time por uma rua escura em direção à prisão, na praça principal. Ele parou no final da avenida estreita e espiou pelos cantos. Havia alguns lojistas varrendo a calçada e enrolando as venezianas exteriores que protegiam suas lojas durante a noite. E havia alguns estivadores se arrastando pela piazza em direção ao estaleiro, carregando sacolas de couro cheias do almoço padrão dos trabalhadores; pão, linguiça e vinho.

Lorenzo havia tentado convencer Paolo no fim de tarde anterior, passado na periferia de Palermo, de que deviam fazer um apelo pela libertação diretamente às autoridades. Mas sua sugestão foi rapidamente rejeitada.

- Eles querem a mim. É por isso que pegaram minha família. Se eu apelar pela liberdade delas, estou perdido - raciocinou ele.

- Mas se o que você quer acima de tudo é a liberdade delas, - desafiou Lorenzo, - então irá sacrificar a si mesmo.

Paolo teve de assentir em concordância com esse raciocínio, mas ele também sabia que seu trabalho na causa Socialista para os direitos dos trabalhadores seria extinguido. Se fosse feito prisioneiro pelos fascistas que agora governavam a Sicília, ele seria executado antes do cair da noite.

- Eu posso libertá-las e continuar livre também - ele disse ao amigo.

- Mas então elas estarão foragidas como você - rebateu Lorenzo. - Isso é liberdade?

- Eu as mandarei para longe, para que possam ficar seguras e livres. Ficarei aqui para lutar.

Lorenzo não teve de lembrar Paolo de que esse plano resultaria em uma outra forma de cativeiro para sua família e a deixaria em constante preocupação para com ele.

Então, nessa manhã, no ar limpo e fresco de Palermo, Paolo pretendia libertar sua esposa e filha e de algum modo escapar com elas.

Seu plano era pagar uma criança pequena para levar o café da manhã até o oficial da polícia dentro da prisão. Haveria apenas um oficial de serviço a essa hora. Isso o distrairia momentaneamente, e Paolo e os outros três homens se esgueirariam e suprimiriam qualquer resistência dele. Com isso, Paolo poderia abrir as celas e libertar todos que estivessem lá aprisionados.

Ele ofereceu algumas moedas a um garoto mais ou menos da idade de sua filha que estava do lado de fora de uma cafeteria, ajudando seu pai, o proprietário. Mas o pai do garoto rejeitou a oferta, recusando com raiva e dizendo que uma coisa dessas colocaria o garoto e ele próprio em perigo.

Quando duas crianças em idade escolar andaram pela piazza, Paolo estava pronto para tentar novamente, mas não queria se aproximar de dois jovenzinhos por medo de um deles denunciar a oferta. Paolo e Lorenzo voltaram à sombra da calçada, onde seus companheiros permaneciam. Depois de alguns minutos, uma jovem adolescente desceu pela rua de paralelepípedos com uma cesta no braço. Estava cheia de pães fresquinhos, ainda fumegantes da fornada.

- Para quem são? - Paolo perguntou a ela.

- Para a cafeteria, - respondeu ela. - Eu vendo o nosso pão a eles todos os dias, em troca de frutas e café.

Rapidamente, Paolo se interpôs na situação. Ele andou com a garota até a cafeteria e negociou os bens em troca do pão. Mas, ao invés de vender toda a cesta de itens de padaria, Paolo ficou com dois pães e adicionou frutas à cesta. Ele pegou uma grande caneca de café e a entregou à garota.

- Leve este pão, frutas e café até o homem na prisão, - disse ele, então pôs várias notas de lira no bolso do avental dela.

- Isso é para você, - disse ele. - Apenas entregue a comida e o café e saia com a cesta vazia.

A garota concordou e andou pela praça em direção à construção. Ela empurrou a porta pesada de madeira e adentrou no recinto. Paolo espiou pelos cantos e observou enquanto a porta se fechava atrás da garota. Depois de um ou dois instantes, a porta se abriu novamente e logo que a garota passou pelo batente, Paolo e os outros homens se esgueiraram pela abertura.

Foi fácil subjugar o guarda lá dentro, mas Paolo havia calculado mal. Ao invés de apenas um oficial, havia dois. Enquanto Lorenzo amarrava o primeiro, que ainda mastigava um pedaço de pão, um segundo oficial veio dos fundos. Paolo puxou uma faca de seu cinto rapidamente e a levou ao pescoço do homem.

- Você não vai interferir - sussurrou ele, pressionando a lâmina contra a pele do oficial. O homem balançou a cabeça, "não".

- Você tem família? - perguntou Paolo, mais uma vez pondo pressão na lâmina.

- *Sì,* - veio a resposta, por lábios bem cerrados.

- Então vá para casa e não diga nada acerca disso, - instruiu Paolo. - Você ainda não estava aqui.

Um oficial estava amarrado e o outro escapou da construção correndo, voltando para casa. Paolo e Lorenzo encontraram a chave de todas as celas rapidamente, encontrando Claudia e Francesca trancafiadas em uma bem ao fundo. Toda a operação levou pouco menos de cinco minutos, e Paolo, sua família e seus camaradas saíram e se dirigiram para os cantos de Palermo para realizarem sua escapada.

1939 E.C. – 1945 E.C.

SEGUNDA GUERRA MUNDIAL

OUTUBRO DE 1942

MAZARA DEL VALLO

- Mova-os - disse o coronel Werner, abanando a mão à multidão, e seu assistente fez o que ele pediu, empurrando sicilianos velhos e jovens para fora do caminho de seu oficial comandante. Werner e o tenente Stöhl estavam andando pela Piazza Santa Caterina, às sombras da Cattedrale delllo Santissimo Salvatore, e o oficial sênior não gostava de ter muito contato com essas pessoas.

Manfrit Werner, um oficial no destacamento de vanguarda da ocupação alemã, havia chegado em Mazara para alistar homens locais para servir a ele na campanha norte-africana. O Terceiro Reich tinha uma grande força de soldados alemães nas Montanhas de Atlas na Tunísia, mas, para que seus planos funcionassem, eles queriam mais homens, preferencialmente levemente armados e que lutariam para sobreviver, mas cujo real papel seria atrasar as forças aliadas antes de morrer em combate. Werner e outros oficiais nazistas operando nas cidades costeiras do sul da Sicília estavam organizando voluntários sicilianos em um desses batalhões suplementares.

As instruções de Werner eram de alistar tantos homens quanto possível em um curto período de tempo e mandá-los para a África. Ele e Klaus von Stöhl, o tenente ao seu lado, não tinham ideia de como esses sicilianos seriam usados pelo Marechal de Campo Rommel, e eles não se importavam. Os nazistas precisavam de mais carne para jogar na máquina dos Aliados e é isso o que eles iriam fazer.

A ameaça à Sicília era real, e os jovens homens de Mazara, Gela, Agrigento, Siracusa e outras cidades na costa sul da ilha sentiam a ameaça com mais intensidade do que outras pessoas na Sicília. Se as forças da Grã-Bretanha e dos Estados Unidos empurrassem sua campanha para fora do norte da África, elas invadiriam a Sicília primeiro a caminho do continente. Mais uma vez a ilha seria utilizada como um campo de batalha entre exércitos inimigos, e - mais uma vez - o povo que vivia lá morreria numa guerra de outras pessoas.

Rapazes jovens que trabalhavam nas fazendas e vinham às cidades para trabalhar eram alvo fácil para a campanha de alistamento dos alemães. A Sicília já era pobre e a economia não havia se recuperado das décadas de falência financeira, e essa nova guerra global deixou as coisas ainda piores, especialmente para aqueles que já não tinham expertise nem habilidades avançadas. Não havia trabalho nas cidades, então o influxo das áreas rurais apenas trouxe mais famílias empobrecidas para encher as cidades e arriscar os recursos já limitados.

Werner e von Stöhl haviam montado um escritório no canto da Piazza Santa Caterina e outra na Piazetta Bagno, ao lado do antigo Kasbah Árabe que ainda florescia com mercados. Cada um dos escritórios não consistia em mais de uma única peça no primeiro andar de um prédio residencial, mas dava a Werner e von Stöhl um lugar para o qual poderiam trazer voluntários em potencial e explicar os benefícios de se alistar por seis meses ou um ano.

O tenente fazia pouco caso dos recrutas. - *Stupidu* - ele dizia, com frequência demais para ser discreto, tendo ouvido a palavra de um fazendeiro, que a usava com sua cabra. "Por mim, poderiam ser todos mortos," ele pensava consigo mesmo, e então reclamava abertamente com Werner.

- Esses pastores de cabritos mal podem servir como soldados sob Herr Rommel.

- Eles não são soldados, - explicava Werner pacientemente, - são uma linha de defesa para os nossos bons garotos alemães. Esses sicilianos irão absorver as balas primeiro, enquanto nossos jovens rapazes sobrevivem para arremeter contra o inimigo. Além disso, Rommel precisa de uma grande força para prosseguir e não importa se a maior parte deles morrer. Contanto que os corpos sejam sicilianos.

Werner compartilhava de parte do desrespeito de von Stöhl para com os sicilianos, mas ele havia lutado ao lado dos italianos no norte e tinham mais respeito por eles do que seu tenente tinha. Esses eram homens - embora uma categoria inferior de homens, pensava ele - e eles lutariam para sobreviver. Esse fato era o suficiente para pôr rifles em suas mãos e deixar que ficassem entre os soldados alemães e os inimigos.

Ele também sabia que esses novos recrutas não seriam pagos uma vez que estivessem em campo. Então, para atraí-los, ele tinha de prometer que suas famílias receberiam suporte financeiro aqui em Mazara, a mesma promessa que estava sendo feita pelos colegas de Werner em Gela e Agrigento às famílias dos homens lá recrutados. Para ser convincente, no entanto, eles teriam de ter dinheiro adiantado para os homens, dinheiro que pudessem dar às suas esposas antes de serem enviados à guerra.

Cheques de banco não tinham valor algum. Em tempos incertos de guerra, a falência de bancos era comum, e com a desvalorização da lira, o dinheiro vivo era a única coisa que seria aceita. Werner havia escolhido o escritório próximo à Kasbah especificamente porque já houvera sido um banco, e lá havia um cofre sem uso no canto onde ele podia guardar pacotes de lira italiana e marcos alemães que ele havia trazido para Mazara para essa campanha de recrutamento.

Ele tivera pouco sucesso de início e apenas um punhado de homens visitou o escritório, então ele e von Stöhl tomaram o hábito de caminhar pelas praças da cidade. Ele cumprimentava o povo com um sorriso, um que ele houvera praticado antes e que parecia apenas levemente fingido. Mas ele não gostava do cheiro da multidão, então ele passava rapidamente quando o número de pessoas era muito grande.

Foi assim que aconteceu nessa tarde em particular em Mazara. Apesar do fim da estação, o sol estava alto e a temperatura acima do normal, e Werner não gostava de estar tão perto dessas pessoas.

Werner e von Stöhl chegaram ao seu outro escritório na Piazza Santa Caterina e destrancou a porta. Havia jovens rapazes perambulando pela rua, mas eles não se alinharam em frente ao posto alemão de cara.

Werner notou isso, então fez um grande show do fato de estar lá, se recostando na porta aberta do escritório e fumando um longo charuto, cuspindo anéis de fumaça para que ficassem no ar acima dele.

Von Stöhl também estava fazendo seu show, mas dentro do escritório. Ele não gostava de falar diretamente com os sicilianos, então ele permaneceu sentado na escrivaninha visível janela adentro, mexendo em papéis e fazendo parecer que estava bem ocupado com o trabalho do Terceiro Reich.

- *È bellu,* - Werner murmurava para ninguém em particular, - *è bel giornu* - "é um lindo dia". Embora parecesse um comentário enfadonho, Werner sentia que tinha de sorrir e parecer particularmente feliz, radicalmente acima do humor geral dos mazaranos que passavam, que tinham a aparência cansada e preocupada com seu destino nessa guerra. A mostra de confiança e alegria de Werner atraiu a atenção dos transeuntes, e murmúrios puderam ser ouvidos entre os homens que o viam.

Homens jovens também eram atraídos pela atuação, se perguntando como esse alemão podia estar entre eles, parecendo feliz e obviamente bem-sucedido enquanto eles se perguntavam se poderiam pagar por um jantar escasso ou um pedaço de pão antes do cair da noite. Então alguns perguntaram acerca dos negócios dos alemães ali, e, sendo informados de que ele estava recrutando “homens fortes para lutar contra o inimigo”, decidiram escutar o que tinha a dizer.

- Eles tomarão suas esposas e seus lares, - disse Werner, num discurso bem ensaiado. - O Führer e seu *Il Duce* estão determinados a não deixar que eles os tratem dessa maneira. Herr Hitler ordenou que os batalhões de seus próprios soldados no norte da África lutassem contra os estadunidenses e britânicos, os derrotassem lá e não os deixassem vir até sua ilha. Mas não podemos fazer isso sozinhos. Não podemos defender todo o seu país sem a ajuda dos italianos que querem manter sua própria terra livre.

Werner cometeu um erro em seu discurso, se referindo aos italianos ao invés dos sicilianos, mas os homens locais o ouvindo deixaram isso passar. Eles não se consideravam italianos, mas eles sabiam que seu destino e o destino da Sicília estariam ligados à preservação das terras da própria Itália, então fatoraram isso no que Werner estava dizendo.

- Para a glória do Terceiro Reich e a sobrevivência do povo italiano, nós lutaremos juntos para parar a invasão dos estadunidenses!

A declaração vibrante desse propósito sempre tinha algum sucesso em fazer alguns homens se alistarem. À medida que as semanas passavam, o fio fino de homens aumentou para um fluxo estável, cada jovem que vinha ao escritório dos alemães tendo ouvido histórias de outros voluntários recebendo um envelope de dinheiro para que suas esposas comprassem comida, e cada um decidindo que os estadunidenses e britânicos precisavam ser parados antes que desembarcassem nas praias de Mazara.

Nem todos os homens eram tão facilmente convencidos. Na piazza do lado de fora do escritório de Werner próximo à Kasbah havia cafeterias que atraíam pequenas multidões todo fim de tarde. Nas multidões, havia alguns dos socialistas que tinham sido membros do *Fasci Siciliani* e que viam além das promessas vazias dessa nova incursão alemã em sua ilha. Eles eram homens e mulheres educados que resistiam à fina aparência da propaganda nazista e que reconheciam o coronel e seu tenente como funcionários enviados apenas para recrutar buchas para os canhões inimigos.

E então havia aqueles que ficavam no meio de campo, nem sendo pobres e desalojados, mas também não sendo da intelligentsia elitista que fazia muxoxos a cada promessa feita pelos representantes nazistas enviados a Mazara.

Um jovem rapaz estava sentado na cafeteria e ouvia os debates que aconteciam ao seu redor. Ele ouvia as promessas esperançosas feitas por recém-recrutados às suas esposas, gastando seu dinheiro precioso numa última tarde no bar antes de serem enviados para a África, e ele ouviu aos apelos passionais dos dissidentes que alertavam que nada que os alemães falavam era verdade.

Ele era Vito Trovato. Ele havia recém completado seu segundo ano em *L'Universitá di Palermo,* educação o suficiente para o preparar para lecionar literatura, se quisesse, e até mesmo para encontrar uma forma de escapar de seu lar em Mazara em um navio para os Estados Unidos. Ele não caía nas promessas de Werner, mas ele também não concordava com os dissidentes que lutavam contra tudo que os alemães diziam. Trovato queria ficar em Mazara e lutar por sua cidade - contra qualquer inimigo que ela enfrentasse - e ele decidiu que seu papel nessa guerra seria se certificar de que sua cidade e sua cultura sobrevivessem. Se os alemães pudessem vencer e dar liberdade aos mazaranos, ele lutaria por eles. Mas, se depois de um tempo parecesse que os Aliados fossem tratar sua antiga cidade com mais respeito e deferência, ele iria para o lado deles.

Foi com esse pensamento que o jovem Vito Trovato entrou pela porta do escritório de Werner próximo à Kasbah em uma tarde de domingo. Ele queria entrevistar o coronel - uma virada de mesa com o orgulhoso oficial alemão - e ele queria ver se Werner poderia convencê-lo de que o serviço a *Il Duce* e ao

Führer fazia mais sentido do que ficar ao lado dos Aliados.

- Porque deveríamos lutar contra os estadunidenses? - perguntou ele quando se sentou na cadeira próxima à escrivaninha de Werner. Um muxoxo audível pôde ser ouvido de von Stöhl, e Trovato se virou para avaliar o homem que havia lhe mostrado tanto desrespeito.

- Os estadunidenses querem tomar seu país. É isso que você quer? - respondeu Werner, pacientemente.

- Bem, - começou Trovato, olhando para suas mãos como se procurasse inspiração. - Muitas pessoas tomaram nosso país ao longo dos séculos. Mas e os...

- Mas quer que outras tomem? - insistiu Werner.

Trovato parou, mas então retomou seu comentário.

- Mas e os alemães? O Terceiro Reich não está tomando nosso país?

Com isso, von Stöhl se pôs em pé num salto. Ele não veria um siciliano idiota desafiando o destino do Reich. Mas Werner apenas sorriu.

- Não, - disse ele, batucando com os dedos na escrivaninha, e fazendo um sinal com a mão para que von Stöhl se sentasse. - Nós não queremos o seu país. Sim, é claro, ele está aqui entre a África e a Itália, e sim, nós temos que lutar por ele para deixá-lo em segurança. Mas nós, os alemães, não queremos ficar com seu país.

- Werner deu de ombros e então olhou diretamente para Trovato.

- Nós apenas queremos impedir que os Aliados marchem para o norte. Você não quer isso; nós não queremos isso. Mas precisamos lutar juntos para mantê-los longe de sua terra.

Trovato não caiu naquele raciocínio facilmente, mas teve de admitir silenciosamente que ele queria manter a batalha longe de sua ilha. Se a guerra pudesse ser lutada na Tunísia, talvez isso poupasse a Sicília da dor de uma guerra generalizada.

- Não pode ser tão simples - disse ele.

- O quê? - deixou escapar von Stöhl, interrompendo a conversa e obtendo uma carranca de reprovação do coronel.

- Vocês lutarão para manter Mazara segura... - continuou Trovato.

- Toda a Sicília - interrompeu Werner.

- *Sì*, toda a Sicília, - concedeu Trovato. - E quando irão partir?

Werner mostrou relutância por um momento, uma pausa longa demais para Trovato, mas então retomou a compostura.

- O Terceiro Reich não tem interesse na Itália, - continuou o coronel. - *Il Duce* governa o país e estamos satisfeitos com sua ajuda no conserto de todas as coisas que estão erradas no mundo.

Werner estava se cansando da conversa e queria chegar na parte do alistamento.

- Então, você está disposto a fazer parte da salvação de seu país?

Trovato sorriu de volta para ele, mas não respondeu de imediato.

- Posso ver que você é um homem educado, - disse Werner. - Precisamos de alguém como você, que poderia mostrar aos homens como lutar.

- Não sei nada sobre lutas - respondeu Trovato.

- Mas você sabe muito sobre liderança, - continuou Werner. - Precisamos de um homem esperto como você para liderar os homens e explicá-los o que os Aliados farão quando chegarem à Sicília. Como tomarão suas fazendas e suas mulheres. Pausando para efeito dramático, ele adicionou, - e tomar suas menininhas.

Trovato não gostou de nada disso, mas ele não gostava especialmente do pensamento de ser dominado por mais outro país, outro numa longa fila de culturas que subjugaram a Sicília. E ele sabia que empurrar a batalha para longe das costas de sua ilha poderia ajudar a manter o derramamento de sangue e a destruição longe de sua terra natal.

Então ele se alistou com Werner para ser um voluntário no batalhão siciliano e lutar contra os Aliados. Ele sabia que seria imediatamente enviado para o norte da África, mas ele quis manter sua promessa silenciosa com o povo de Mazara e lutar a guerra longe de suas praias.

AGOSTO DE 2018

CAFETERIA AMADEO

- Mazara - disse Vito, em seu inimitável estilo de palavras únicas. Havíamos ambos chegado na Cafeteria Amadeo ao mesmo tempo; eu segurei a porta para meu amigo e andamos até a mesa no canto do salão. O barista apareceu com nossos *due espressi,* um prato de *cantucci* e outro de fatias de laranja. Tudo parecia tão familiar e tão permanente, embora eu soubesse - assim como Vito - que minha hora de partir havia chegado. Eu deveria embarcar em um trem para a Catânia naquela mesma tarde, passando a noite lá, e então pegar um trem para Roma no dia seguinte. Havíamos falado sobre a minha partida antes, particularmente quando eu pensei pela primeira vez que teria de ir em julho, mas havia ficado mais tempo, relutando em deixar Vito e Mazara del Vallo.

O que permaneceu não dito ao longo dos nossos dias juntos foi o meu plano original de fazer um tour da ilha e ver a vida como ela é na Sicília. Ainda assim, eu sentia que havia feito um tour vertical ao longo da história da Sicília - ao invés de fazer um tour horizontal através da geografia. Eu acreditava que o destino me traria de volta; Vito não parecia ter tanta certeza. Ele estaria aqui, na Cafeteria Amadeo, como sempre. Certo?

Mas a vida continua. Eu percebi que, à medida que o calendário virava até a metade de agosto, que eu teria de deixar a Sicília e voltar para os Estados Unidos. Eu esperava que pudesse levar comigo todas as experiências e memórias desse lugar, todas as histórias contadas pelo meu mentor, e todos os pensamentos de tarde da noite que eu havia coletado nos arquivos da minha memória sobre o povo da Sicília - aqueles que aqui vieram como imigrantes e aqueles que vieram como invasores.

- Mazara - repetiu ele, enquanto bebia a diminuta xícara de espresso.

Eu nunca havia estado nessa cidade antes de aterrissar nela seis semanas atrás, mas eu sentia como se houvesse me tornado um cidadão de Mazara del Vallo através desse mergulho profundo em sua história. Eu bebi da xícara de café, dando espiadas em Vito pela borda e me perguntando como eu haveria de descobrir a Sicília sem ele como guia. Como encontrei ele?

Ou, na verdade, como ele me encontrou?

Seis semanas. Parecia mais do que uma vida inteira. Eu fiz minha viagem até essa ilha para pesquisar a história de meus pais e avós, indo no máximo até 1890, e me encontrei sendo puxado inextricavelmente ao passado. O passado profundo.

Vito havia sido o meu guia, meu mentor e meu amigo. Meu caminho ao longo da história siciliana havia sido muito maior do que eu havia antecipado no início, mas eu sentia - nessa manhã - como se qualquer coisa menos do que isso haveria sido uma decepção.

- Mazara, - disse ele novamente. - Você sabia que era escrita diferente antes da guerra?

- Hã?

- Mazara. Não sei porque, - continuou ele, e eu imediatamente me perguntei como podia haver algo que Vito ainda não houvesse descoberto - não sei porque, mas a escrita da cidade mudou de Mazzara del Vallo, com dois "z", para Mazara, após a guerra.

Eu não pude deixar de perceber isso, assim como Enna havia mudado para Henna ao longo dos séculos, e Agrigento havia tido tantos nomes diferentes, para não mencionar Balharm-Palermo,

Nassina-Naxos, Drepanon-Trapani e tantas outras. Mas a mudança na escrita de sua própria cidade parecia especialmente importante para Vito, mesmo que fosse um simples e único "z".

O barista voltou com outra rodada e ficou na mesa por mais tempo do que o normal. Era como se ele suspeitasse da mudança na atmosfera, minha partida iminente e o fim de nosso ciclo de história.

- O povo de Mazara del Vallo, - começou o barista, - nós temos sobrevivido à maior parte das invasões, dos povos antigos aos alemães, e então os estadunidenses. Com isso, ele deu de ombros, como se o fluxo constante de estrangeiros não fosse nenhuma novidade.

- Posso trazer mais *biscotti al limone* ou rocamboles de chocolate para vocês? - perguntou ele.

Eu tive de sorrir. O barista sabia que eu estava partindo, e ele nunca houvera oferecido nada além do café da manhã siciliano comum - vianinhas, fatias de laranja, alguns doces ocasionais e o *cantucci* padrão - mas ele parecia reconhecer que essa manhã seria diferente.

- *Sì* - disse eu, com um sorriso, levantando minha xícara de espresso numa saudação.

Vito permaneceu quieto, mas então pediu licença para ir até o banheiro masculino.

À altura do retorno de Vito, o barista havia trazido não só os biscotti e os rocamboles de chocolate, mas também outra rodada de espresso. Sinalizando ao colega atrás da bancada para que ele atendesse o balcão, o barista também trouxe uma terceira xícara à mesa e se sentou conosco.

- Luca, - Vito se dirigiu a mim, levantando a mão em direção ao barista, - este é Roberto.

Não pude deixar de sorrir. Este homem de ombros largos com as mangas arregaçadas, o cabelo denso e desalinhado e o sorriso permanente já era meu amigo e colega. Mas seu nome nunca havia surgido em nenhuma conversa. Ele era o "barista", um título eminentemente apropriado e completo.

Eu levei a mão por toda a mesa para apertar a dele.

- Ele foi meu aluno, - continuou Vito, - como você diz... *há muito tempo*... - então ele riu ao pensamento.

- Não tanto tempo. Foi há dez anos - comentou Roberto.

- Ele era um bom aluno... - disse Vito, mas eu o interrompi.

- Ok, então eu sei que você leciona literatura italiana, mas do povo de Mazara eu também ouvi que suas aulas eram pontilhadas por contos da história siciliana. - então fiz uma pausa. - Ou foram aulas de história pontilhadas por literatura italiana?

Roberto sorriu largamente e pousou sua mão no ombro de Vito com gentileza.

- *Sì* - foi a resposta do barista, obscurecendo os dois assuntos o suficiente para me convencer de que eram inseparáveis. Se servindo do que restava do espresso e pegando um *cantuccio* do prato, Roberto retornou ao seu posto.

- Sabe que Benito Mussolini subiu ao poder mais ou menos ao mesmo tempo em que Adolf Hitler o fez, - disse Vito, voltando facilmente à lição do dia. - No período entre as duas grandes guerras.

Eu assenti.

- *Il Duce* subiu ao governo italiano em 1922, rapidamente se declarando Primeiro Ministro, mas em pouco tempo ele deixou a pretensão de democracia e se tornou o ditador dos estados italianos. *Herr Führer* tentou tomar o governo alemão em um golpe em 1923, mas falhou. Mussolini saiu do socialismo para o nacionalismo, e Hitler foi da filiação com o partido dos trabalhadores até a ditadura da Alemanha.

- O que isso tem a ver com a Sicília? - perguntei.

- Tudo tem a ver com a Sicília, - respondeu Vito, com um sorriso.

- Mussolini sentia que a máfia o estava impedindo de tomar o controle total da ilha, então apontou oficiais locais para desmantelá-la.

- Oficiais como Cesari Mori.

- *Esattumentu,* - respondeu Vito. - Mas os sicilianos se opunham a serem governados à distância; eles já haviam passado por isso por séculos demais. Então as tentativas de Mori de acabar com a máfia na verdade acabaram por fazê-la crescer na ilha. Ainda assim, a máfia não é realmente o ponto da história.

- Continue.

- Se Mussolini tivesse ficado fora da política siciliana, o povo daqui poderia ter feito vista grossa à sua tirania. Eles nunca se identificaram muito com as políticas e o governo italiano de qualquer forma, mas a distância do continente os ofereceu um certo isolamento, o suficiente para que pudessem ignorar os ditames de Roma quando lhes convinha fazê-lo. Mas Mussolini não conseguia ficar de fora, e sua interferência trouxe uma raiva renovada para a relação entre a Sicília e a Itália continental. A máfia viu uma oportunidade e se juntou com os anti-fascistas na Sicília contra as interferências de Mussolini, o que lhes deu raízes na sociedade siciliana que, de outra maneira, poderiam lhes ter sido negadas.

E com a Itália lutando no lado dos alemães, uma nação já historicamente em desacordo com a Sicília, o governo de Mussolini teve ainda mais problemas na ilha. Espremidos entre as nações do norte como a Alemanha, a França, a Inglaterra e outras, e a Campanha Africana do Eixo, de início, e depois os Aliados, a Sicília se tornou o meio do tabuleiro novamente. Nenhum dos lados lutando nessa guerra no teatro sul parecia se importar muito com o povo cujas fazendas, lares e cidades foram usados como teatros de operação para as batalhas. Os sicilianos se agacharam e tentaram sobreviver à guerra sendo travada pela sua terra. Alguns deles se juntaram às forças de um lado ou do outro, e alguns fugiram para os Estados Unidos.

- Primeiro, a Pantelária no sul foi bombardeada pelos Aliados para amaciá-la para a marcha ao norte até a Sicília. Então, depois dos Aliados desembarcarem aqui, o bombardeio de Palermo, Gela, Messina e Siracusa começou. Os estadunidenses vieram libertar a Sicília e, no processo, a Itália se rendeu e apoiou os aliados, que em setembro de 1943 tomaram o controle do continente.

Vito ficou em silêncio por um momento, e eu pude ver que seus olhos estavam focados em algo muito,

muito distante. Eu não queria deixar nenhuma oportunidade escapar quando podia aprender mais antes de partir. Mas eu também sabia da importância de dar um pouco de silêncio para ele.

- Eu estava lá, - disse ele. - Eu estava lá quando os nazistas lutaram contra os Aliados no norte da África. E eu estava aqui, na Sicília, recuando da batalha junto com os alemães. Quando os Aliados vieram até as praias em Gela e Agrigento. Não demorou muito para que os estadunidenses se dirigissem para o oeste, em direção à minha cidade de Mazara del Vallo. E enquanto eu havia me voluntariado para me juntar aos alemães e manter os estadunidenses fora de minha cidade, eu fui pego na retirada alemã que ia para o leste da ilha ao invés disso, para Messina... para longe de Mazara.

Vito ficou em silêncio novamente, sua cabeça levemente inclinada, as pálpebras ficando meio fechadas.

- Eu me alistei para lutar por minha cidade, Mazara, e eu acabei fugindo dos Aliados, para longe da minha cidade. Nós recuamos até o estreito, em Messina, mas ainda estávamos sendo perseguidos pelos Aliados.

Outra pausa.

- Nós sicilianos havíamos lutado por milhares de anos para manter os estrangeiros fora de nossa ilha, para lutar por nossa própria liberdade enquanto outros nos escravizavam. Eu era um daqueles sicilianos que lutaram, mas nós perdemos. De novo.

Eu acordei numa manhã logo antes dos transportes de tropas alemães começarem a se encher para levar os soldados pelo estreito até Reggio di Calabria no continente, e decidi que era hora de ir para casa. Eu era um mazarano, não um soldado do Terceiro Reich. E eu queria ir para casa.

O apelo sincero de Vito para voltar para casa quase trouxe lágrimas aos meus olhos. Eu havia me tornado mais siciliano nesses dois meses, mas eu ainda era estadunidense. E, naquele momento, eu senti uma enorme e súbita saudade de casa.

- A guerra chegou ao fim e todos deixaram a Sicília. Os alemães foram derrotados e os estadunidenses e britânicos não se importavam mais conosco. Talvez devêssemos ficar agradecidos por ninguém estava interessado em nosso país, ao menos por uma vez.

Ao longo dos últimos setenta anos, não houve guerras travadas em nossa ilha, nenhuma invasão de forças estrangeiras. Imigração... ah, sim, muitos imigrantes vieram ao meu país desde a época do derramamento de sangue e da contenda na África e no Oriente Médio.

Mais uma vez, somos um ponto de parada na jornada até outro lugar.

Mas esses imigrantes, enquanto taxam nossos sistemas sociais e provocam problemas para as autoridades locais resolverem, não são invasores armados com a intenção de colocar um governo fantoche, reinar de outro continente e tomar todos os recursos que os sicilianos deveriam, por direito, reclamar como seus.

Vito pausou para um gole de espresso, seus lábios fechados numa linha cerrada. Então ele olhou para cima, para o design geométrico no teto, impresso na cultura siciliana pelos árabes há mais de mil anos atrás. Seu olhar abaixou um pouco, se alinhando com a estátua desnuda do deus do vinho, Dionísio, um presente dos gregos de mais de um milênio antes. De lá, segui seus olhos para o outro canto do bar, onde ele viu Baco, o deus do vinho dos romanos plantado na cultura e na psiquê sicilianas mais ou menos na época de Cristo.

- Uma das minhas alunas me perguntou, há muito tempo, se eu era completamente siciliano. Eu disse que "sim".

Eu sorri à ideia, mas deixei que Vito continuasse.

- Então eu perguntei se ela era, e ela disse que "sim" também. Então comecei a recitar a lista de invasores que vieram ao meu país e então fiz a ela a pergunta milenar: "É possível que exércitos invasores nunca tenham descido de seus cavalos?" Felizmente, era uma aula de uma turma da universidade, então a natureza imprópria da minha pergunta seria perdoada.

- O que ela disse?

- Luca, foi uma pergunta retórica! - respondeu ele, quase como uma reprimenda. Mas eu realmente queria saber como a conversa prosseguiu, não o que essa aluna em particular disse. Então esclareci minha questão e perguntei novamente.

- A beleza intrínseca de ser siciliano, - respondeu meu mentor, - é o fato de que nenhum de nós é puramente siciliano, e mesmo assim todos nós somos sicilianos. Os estadunidenses chamam seu país de crisol de raças enquanto o mundo se inquieta com a infusão de forasteiros que são rotulados de migrantes. Mas a Sicília é o mais verdadeiro crisol de raças do mundo, certamente da Civilização Ocidental.

Nós herdamos linhagens sanguíneas do Oriente Médio e das Américas, da Escandinávia no norte e da África no sul. Fomos povoados primeiro por aborígenes de origem desconhecida que foram suplantados por ibéricos, então elímios da Anatólia, e depois os sículos que viajaram para baixo da bota da Itália para se juntar aos que restavam. Toda grande dinastia desse hemisfério – os fenícios, gregos, cartagineses, romanos, árabes, britânicos, franceses, espanhóis – reivindicaram a Sicília como província uma ou outra vez.

Então somos sicilianos puros? - perguntou Vito.

Eu pausei para deixar que ele respondesse sua própria pergunta, presumindo que essa fosse outra pergunta retórica, mas Vito me surpreendeu.

- Sim, nós somos sicilianos puros.

Meu olhar confuso - acentuado por um sorriso expectante - fez Vito se animar de seu devaneio histórico.

- É uma das grandes ironias da cultura que, para ser um siciliano puro, você tenha que ser um vira-lata.

Por um momento, Vito voltou a si mais uma vez. Roberto viu a mudança e andou em direção à mesa com um copo d'água e outro espresso para cada um de nós.

Eu tive um momento para observar Vito em cheio. Seu cabelo grisalho, linhas profundas de rugas singrando suas bochechas, e o dobrar de seus dedos artríticos. Sua boca ficou mole por um instante, e pareceu que a chama eterna de alegria que queimava dentro dele havia se esvaído, até que olhei para seus olhos. Mesmo sem um sorriso gravado em sua face, o brilho dos olhos mostrava com facilidade que Vito era um homem de grande energia e grande felicidade.

Como Roberto, o barista, havia uma vez me dito, "a Sicília e Mazara del Vallo não seriam as mesmas sem Vito. Ele nos lembra de quem somos, mesmo quando esquecemos disso. Ele conta as histórias dos povos antigos, mas soa como se fosse eu, ou você, ou... – apontando para as pessoas sentadas na cafeteria – ou eles. A forma como Vito conta a história da Sicília como se houvesse vivido ela, de um século para o outro. Como se ele fosse a história."

EPÍLOGO

"Il signor Vito Trovato è morto ieri mattina. Lui ha novantotto anni..."

"O signor Vito Trovato faleceu ontem, pela manhã. Ele tinha noventa e oito anos de idade", dizia o anúncio. Havia vindo até mim no correio, num envelope pequeno no qual havia meu nome e endereço ordenadamente escritos.

"Signor Trovato nasceu em 1920 de pais não identificados. Ele foi adotado, na infância, por Michele Innocenza e Maria Grazia Innocenza. O sobrenome do signor Trovato – um nome comum para órfãos, que significa literalmente "encontrado" – foi dado a ele pelo centro de adoção e permaneceu o mesmo após a adoção. Ele viveu em Mazara del Vallo por toda a sua vida, e é conhecido pelo seu conhecimento profundo da história da região Mediterrânea no geral, e da ilha da Sicília especificamente.

Sua falta será sentida com pesar pelos muitos milhares de alunos que se sentaram em sua sala de aula e ouviram sua combinação única de literatura siciliana, folclore e história. O Signor Trovato não deixa nenhum parente vivo, nunca tendo se casado. Seu testamento tem apenas uma única cláusula, que sua biblioteca seja dada a uma mulher chamada Mia Cristina. Uma celebração de sua vida será feita em...”

Eu parei de ler à medida que as lágrimas surgiram em meus olhos e meu peito subia e descia em grandes soluços. A data e hora da celebração já haviam passado, então eu a perdi. Era tarde demais para prestar minhas condolências; tarde demais para que eu pudesse ver meu amado amigo mais uma vez.

Eu soube, das semanas que havíamos passado juntos no verão de 2018, que Vito foi a pessoa mais importante que eu já conheci. Sua vida foi vivida como muitas outras foram vividas, do nascimento à infância, à vida de trabalho, à terceira idade. Mas ele era um tesouro siciliano. E ele me ensinou a apreciar o tesouro que a Sicília era em si, seu “país”.

Eu pousei o recorte de jornal na mesa e descansei minha mão nas costas da cadeira para me equilibrar. Quando fechei meus olhos, pude ver o rosto sorridente de Vito, o cabelo denso e grisalho, e a maneira como ele batia os dedos na mesa para apresentar seus pontos. Seus olhos queimavam com vida e alegria. Como se estivesse em um filme mudo, pude ver seus lábios se mexendo enquanto ele gesticulava com a mão. Nenhuma palavra era ouvida, mas seus olhos passeavam pelo que eu lembrava da Cafeteria Amadeo, absorvendo os artefatos da miríade de culturas que reivindicaram sua terra, artefatos que haviam deixado sua marca em seu país.

Vito deveria ter vivido para sempre, pensei. Mas, na verdade, quem sabe ele viva.

Em nossas muitas horas de conversa, Vito frequentemente se referiu aos lugares que eu ainda veria pela ilha da Sicília. Talvez eu devesse usar minhas anotações como um mapa para começar esse processo.

Esse tour da cidade irá me ajudar a completar este livro, um tributo ao meu mentor, Vito, e a única maneira que eu conheço de capturar, para a posteridade, as histórias que ele passou tanto tempo descrevendo para mim.

NOMES ANTIGOS DOS LUGARES E ÉPOCA APROXIMADA DE QUANDO APARECERAM PRIMEIRO

(NOTA: NOMES FICTÍCIOS APARECEM EM ITÁLICO)

Nomes Antigos dos Lugares e Época Aproximada De Quando Apareceram Primeiro

(Nota: *Nomes fictícios aparecem em itálico)*

Tempos Muito Antigos	Tempos Antigos	c. 1500 AEC	c. 1000 AEC	c. 500 AEC	c. Ano 0	c. 500 EC	c. 1000 EC	c. 1500 EC	Atualidade
						Agyrium		San Filippo d'Argirò	Aggira
	Ankara	*Akra*		Acragas	Agrigentum		Girgenti		Agrigento
					Hippo Regius				Annaba
	Letopolis	Khem							Ausim (Egito)
			Entella						Belice
		Euteso		Euespérides					Benghazi (Líbia)
					Brundisium				Brindisi
			Gadir						Cádiz (Espanha)
		Italoi			Bruttium				Calábria
						Qal`at a fīmī			Calatafimi-Segesta
				Triocalla					Caltabellotta
				Capeva					Cápua
	Casello	*Casegno*							Castellaro Vecchio
							Castello de Altavila		Castello Aragonese
				Katane					Catânia
				Cephaloedium			Gafludi		Cefalù
			Centuripa	Kentoripa				Centorbi	Centuripe
	Kaptara	Keftiu							Creta
						Adrianópolis			Edirne (Turquia)
			Henna	Hennaion		Henna	Kasr'Janni	Castrogiovanni	Enna
			Eryx				Cebel Hamid	Monte San Giuliano	Erice
	Aballa		Inessa	Aetna					Etna
Fave									Favignana
								Île Julia (em 1831)	Ferdinanda
	Sypho	*Sintelia*		Gela			Terranova		Gela
		Cnossos							Heráclion (Creta)
		Troia							Hissarlik (Turquia)
					Ietas				Iaitas
				Bizâncio		Constantinopla			Istambul

			Oenotria						Itália
					Shalem	Yerushalayim			Jerusalém
			Lentinoi						Lentini
Fansu			Lefansu	Phorbantia					Levanzo
		Bevira		Phintius					Licata
					Algusa			Lenusa	Linosa (ilha)
			Maja		Melita				Malta
Tirsa									Marettimo
				Lilibeu			Mars-al-Allah		Marsala
				Massalia					Marselha
Masra			Mazar				Mazara[1]		Mazara del Vallo
				Maleth	Melite				Mdina (Malta)
		O Grande Mar	Mar da Síria	Mare Nostrum				Bahr-i Sefid	Mar Mediterrâneo
				Zancle	Messana				Messina
	Myla	*Mylia*	Mylae						Milazzo
						Miniu			Mineo
			Elyma						Misrata (Líbia)
				Montes Íbleos					Monti Iblei
			Motya				San Pantaleo		Motya (Mozzia para os sicilianos)
	Nassina								Naxos
	Picta								Montes Nébrodes
			Netuno		Netum				Noto
			Zis	Panormus		Bal'harm	al Madinah		Palermo
		Euonymos		Hycesia					Panarea (ilha)
Manta	*Pantea*					Bint al-Riyāḥ	Cossyra		Pantelária
	Picta								Montes Peloritanos
								Piana dei Greci	Piana degli Albanesi
								Piazza	Piazza Armerina
					Rhegium		Rivàh		Reggio Calabria
			Elima	Halyciae		Alicia	Salàm		Salemi
				Didyme					Salina (ilha)
		Precipio				San Filadelfio			San Fratello
	Akrotiri	Thera							Santorini (ilha)
		Rivesa		Thermae		Syac	as-Saqqah		Sciacca
			Egesta						Segesta
				Selinus					Selinunte
Ganta	*Gania*	*Dian*	Sicânia	Trinacrium					Sicília

1 "del Vallo" adicionado no século 19

	Stentinello		Syrakosai	Siracusa		Siracusae			Siracusa
		Kfra							Solunto
			Pilares de Hércules						Estreito de Gibraltar
			Strongulē						Stromboli
							Bilad al-Sham		Síria
						Tingis			Tânger (Marrocos)
			Tauro	Tauromenium					Taormina
			Taranto	Tarantum					Taranto
			Hímera	Thermae					Termini Imerese
			Heracleion						Thonis (Egito)
Adda	*Pani*	Drepanon	Drepanum						Trapani
			Oea	Regio Syrtica		Regio Tripolitana			Tripoli (Líbia)
			Qart-ḥadašt		Carthago	Cartago			Túnis (Tunísia)
						Ifríquia			Tunísia
				Tyndaris					Tyndari
	Wallee			Osteodos					Ústica
	Vera			Therassia					Vulcano

LISTA DE PERSONAGENS

(NOTA: NOMES FICTÍCIOS APARECEM EM ITÁLICO)

71 A.E.C., Siracusa

Caio Verres – homem, governador romano de Siracusa (real)
Marco Túlio Cicero – homem, estadista e orador romano (real)
Fenestra – mulher, fazendeira siracusana
Livaius – homem, fazendeiro siracusano, marido de Lilia
Lilia – mulher, fazendeira, esposa de Livaius
Pilio – homem, cidadão siracusano
Antipias Quadras – homem, capitão romano
Timeus – homem, manifestante siracusano

36 A.E.C., Mar Tirreno

Sexto Pompeu – homem, general romano (real)
Otaviano – homem, herdeiro de Júlio César e primeiro imperador do Império Romano (real)
Mantius – homem, escravo grego a bordo de um navio do republicano Sexto Pompeu
Sansão – homem, escravo da África

59 E.C., Siracusa

Balfornus – homem, capitão do navio de Paulo de Corinto a Siracusa
Saulo/Paulo – discípulo de Jesus (real)
Taritius – soldado romano

350 E.C., Casale

Nomitius – homem, supervisor da construção da Villa Casale
Cantone – homem, chefe do transporte dos materiais de construção
Próculo Populônio – governador da Sicília (real)
Daphne – escrava mulher de pele escura, mulher de Nomitius
Europa – escrava grega de pele clara
Dintare – homem, pedreiro

Lineu – homem, artesão responsável pelos mosaicos da villa

536 E.C., Siracusae

Clio – mulher, esposa de Theodes
Theodes – homem, marido de Clio
Belisário – homem, comandante bizantino (real)
Salidus – homem, dono do Calic' Bellu (taverna)
Hermedes – mulher, filha de Clio e Theodes
Calentus – homem, filho de Clio e Theodes

655 E.C. – Ortígia

Anatole – homem, trabalhador judeu
Azriel – homem, cortador de pedra judeu, marido de Dina
Dina – mulher, esposa de Azriel
Rebecca – mulher, irmão solteira de Dina
Tzadok – homem, rabino
Elisa – mulher
Yosef – homem, rabino
Shemule – trabalhador do mikveh

674 E.C. – Catedral de Siracusa

Zosimo – bispo católico (real)

Penarius – homem, assistente de Zosimo, marido de Julia
Julia – mulher, esposa de Penarius
Martha – prostituta de ocasião, consorte de Zosimo
Ottimo – aprendiz de construtor, assistente de Penarius
Acctual – capataz dos escravos, também escravo

827 E.C. – Mazara

Moáuia – segundo califa da dinastia omíada (real)
Iázide ibn Abi Sufian – irmão de Moáuia (real)
Uqueba ibn Nafi – comandante muçulmano que conquistou o Magrebe (real)
Eufêmio– general bizantino na Sicília (real)
Constantino – general bizantino na Sicília (real)
Homoniza – uma freira, interesse amoroso de Eufêmio (real)
Ziadate Alá I – emir muçulmano, governando da Síria, ordenou que Asad ibn al-Furat fosse à Sicília (actual)
Asad ibn al-Furat – filósofo muçulmano, comandou a invasão muçulmana da Sicília (real)

Maomé ibn Abu'l-Jawari – sucessor de Asad ibn al-Furat (real)
Zubair ibn Gawth – successor de Maomé ibn Abu'l-Jawari (real)
Irmã Anita – madre superiora do convento onde Homoniza vivia
Galal – oficial do exército de Asad

829 E.C. – Enna

Galal – capitão das forças muçulmanas
Eufêmio– general bizantino (real)
Santoro – emissário de Enna
Zubair ibn Gawth – successor de Maomé

859 E.C. – Henna

Ludovico Parmentum – capitão da guarda bizantina
Attilio Vergine – strategos (general) do exército bizantino
Abu'l-Aglabe al-Abbas ibn al-Fadl – comandante muçulmano (real)
Philippus – tourmarchēs, líder da infantaria bizantina em Henna
Diryas – homem, Rashidun (infantaria muçulmana de elite)
Naaqid – comandante de nível médio no exército muçulmano

Inamur – homem, Rashidun, infantaria muçulmana de elite
Aqsa – mulher, acompanhando o exército muçulmano
Ibrar ibn Afsad – camandante da investida muçulmana em Henna
Traestum – soldado bizantino
Sterios – soldado bizantino
Venatos – homem, enneu, fazendeiro
Eshaal – mulher enneia, fazendeira

878 E.C. – Siracusa

Miguel III – Imperador bizantino (real)
Eudóxia Decapolitissa – esposa de Miguel III (real)
Eudóxia Ingerina – amante de Miguel III (real)
Leão – filho de Eudóxia Ingerina (e possivelmente de Miguel III) (real)
Basílio I – Imperador bizantino, sucessor de Miguel III (real)
Jafar ibn Maomé – comandante muçulmano (real)
Abu Ishaq – filho de Jafar, o sucedeu no comando das forças muçulmanas (real)
Italo – fazendeiro em Siracusa
Romano – assistente de Jafar

954 E.C. – Bal'harm

Saabih – homem, arquiteto muçulmano
Nudair – homem, arquiteto muçulmano
Aqsa – mulher, esposa de Saabih
Sawrat – homem, tuneleiro do sistema de qanāt
Imtiazud - homem, tuneleiro do sistema de qanāt
Mahira – mulher, esposa de Imtiazud
Isha – mulher, esposa de Sawrat

1061 E.C. – Reggio

Roberto Guiscardo (de Altavila) – Conde da Apúlia e Calábria (real)
Alberto Prater – assistente militar de Roberto Guiscardo
Rogério I (de Altavila) – Conde da Sicília, irmão mais novo de Roberto Guiscardo (real)
Henrique – capitão da guarda de Roberto Guiscardo
Ayyub ibn Tamim – emir do leste da Sicília, filho do Emir da Ifríquia (real)
Ahmed ibn Agha – oficial responsável pelo destacamento muçulmano em Messina

1146 E.C. – Palermo

Rogério II – primeiro Rei da Sicília (real)
Hanislaw – capitão da guarda de Rogério
Pedro – banqueiro de Rogério
Papa Eugênio III – ordenou a Segunda Cruzada (real)
Padre Miguel – padre que serviu na capela de Rogério, vindo de Cefalù

1204 E.C. – Siracusa

Alammano da Costa – mercante marítimo e dono do *Carroccia*, de Gênova (real)
Gaspardo – capitão do Carroccia
Ferdinando Renata – governador pisano de Siracusa
Abulafe – esposa de Ferdinando Renata
Don Filippe – banqueiro de Renata
Telio del Stanno – capitão das forças pisanas em Siracusa

1239 E.C. – Palermo e Mazara del Vallo

Palermo

Frederico II – Sacro Imperador Romano, Rei da Sicília, também Rei da Alemanha (1212-1220) e
Rei de Jerusalém, (1225-1228) mas não na época desse capítulo (real)

Isabella – esposa de Frederico II, Sacra Imperatriz Romana, Rainha da Sicília (real)
Mateo d'Amato – conselheiro do Rei Frederico
Barão Sirico Laurentiis de Mazara
Barão Dante Cremia de Agrigento
Barão Adolfo Triponte de Gela
Verelli – capitão do exército palermitano

Mazara del Vallo

Principe DeLoro – comandante militar; segundo em comando do Barão Sirico Laurentiis
Gino Stefano – conselheiro de DeLoro
Kaabir – homem muçulmano

1282 E.C. – Palermo

Carlos I – rei francês da Sicília (real)
Alaimo da Lentini – capitão de armas de Messina (real)
Pedro – Rei de Aragão e Valência, também conhecido como Pedro III de Aragão e Rei da Sicília (1282-1285) (real)
Franken – burguês de Palermo (real)
Rogério de Lauria – almirante italiano e comandante da marinha de Pedro (real)
Guillem Galceran de Cartellà – comandante catalão a serviço de Pedro (real)

1302 E.C. – Caltabellotta

Carlos II de Anjou – rei de Anjou (real)
Panguin – agente de Carlos II
Frederico III – rei da Trinácria (real)
Giuseppe – agente de Frederico III

1347 E.C. – Messina

Maserato Imbolati – capitão de navio
Regina – esposa de Imbolati em Gênova
Olabisi – esposa de Imbolati no Cairo
Berio – estivador em Messina
Stario d'Esta – mestre do porto em Messina

1392 E.C. – Palermo, Palazzo Chiaramonte

Matilda Ludovica d'Stefano – acompanhante de Costanza Chiaramonte
Costanza Chiaramonte – irmã de Andrea Chiaramonte, esposa de Ladislau de Aragão, filha de Manfredo III (real)
Andrea Chiaramonte – oitavo Conde de Módica, irmão de Costanza Chiaramonte, filho de Manfredo III (real)

1535 E.C. – Palermo

Rei Carlos V, Sacro Imperador Romano, Rei da Itália, entre outros títulos (real)
Isabela de Portugal – esposa do Rei Carlos V (real)
Lutero – agente e conselheiro do Rei Carlos
Bispo Bernardus – bispo católico romano em visita a Carlos V de Córsega, que viaja com ele a Palermo
Candido d'Andrea – estrategista militar de Carlos V em Castela
Guglielmo Aiutamicristo – neto do Barão Guglielmo Auitamicristo, herdeiro do Palazzo (real)
Antonio – cavalariço no Palazzo Aiutamicristo
Nicolà – namorada de Antonio

1669 E.C. – Catânia

Diego de Pappalardo – cidadão da Catânia que montou a equipe de desvio do fluxo de lava no Monte Etna em 1669 (real)
Giorgio – cidadão da Catânia
Fantine – cidadão de Paterno
Mona – esposa de Fantine
Angelo – cidadão de Paterno

1713 E.C. – *Sevilha e Palermo*

Vítor Amadeu II (também conhecido como Vittorio Amadeo II) – Rei da Sardenha, Rei da Sicília, Duque da Savóia (real)
Ana Maria de Orleães – esposa de Vítor Amadeu e Rainha da Sardenha, Rainha da Sicília e Duquesa de Savóia (real)
Alosio d'Elmonte – agente e conselheiro de Vítor Amadeu
Annibale Maffei – Conde da Sicília sob Vítor Amadeu (real)
Vicente Lora – agente do vice-rei de Palermo, e então do Conde Maffei
Antonio – homem camponês esperando nas docas pelo Rei e a Rainha
Gaia – mulher camponesa esperando nas docas pelo Rei e a Rainha

1799 E.C. – Nápoles e Palermo

Rei Fernando IV da Sicília (real)
Italo – oficial da vigília no porto de Palermo
Pietro – vigia do cesto da gávea no porto de Palermo
Beppo – aprendiz de Italo de oito anos de idade
Raphael Talenti – conselheiro do Rei Fernando IV
Francesco Pignatelli Strongoli – brevemente regente de Nápoles (real)

1804 E.C. – Mazara del Vallo e La Goulette

Augusto – estivador em Mazara del Vallo, marido de Marie
Marie – segunda esposa de Augusto, de Alger
Vittorio – estivador em Mazara del Vallo, filho de Augusto e Marie
Becari – estivador, irmão mais novo de Vittorio

1848 E.C. – Palermo

Franceso Bagnasco – autor e tipógrafo do panfleto emitido pelo Comitê Revolucionário (real)
Carlo – assistente de Bagnasco
Rubio Stella – assistente Bagnasco
Luce Adamante – capitão das forças do Rei em Palermo
Ruggero Settimo (real)
Vincenzo Fardella (real)
Fernando II das Duas Sicílias (real)
Giuseppe La Masa – barão, líder do 12 de janeiro de 1848, levante em Fieravecchia (real)

1854 E.C. – Racalmuto

Piero d'Impelli – gerente de mina

Adelfio – mineiro
Roberto – mineiro
Daniele Fabresi – antigo mineiro trazido de volta para a inspeção
Gianni Costante – mineiro
Luisa Costante – esposa de Gianni
Alessandro – filho de nove anos de Gianni e Luisa
Matilda – filha de três anos de Gianni e Luisa
Philip Ambrose – mercante britânico

1860 E.C. – Risorgimento

Giuseppe Garibaldi (real)
Francesco Crispi – aliado político próximo de Garibaldi (real)

1894 E.C. – Palermo

Giuseppe de Felice Giuffrida – membro dos Fasci Siciliani da Catânia
Rosario Garibaldi Bosco – membro dos Fasci Siciliani de Palermo
Nicola Barbato – membro dos Fasci Siciliani de Piana dei Greci
Bernardino Verro – a membro dos Fasci Siciliani de Corleone

1929 E.C. – Palermo

Paolo Infante – ativista socialista em Trapani
Claudia Infante – esposa de Paolo Infante
Francesca – filha de dez anos de Paolo e Claudia Infante
Cesare Mori – Prefeito de Palermo, apontado por Mussolini (real)
Lorenzo – amigo e camarada escondido com Paolo

1942 E.C. – Mazara del Vallo

Manfrit Werner – coronel alemão
Klaus von Stöhl – tenente alemão
Vito Trovato

VOCABULÁRIO

OS SEGUINTES TERMOS E PALAVRAS FORAM USADOS POR TODO O LIVRO E ESTÃO AQUI LISTADOS PARA O BENEFÍCIO DO LEITOR.

(**Nota:** *palavras fictícias aparecem em itálico*)

Palavra	Tradução
ager publicus	Terra pública
Allaghia	Cavalaria bizantina do século VI
Allu	alho
almogávares	soldados da Ibéria com roupas leves, porém armados, que lutavam por Pedro de Aragão
alod	no feudalismo, um abono para os donos de terra para que mantivessem sua terra caso a possuíssem antes do sistema feudal ser imposto
anusim	qualquer um convertido para o cristianismo à força; ver neofiti
As-Salamu Alaykum	árabe para "estarei contigo"
bacu	abacus
Bagno Ebraico	Banho Hebraico; nome romano e siracusano para o Grande Mikveh de Siracusa
talabarte	tira de couro utilizada sobre o peito e ombros; usada para carregar armas, especialmente para embainhar espadas
bandon (pl. banda)	destacamento militar bizantino do século VI; aproximadamente 150 homens
birreme	navio de dois conveses, cada um com sua fileira de remadores
bon sira	boa noite
boviu	vaca
brit	cerveja
bucellarii	soldados armados de um exército privado
Calic' Bellu	nome de uma taverna em Siracusae, 535 E.C. (traduz-se como "Cálice da Guerra")
cameriere	garçom
cantucci	pequenos biscoitos, como os biscotti
cassata	bolo
catafracta	homens de armas e armaduras a cavalo; também o próprio cavalo, de armadura
catepano	refere-se à pessoa no comando do exército bizantino, "o que se encontra no topo"
cheeka (ver gira)	palavra masriana para a cebolinha
ciciri	grão-de-bico
coniglio	coelho
contadini	camponeses, fazendeiros e mineiros
corvus	ponte de madeira com dobradiças presas em um navio que poderia ser abaixada e acoplada a outra embarcação inimiga para permitir a abordagem
cúbito	unidade de medida romana, equivalente a quarenta e cinco centímetros
denário (pl. denari)	unidade monetária romana
dhimmi	judeus ou cristãos numa sociedade muçulmana
dólmen	construções de pedra primitivas, geralmente um arranjo simples de uma peça vertical ou mais, com uma peça horizontal equilibrada acima
dulcis in fundo	sobremesa feita de mel, nozes, leite e farinha
elímios (também chamados de elimi)	tribo da Anatólia que migrou até a Sicília

Fasci dei Lavoratori	ver Fasci Siciliani
Fasci Siciliani	movimento de protesto na Sicília de 1890 que advogava pelos direitos dos trabalhadores; também conhecido como Fasci dei Lavoratori
feudi	parcelas de terra distribuídas pelo rei numa sociedade feudal
gebbiu	cisterna, da palavra árabe *giebja*
ghulam	soldado escravo
gira (ver cheeka)	palavra addiana para cebolinha
hecatontarca	líder de cavalaria bizantino
hijab	vestido muçulmano para as mulheres, que cobre tudo, menos a face
hoplitas	soldados cidadãos da Grécia antiga
infama	classe mais baixa de romanos, logo abaixo dos escravos; também usado para se referir a prostitutas
In shā'a llāh	pela vontade de Alá
isolani	habitante de uma ilha
jizya	tributo requerido a todos os não-muçulmanos (ver zakat)
kanat	sistema árabe de irrigação por túneis abaixo de Palermo
kasbah	mercado, da palavra árabe
keyla	oliveira
kottabos	jogo envolvendo bebida no qual os celebrantes atiram as gotas de vinho de seus cálices em um disco, tentando deslocá-lo de onde se apóia
koursorses	cavalaria bizantina
vela latina	vela triangular num mastro único
latifundia	sistema de fazendas
lazzaroni	classe mais pobre da Nápoles do século XVIII
lochagiai	infantaria bizantina do século VI
Magrebe	região do norte da África
mal del stomaco	dor de estômago
mangonela	um tipo de trabuco de tração
Mare Nostrum	nome romano para o Mar Mediterrâneo
mattanza	ato de cercar um cardume com barcos, então fechar o círculo para que os peixes possam ser golpeados e trazidos a bordo
minieru	mineiros (os italianos diriam miniera)
moirai	divisão de soldados bizantinos do século VI
naxianos	povo de Naxos
neofiti	palavra na Sicília para os anusim, ou judeus convertidos para o cristianismo
notinesi	povo de Noto
oikistes	termo grego para alguém que funda uma cidade ou um povoado
oinos	vinho, palavra utilizada pelos gregos em 750 A.E.C.
pazzu	louco, selvagem (os italianos diriam pazzo)
pecore	ovelha
pistola, pistole (pl.) (às vezes pistolese)	pistola, pistolas
pistolese	soldado com uma pistola
pizzu	propina (os italianos diriam pizzo)
pomolo	lentilhas
poncho	*posidonia oceanica*, planta marinha do Mediterrâneo, também conhecida como Grama de Netuno
Pótnia	deusa elímia do amor e da fertilidade; o mesmo que a Astarte dos fenícios e a Afrodite romana (e a Vênus Ericina)

pugio	pequena adaga levada pelos soldados romanos
qadi	juiz em uma corte da sharia islâmica
qanāt	sistema de gerenciamento de água empregado em Bal'harm (Palermo)
rashidun	soldado de elite muçulmano na Idade Média
rishta	macarrão tipo espaguete introduzido na Sicília pelos muçulmanos
seah	unidade de volume utilizada pelos judeus, equivalente a mais ou menos 15 litros
seeio	olá
shatranj	nome persa antigo para o jogo de xadrez; o nome persistiu durante a era em que foi introduzido na Europa, no século XIII
sicanos (também chamados de sicani)	primeira tribo a se assentar na Sicília
sicélidas (também chamados de sículos)	tribo da Itália continental que migrou para a Sicília
sida	obsidiana (antes de 3950 A.E.C.)
sidia	obsidiana (depois de 3950 A.E.C.)
skutatoi	arqueiros bizantinos do século VI
strategos	general (ou comandante) do exército bizantino
sūrah	capítulos do Corão
svevi	Suábios
tartrae	trufas
tercio, tercie	infantaria espanhola
Tercio de Sicilia	infantaria de Carlos V na Sicília
tevilah	palavra hebraica para a imersão completa, como num mikveh
tina	vinho
toma / tomae	azeitona / azeitonas
tourmarchēs	líder de infantaria bizantino
trichiagon	estragão
trirreme	navio de três conveses, cada um com sua equipe de remadores
tumarche	líder de infantaria do exército bizantino
tyropatinum	tyropita, queijo macio e doce com mel e ovo crus
wāli	governador muçulmano
yero	ervilha amarga
zagara	flor, da palavra árabe *zahra*
zakat	imposto da lei islâmica para ajudar os necessitados; em alguns lugares, como o Magrebe, o zakat é suplementado pela jizya (ver)
zibbibbu	passas, da palavra árabe *zbib*

AGRADECIMENTOS

O mundo de um escritor é habitado por muitos seres. Alguns são imaginários, como as musas que sussurram em nossos ouvidos – que distraem e inspiram na mesma medida. Alguns são espíritos que voltam para nós de memórias distantes, ou os fantasmas que se materializam da sombra de nossos medos. Alguns são reais, pessoas de carne e osso que vêm e vão em nossas vidas, e que ficam e perseveram através da insanidade do processo criativo. A sã e encorajadora influência na minha foi a da minha esposa, Linda. O literal "empurrãozinho" veio do meu bom amigo Don Oldenburg, quem, após eu ter pesquisado sobre o assunto por vários anos, me advertiu que "mais cedo ou mais tarde, você tem que começar a escrever". E a energia para completar o trabalho veio da memória do meu pai e da presença encorajadora da minha filha, ambos sicilianos conectados a mim.

Embora *As Crônicas da Sicília* seja um trabalho de ficção histórica, a história que conta não teria sido possível sem a pesquisa e os insights de incontáveis historiadores, sociólogos, arqueólogos, antropólogos e outros escritores. De seus trabalhos, eu fui capaz de construir uma cronologia detalhada, plausível e sensível da Sicília, desde os tempos antigos até a era presente.

Meu muito obrigado e meu respeito vão para as centenas de fontes diversas, mas as referências seguintes estão entre as que mais influenciaram nessa pesquisa que conduzi ao longo dos anos.

Abulafia, David, *O Grande Mar: Uma História Humana do Mediterrâneo*, Oxford University Press (Oxford, 2011)

Attenborough, Richard, *O Primeiro Éden,* Little, Brown (1987)

Benjamin, Sandra, *Sicília: Três Mil Anos de História Humana,* Steerforth (New Hampshire, 2006)

Booms, Dirk e Higgs, Peter, *Sicília: Cultura e Conquista*, The British Museum (2016)

Brownworth, Lars, *Perdido para o Ocidente: O Esquecido Império Bizantino que Resgatou a Civilização Ocidental*, Broadway Books (New York, 2009)

Cline, Eric. H., *1177 A.C.: O Ano em que a Civilização Desabou,* Princeton University Press (Princeton, 2014)

Cook, Michael, *Uma Breve História da Raça Humana,* W.W. Norton (New York, 2003)

Crowley, Roger, *Impérios do Mar: O Cerco de Malta, A Batalha de Lepanto e a Disputa pelo Centro do Mundo,* Random House (New York, 2009)

Cunliffe, Barry, *Europa Entre os Oceanos: 9000 A.C. Até 1000 D.C.*, Yale University Press (2011)

de Souza, Philip (ed.), *O Mundo Antigo em Guerra,* Thames & Hudson (London, 2008)

Dickson, D. Bruce, *O Alvorecer da Crença: A Religião no Paleolítico Tardio do Sudoeste Europeu,* University of Arizona Press (1990)

Farrel, Joseph, *Sicília: Uma História Cultural,* Interlink Pub Group (Massachusetts, 2014)

Keahey, John, *Procurando a Sicília: Uma Jornada Cultural Através do Mito e a Realidade no Coração do Mediterrâneo,* St Martin's Press (New York, 2011)

Lacey, Robert e Danzinger, Danny, *O Ano 1000: Como Era a Vida na Virada do Primeiro Milênio*, Little, Brown, and Company (Boston, 1999)

Linder, Douglas O., *Julgamentos Famosos: O Tribunal de Caio Verres* (70 A.C.),

Mendola, Louis, *Os Povos da Sicília: Um Legado Multicultural*, Trinacria Editions (2014)

Mendola, Louis e Alio, Jacqueline, Palermo, *Monreale & Cefalù Normando-árabe-bizantinas*, Trinacria Editions (New York 2017)

Miles, Richard, *Cartago Deve ser Destruída: Ascensão e Queda de uma Civilização Antiga*, Penguin (London, 2010)

Mitchener, James A., *A Fonte*, Dial Press Trade Paperback (republicação, 2002)

Nesto, Bill e di Savino, Frances, *O Mundo do Vinho Siciliano*, University of California Press (Berkeley, 2013)

Norwich, John Julis, *Sicília: Uma Ilha nas Encruzilhadas da História*, Random House (2015)

Piccolo, Salvatore, *Pedras Ancestrais: Os Dólmens Pré-históricos da Sicília*, Brazen Head (London, 2013)

Privitera, Joseph F., *Sicília: Uma História Ilustrada,* Hippocrene Books (New York, 2002)

Robb, John, *A Vila Mediterrânea Primitiva: Atuação, Cultural Material, e Mudança Social na Itália Neolítica*, Cambridge University Press (2007)

Runciman, Steven, *As Vésperas Sicilianas: Uma História do Mundo Mediterrâneo no Final do Século Treze*, Cambridge University Press (1958)

Sammartino, Peter e Roberts, William, *Sicília: Uma História Informal,* Cornwall Books (1992)

Simeti, Mary Taylor, *Na Ilha de Perséfone: Um Diário Siciliano*, Vintage (New York, 1995)

Simeti, Mary Taylor, *Pompa e Sustância: Vinte e Cinco Séculos de Comida Siciliana,* Henry Holt (New York, 1991)

Toussaint-Samat, Maguelonne, *História da Alimentação*, Blackwell Publishers (1992)

White, Randall, Cavernas Escuras, *Visões Brilhantes: A Vida na Europa da Era do Gelo,* W.W. Norton (New York, 1986)

Caro leitor,

Esperamos que você tenha gostado de ler *Encruzilhadas do Mediterrâneo*. Reserve um momento para deixar uma crítica, mesmo que curta. A sua opinião é importante para nós.

Atenciosamente,

Dick Rosano e Next Chapter Team

Você também poderá gostar de:
Uma Morte na Toscana, por Dick Rosano

SOBRE O AUTOR

As colunas de Dick Rosano têm aparecido há muitos anos no *The Washington Post* e em outras publicações nacionais (EUA). Sua série de romances ambientados na Itália capturam a beleza do país, os sabores da culinária, e a história e as tradições do povo. Ele viajou pelo mundo, mas a Itália é seu lar ancestral e as inspirações que ele empresta aos livros traz vida aos personagens, traz o foco para as cidades e os interiores e deixa a cultura em alto-relevo.

Quer seja o drama político da *Conexão de Viena*, os trabalhos de um vinhedo familiar em *Uma Morte na Toscana*, o céu azul e as paisagens mediterrâneas em *Um Amor Perdido em Positano*, a intriga em *Caçando Trufas* ou o conflito amargo da ocupação nazista em *O Segredo de Altamura*, Rosano coloca a vida e as épocas da Itália em suas mãos.

OUTROS LIVROS DE DICK ROSANO

Ilhas de Fogo: As Crônicas da Sicília, Parte I – Um romance histórico da ilha no centro da Civilização Ocidental, da chegada de seus primeiros habitantes há dezenas de milhares de anos atrás até a época de Júlio César.

Uma Morte na Toscana – Um jovem rapaz está de luto pela morte suspeita de seu avô enquanto se prepara para tomar as rédeas do vinhedo de sua família na Toscana.

O Segredo de Altamura: Crimes Nazistas, Tesouro Italiano – Segredos escondidos dos nazistas em 1943 ainda são procurados por um colecionador de arte nos dias atuais. Mas o mal espreita todos que tentam revelá-lo.

A Conexão de Viena: Histórias escondidas conectam o establishment estadunidense a atividades suspeitas em Viena, Áustria, e Darren Priest é chamado para voltar da aposentadoria e desvendá-las.

Caçando Trufas – Os corpos assassinados de caçadores de trufas aparecem, mas a colheita de trufas em si foi roubada.

Herança de Vinho: A História dos Vinicultores Ítalo-Americanos – Séculos de Imigração Italiana aos Estados Unidos pavimentou o caminho para a revolução dos vinhos estadunidenses do século 20.

OUTROS LIVROS DE D.P. ROSANO

Um Amor Perdido em Positano – Um tradutor do Departamento de Estado cansado da guerra se apaixona por uma mulher sob os céus azuis do Mediterrâneo, então ela desaparece.

As Garotas de Vivaldi – O jovem prodígio ruivo podia fazer as mulheres desfalecerem com a grandiosidade do toque de seu violino - ainda mais quando ele trocou sua batina de padre pelas ricas vestimentas de uma celebridade rica e famosa.

Para Roma, Com Amor – Algumas memórias nunca são esquecidas. Enquanto Tamara descobre os charmes de Roma nos braços de seu primeiro amor, as vistas, a comida e o vinho a encantam profundamente.

Encruzilhadas Do Mediterrâneo
ISBN: 978-4-86750-154-2
Edição impressa grande

Publicado por
Next Chapter
1-60-20 Minami-Otsuka
170-0005 Toshima-Ku, Tokyo
+818035793528

6 Junho 2021

Lightning Source UK Ltd.
Milton Keynes UK
UKHW041837140621
385519UK00001B/163

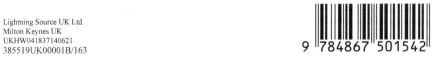